ŚWIAT WEDŁUG MELLERA

ŚWIAT WEDŁUG MELLERA

Życie i historia: ku wolności

Ze Stefanem Mellerem
rozmawia Michał Komar

ROSNER & WSPÓLNICY

Edytor
Andrzej Rosner

Okładka i strony tytułowe
Magdalena Wosik

Zdjęcia
Archiwum rodzinne, Marcin Kula
Wydawnictwo dziękuje Rodzinie i Marcinowi Kuli
za nieocenioną pomoc przy wyborze zdjęć

Opracowanie redakcyjne
Elżbieta Jasztal, Andrzej Rosner

Wydawnictwo dziękuje Annie i Marii Krauss
oraz Witoldowi Zakrzewskiemu za pomoc w stworzeniu tej książki

Rosner & Wspólnicy
Wydanie pierwsze
Warszawa 2008

ISBN 978-83-60336-25-0

Opracowanie typograficzne, łamanie
Agencja Poligraficzna Sławomir Zych

Tak się złożyło, że w ostatnich latach sporo chorowałem. W początkach długiej i niemiłej rekonwalescencji był taki moment, kiedy chciałem się zająć czymś ważniejszym niż tylko prowadzenie ćwiczeń i wykładów. Mój młodszy przyjaciel Andrzej Rosner, również historyk (więc z podobnym do mojego zboczeniem zawodowym), doszedł do wniosku, że nikt nie wymyślił lepszej terapii niż spowiedź. Byłem już za ostrym życiowym zakrętem, czyli po rezygnacji ze stanowiska ministra spraw zagranicznych. Nagle zacząłem zadawać sobie pytanie, skąd się właściwie wziąłem. Jak to się stało, że – z moimi doświadczeniami życiowymi, zarówno z dzieciństwa, jak i dojrzałego już wieku, z moją pozycją w środowisku, otoczony i przyjaciółmi, i wrogami – z historyka przeistoczyłem się w dyplomatę, a w końcu znalazłem się w rządzie Rzeczypospolitej. Właściwie do dzisiaj nie rozumiem tego mechanizmu; pomyślałem jednak, że może jest jakaś linia przewodnia, niekoniecznie prosta, która doprowadziła mnie do mojej dzisiejszej sytuacji. Postanowiłem więc opisać kolejne środowiska, z jakimi się stykałem – i siebie na ich tle (a nie na odwrót); dotknąć tego, co jest żywą materią historii.

I jeszcze jedno. Byłem dydaktykiem przez sporą część życia. Po dziesięcioletniej nieobecności w Polsce (z powodu pobytu na placówkach dyplomatycznych) wróciłem do nauczania. Ze zdziwieniem uświadomiłem sobie, że sprawy dla mnie oczywiste – komplikacje mojego życia i życia moich przyjaciół – są zupełnie nieczytelne dla młodego pokolenia. Pomyślałem więc, że muszę pisać uczciwie i szczerze, ale w taki sposób, żeby pokazać młodym ludziom, dlaczego tak trudno rzetelnie opowiedzieć przeszłość. Nie mam jednak wątpliwości, że przeszłością warto się zajmować, bo bez wiedzy o niej nie sposób zrozumieć tego wszystkiego, co dzieje się z nami i wokół nas. Jeśli będziemy patrzeć wyłącznie w przyszłość, to będzie ona marna i głupia.

Warszawa, 16 grudnia 2007 r.

Michał Komar: Dojrzewanie zaczyna się wtedy, gdy młody człowiek uświadamia sobie, że wokół niego jest nie tylko najbliższa rodzina. Dostrzega sprawy społeczne, interesuje się polityką. Dlatego naszą rozmowę rozpoczniemy od 1956 roku – bardzo ważnego w najnowszej historii Polski – bo wtedy, 4 lipca, skończyłeś...

Stefan Meller: Czternaście lat. Uczyłem się w dawnym budynku liceum Staszica – szkoły o pięknej tradycji, którą zlikwidowano, połączono z placówką TPD[1] i zamieniono w szkołę podstawową i liceum ogólnokształcące imienia Klementa Gottwalda. Chodziłem najpierw na Noakowskiego, potem na Nowowiejską. Wydawało mi się, że w podstawówce nie było żadnych różnic między nami, byliśmy jedną zgraną paczką, ale w roku '55 nagle się okazało, że w klasie jest wyraźny podział. Jedne dzieci były z rodzin akowskich, a drugie z komunistycznych. Właściwie niby teoretycznie wiedziałem... oczywiście nic o AK, ale dużo o wojnie, o Powstaniu, o partyzantce, tylko że to wszystko nie miało nazw, poza AL-em i PPR-em. Nagle sobie uświadomiłem, że przez te wszystkie lata dzieci nie chciały o tym mówić, nie mówili też nauczyciele. Dzisiaj wiem, że nasi nauczyciele po prostu się bali.

---

[1] Towarzystwo Przyjaciół Dzieci powstało w 1949 r., po zjednoczeniu Robotniczego Towarzystwa Przyjaciół Dzieci i Chłopskiego Towarzystwa Przyjaciół Dzieci. W praktyce oznaczało to zniszczenie dorobku RTPD, organizacji bardzo zasłużonej, w latach II Rzeczypospolitej działającej pod egidą PPS. W pierwszej połowie lat 50. TPD zajmowało się tworzeniem szkół o charakterze świeckim. Szkoła im. Gottwalda uważana była za placówkę kształcącą przede wszystkim dzieci partyjnego establishmentu.

Chociaż trzeba chyba powiedzieć kilka zdań w obronie tych nauczycieli...

Ależ oczywiście. Ci, którzy próbują oceniać ówczesne postawy za pomocą dzisiejszych stereotypów i czarno-białych schematów, po prostu grzeszą ignorancją i infantylizmem. Mam sześćdziesiąt pięć lat; nie ulega wątpliwości, że zostałem w dużym stopniu uformowany przez moich nauczycieli ze szkoły podstawowej – przedwojennych inteligentów o świetnym wykształceniu i wyjątkowo wysokim poziomie kultury osobistej. Wszyscy moi koledzy z podstawówki (a mam ich jeszcze wielu) są naznaczeni tym samym: dykcją, składnią, sposobem mówienia, sposobem bycia.

Potem, po kilku latach, zaczęli się pojawiać jacyś nauczyciele nie z tej ziemi, półinteligenci. Niestety, przede wszystkim historycy – tych wymieniano najszybciej, chodziło przecież o rząd dusz. Kontrast między przedwojenną elegancją i kulturą (dyrektorem szkoły był jeszcze przedwojenny harcmistrz) a ponurym knajactwem nowej kadry pedagogicznej był olbrzymi – to rzucało się w oczy. Trzeci rodzaj pedagogów – to przedwojenni, komunizujący inteligenci, którzy po wojnie zmienili się w sfanatyzowanych nadzorców ideologicznych. Tak jak pewna dama, zresztą również historyczka, która w naszej szkole zamierzała nie tylko budować nowy ustrój, ale i nowego człowieka, a my mieliśmy być tworzywem.

Otóż ci przedwojenni nauczyciele oczywiście milczeli w wielu sprawach, ale sama ich obecność była tonizująca: łagodziła i obyczaje, i nacisk ideologiczny. Pamiętaj, że szkoła była TPD-owska, z oczywistych powodów chodziły tam, i to w olbrzymiej części, dzieci partyjnej nomenklatury. Nawet nie umiem powiedzieć, czy uświadamialiśmy to sobie do końca. W mojej klasie, co widzę dopiero po latach, był ewidentny podział na dwa różne światy: świat dzieci nomenklatury i dzieci akowców, które już wiedziały, że nie można otwarcie rozmawiać o różnych sprawach.

W moim liceum, o którym jeszcze będę opowiadał, czyli u Władysława IV, podział wśród nauczycieli był już wyraźny:

jeszcze duża grupa nauczycieli starej daty, ale już co najmniej równie liczna gromada półinteligentów. Ja miałem szczęście – moim wychowawcą był cudowny pan Henryk Radecki, przedwojenny warszawski inteligent, człowiek kryształowej uczciwości i wielkiej dobroci, który wszystko rozumiał, wszystko wiedział i starał się minimalizować skutki operacji ideologicznych, jakie aplikowano mojemu pokoleniu. Miał zresztą piękną kartę z czasów okupacji: był dyrektorem podziemnego liceum im. Tadeusza Reytana i organizatorem tajnych kompletów. Kiedy na początku lat 70. byłem w sporych tarapatach, bezrobotny po Marcu '68, spotkałem go w Alejach Jerozolimskich. Był już na emeryturze. Podszedł do mnie i powiedział: – Słuchaj, Stefanku, mam nadzieję, że nigdy nie odczułeś w szkole – ani z mojej strony, ani ze strony kogokolwiek innego – tych świństw, które się zdarzyły w 1968 roku... To był cały Radecki. Nawet grzechy innych chciał brać na siebie. Pamiętam, że go wycałowałem na środku ulicy. Potem nie spotkałem go już nigdy.

Nieco później był jeszcze jeden rzut nauczycieli: już nie ćwierćinteligentów, tylko koniunkturalistów, cwaniaczków. Ale całe moje pokolenie sześćdziesięciolatków – chyba ponad trzy miliony ludzi – to są jeszcze osoby kształcone przez przedwojennych inteligentów, i w dużych centrach akademickich, i na prowincji, bo zanim zdołano wypuścić nowy miot nauczycieli, to trzeba było korzystać z przedwojennej kadry.

Mówiłeś, że w podstawówce dzieci z rodzin akowskich nie rozmawiały na tematy polityczne. A jak było u ciebie w domu?

Podobnie: rodzice nie rozmawiali przy mnie o polityce. Nie mam żadnych takich wspomnień, poza dniem śmierci Stalina, kiedy w domu był ewidentny niepokój. Natury tego niepokoju nie rozumiałem, choć wyczuwałem podskórnie. XX Zjazd[2]

---

[2] XX Zjazd Komunistycznej Partii Związku Radzieckiego (luty 1956 r.) radykalnie przyspieszył przemiany polityczne, rozpoczęte po śmierci Stalina. W nocy 24/25 lutego ówczesny I Sekretarz KC KPZR, Nikita Chruszczow, wygłosił tajny referat o zbrodniach stalinizmu. Tekst tego referatu szybko przedostał się do opinii

zmienił atmosferę, słuchałem z zaskoczeniem długiej perory ojca na temat odwilży... Opowiadał też chyba wtedy o zbrodniach; oczywiście tylko o zbrodniach na KPP-owcach.

Nie chcę być okrutny, ale mam wrażenie, że w tej sprawie nie miał wątpliwości, a nawet był gotów mówić prawdę; w innych sprawach nie docierała do niego makabra systemu i ogrom zbrodni na całych społeczeństwach – nie tylko na komunistach.

Potem zaczęli pojawiać się powracający z Sowietów różni ludzie, przede wszystkim przedwojenni działacze komunistyczni; drzwi do pokoju ojca były zamknięte, nie miałem wstępu. To, co udało mi się podsłuchać, kompletnie zamąciło mi we łbie, bo to były okropne opowieści – nawet nie o polityce, ale o głodzie, o biciu.

Pamiętam nawet, gdzie spędzałem moje czternaste urodziny. Miałem przyszywaną babcię, która z nami była od naszego powrotu z Francji. Nigdy mi do głowy nie przyszło, żeby traktować ją jak gosposię, bo dla mnie była po prostu prawdziwą babcią, a jej dzieci – starszym rodzeństwem. Jej córka była już mężatką. Bardzo lubiłem jej męża; pochodził z Szymbarku, bardzo często jeździliśmy do nich na wakacje. Właśnie tam byłem z mamą 4 lipca 1956 roku, kiedy przyjechali do nas ojciec z babcią i z siostrą. Ojciec – pamiętam to dokładnie, bo to było po czerwcu, po Poznaniu[3] – opowiadał mamie rozmaite rzeczy

publicznej, wywołując wstrząs w elitach władzy wielu państw bloku komunistycznego, a także wśród licznych zachodnich intelektualistów, pozostających pod wpływem ideologii komunistycznej.

[3] Mowa o strajku w zakładach Cegielskiego w Poznaniu, który wybuchł 28 czerwca 1956 r. Strajk ten błyskawicznie przeniósł się do innych poznańskich zakładów przemysłowych, a wkrótce rozpoczęły się demonstracje uliczne, w kulminacyjnym momencie grupujące ponad 100 tysięcy ludzi. Demonstranci zdobyli gmach więzienia, prokuratury i sądu, zniszczyli urządzenia zagłuszające „Wolną Europę". Nie udało się natomiast opanować gmachu Wojewódzkiego Urzędu Bezpieczeństwa Publicznego, skąd padły pierwsze strzały do demonstrantów. Władze skierowały do krwawej pacyfikacji miasta regularne oddziały wojskowe, dysponujące bronią pancerną. Walki trwały od popołudnia 28 czerwca aż do 30 czerwca, zginęło 57 osób. Po raz pierwszy w dziejach PRL doszło do masowych represji na wielką skalę, połączonych z biciem i torturowaniem zatrzymanych. Aż do Października '56 obowiązywała oficjalna ocena wydarzeń, które miały być sprowokowane przez elementy kontrrewolucyjne i antysocjalistyczne. W trakcie wydarzeń przybył do Poznania premier Józef Cyrankiewicz, który wygłosił haniebne przemówienie

i mówił w sposób dla mnie niejasny. Słyszałem, że wojsko, że strzelanina; raz słyszałem o błędach partii, a raz słyszałem o kontrrewolucji, ale nie rozumiałem do końca ani jednego, ani drugiego. Natomiast niewątpliwie docierało do mnie to, co słyszałem od miejscowych dzieci: że komuniści mordują Polaków. Jeden z gospodarzy powiedział coś, czego wtedy nie rozumiałem: – My byśmy też wyszli na ulice, tylko że ulic nie mamy. Po latach myślę, że wyraził w ten sposób wszystko, co można było powiedzieć o stratyfikacji społecznej i ówczesnych nastrojach.

Ojciec był w MSZ do '54 roku, potem wyleciał z pracy; nie powiem, żebym się nie wstydził, bo niektóre dzieci w klasie wiedziały i pytały: – A gdzie jest twój ojciec? A co robi? Pisał coś i redagował bodajże dla „Książki i Wiedzy", a po roku wylądował w tak zwanym aktywie partyjnym i w '56 właśnie tak funkcjonował. Wiedziałem, że wyleciał z pracy, ale nie miałem pojęcia, za co. Kiedyś chciał mi to wytłumaczyć – zapamiętałem tylko tyle, że z MSZ chciano wyrzucić kilka osób pod zarzutem, że są przywiązane do wartości przedwojennej inteligencji i że stanął w ich obronie. Kiedy już byłem starszy, wyobrażałem sobie, jak to mogło wyglądać; z jednej strony na pewno się z nimi nie solidaryzował, ale im bliżej Października, tym bardziej rozumiał, co się dzieje. Może nawet wcześniej, po śmierci Stalina, uznał, że wyrzucanie dobrych pracowników MSZ, którzy służą wiernie władzy ludowej, jest idiotyzmem. Poza tym ojciec chyba już mógł sobie pozwolić na pofolgowanie kompleksom, ponieważ sam dochodził do takiej inteligencji w bardzo trudny i żmudny sposób; w końcu zaczął się częściowo utożsamiać z tamtym środowiskiem. Chciał, żeby go przyjęto, zaakceptowano.

Przyjechaliście z Francji?

Tak, ale właściwie nie mam stamtąd żadnych wspomnień, byłem po prostu za mały. Dla mnie fakt, że urodziłem się we

radiowe; powiedział m.in., że „każdy prowokator czy szaleniec, który odważy się podnieść rękę przeciw władzy ludowej, niech będzie pewny, że mu tę rękę władza ludowa odrąbie".

Rodzice: Anna i Adam Mellerowie, w latach 30.

Francji, rodzice byli w ruchu oporu, że walczyli z Niemcami – to tylko piękny rodzinny mit...

Bardzo mało wiedziałem o działalności ojca; dzisiaj zdaję sobie sprawę, że to z powodu jego oczywistej, konspiracyjnej niechęci do mówienia o sobie, jaka cechowała chyba wszystkich KPP-owców. Dopiero kiedy byłem starszy, to ze strzępków relacji, różnych napomknień zacząłem odtwarzać rodzinną historię. Jakie były powody wyjazdu dziadków z Polski – mogę tylko podejrzewać. Mieszkali w Rzeszowie od 1919, bo wtedy dziadek wrócił z Sybiru, aż do lat 20., kiedy wyjechali po jakimś pogromie. Żyli wyłącznie w środowisku żydowskim, słabo władali polskim. W ich środowisku mówiło się o możliwości emigracji do Palestyny, więc wyjechali, wzięli obu swoich chłopców. Jeden z nich wszedł niebawem w konflikt z prawem, o czym za chwilę. Dziadkom Palestyna widać nie przypadła do gustu, bo, na swoje nieszczęście, zdecydowali się na osiedlenie we Francji i tam przeżyli wybuch wojny.

W 1942 roku Niemcy zamknęli dziadka w paryskim obozie Vélodrome d'Hiver[4]. Zachowały się dwie kartki pocztowe: jedną zdążył wysłać stamtąd, a drugą – z obozu w Drancy.

---

[4] Tor kolarski, zbudowany w 1909 r. w centrum Paryża. Od lipca 1942 r. funkcjonował jako obóz przejściowy dla blisko 13000 francuskich Żydów, kierowanych później do innych obozów lub do Oświęcimia.

W pierwszej chyba w ogóle nie rozumiał, co go czeka, bo jeszcze prosił o ciepłą odzież, jakąś koszulę. W drugiej widać było, że już wie, bo się żegnał ze wszystkimi i radził ojcu, żeby zachował się mądrze i gdzieś mnie oddał na przechowanie. Długo nie mogłem ustalić okoliczności jego śmierci. Wiedziałem, że zginął w Oświęcimiu. Szukałem nazwiska w dokumentacji obozowej i nie znalazłem. Dopiero gdy we Francji opublikowano księgę ze spisem wszystkich wysyłanych do Oświęcimia, znalazłem nazwisko. Już wiedziałem, jaki to był pociąg, jaki numer wagonu, zacząłem szperać, dopytywać się. Dziadek był w czasie pierwszej wojny oficerem austriackim. W tym wagonie do Oświęcimia jakiś niemiecki szeregowy czy kapral odezwał się do niego ordynarnie. Dziadek zachował się jak oficer armii austriackiej, czyli dał mu w pysk; kapral go natychmiast zastrzelił. W ten sposób dziadek do Oświęcimia nie dojechał. Babcia (nikt mi tego nie powiedział do końca, ale się domyśliłem) właściwie zwariowała po wojnie. Ostatnie lata spędziła w jakimś zakładzie zamkniętym, już nie odzyskała zmysłów.

Wracając do ojca: w Palestynie, kiedy miał czternaście czy piętnaście lat, związał się z jakimś ruchem politycznym – nawet nie jestem pewien, czy lewicowym, ale na pewno antyangielskim. Wsadzili go do więzienia, a on nie chciał, jak mówił, burżujskiego adwokata, którego jego ojciec, a mój dziadek, usiłował mu załatwić. Został deportowany, wrócił do Polski tuż przed przewrotem majowym, miał szesnaście lat. Trafił do Rzeszowa i odszukał kolegów z klasy, którzy go wciągnęli do KZMP[5].

Czy obracał się w środowiskach żydowskich?

Nie, skądże. Koledzy, mówiąc językiem Norymbergi, byli z rodzin chrześcijańskich. Kiedyś podpytywałem ojca, czy trafił do środowiska żydowskiego. Nie. Tak się zaczęła jego przygoda z dorosłością.

---

[5] Komunistyczny Związek Młodzieży Polski (KZMP, do 1930 Związek Młodzieży Komunistycznej w Polsce), organizacja młodzieżowa 1922–1938; podporządkowany KPP, rozwiązany wraz z nią.

A czy pamiętasz jakieś nazwiska?

Tak, jedno nazwisko pamiętam. Tkaczow. Józef Tkaczow. Po wojnie (już w stopniu pułkownika) był szefem rzeszowskiego ZBOWiD-u[6]. Ojcem zajmowali się starsi koledzy, pilnowali, żeby szkołę kończył, bo był sam jak pies. Myślę, że to właściwie go uformowało, zaczął czytać olbrzymie ilości książek. Na pewno dużo powieści: Henri Barbusse, w tłumaczeniu na polski, Żeromski, którego uwielbiał (zresztą stąd moje imię), był ikoną polskości dla

człowieka, który do polskości dochodził. Wiem coś o tym, bo Żeromskim faszerowano mnie od wczesnej młodości. Rodzice popełnili jeden fatalny błąd – nie docenili wagi sportu w wychowaniu, choć ojciec sam świetnie pływał, był silny i wysportowany. Mieli natomiast nadzieję, że spełnię ich intelektualne oczekiwania, więc byłem przez nich „zaczytywany" na śmierć. Lektury pochłaniałem zresztą z wielką przyjemnością, chociaż zazdrościłem kolegom boiska, na które zresztą też chodziłem, tylko byłem

Mama: Anna Meller w latach 30.

---

[6] Związek Bojowników o Wolność i Demokrację, organizacja kombatancka 1949–1990. Skupiała kombatantów II wojny światowej, pozostawała pod ścisłą kontrolą władz PRL. Była bojkotowana przez dużą część kombatantów ze środowisk niepodległościowych. Szczególnie w okresie pomarcowym pozostawała pod wpływem ludzi z otoczenia Mieczysława Moczara.

na tyle nieudolny, że nikt mnie w żadnej drużynie nie chciał. Za to od małego: *Pan Tadeusz*, *Trylogia*, Żeromski – ja do dzisiaj Żeromskiego wielbię, do *Popiołów* wracam co jakiś czas. To chyba była pierwsza książka, która zrobiła na mnie wielkie wrażenie. Druga (ale już z innych powodów, tę lekturę przyniosła mi mama) – to *Jan Krzysztof* Romain Rollanda. W ten sposób zacząłem się interesować muzyką klasyczną. Mama dawała mi do słuchania Beethovena; po prostu wchodziłem w inny świat, byłem zakochany w Beethovenie, zresztą tak niemądrze, że długo nie umiałem słuchać Mozarta, bo mi się wydawało, że nie można jednocześnie kochać i Beethovena, i Mozarta, a już na pewno nie można bardziej Mozarta niż Beethovena. Dzisiaj zdecydowanie wolę Mozarta.

Życiorys ojca poznałem bardzo późno, kiedy byłem już dorosłym człowiekiem; wcześniej nie chciał mi o tym opowiadać. Właściwie wszystko, co wiem, zawdzięczam jego sklerozie. W ostatnich piętnastu latach życia zapominał, że o pewnych rzeczach nie chce mówić, nie wiedział już nawet, że jestem jego synem i mówił o mnie w trzeciej osobie. Dopiero wtedy uświadomiłem sobie, że tkwiła w nim, od młodości, od powrotu do kraju, czyli od szesnaste-

Ojciec: Adam Meller w mundurze armii francuskiej, 1945 r.

go roku życia, straszna, zaciekła, fanatyczna chęć zostania Polakiem. Dzisiaj widzę, jakie to wszystko było dla niego trudne. Lektury, które mi dawał, długie opowieści o historii Polski, z wyraźną fascynacją powstaniami, to wszystko było poplątane, bo to, co mówił o powstaniu styczniowym czy listopadowym, było w całkowitej niezgodzie z obowiązującą linią partii czy z materializmem dialektycznym. W tym była po prostu duma z tego, że my, Polacy, wzniecaliśmy powstania. Jest chyba swoistym paradoksem, że ojciec doszedł do polskości i inteligenckości poprzez członkostwo w KPP, znaczy stał się Polakiem dzięki temu, że był komunistą. To brzmi dzisiaj trochę aberracyjnie...

Jestem przekonany, że w najważniejszej sprawie życiowej, rodzinnej, postawił sobie za punkt honoru, żebym był niekwestionowanym polskim inteligentem, włożył w to wszystkie swoje emocje. Myślę, że ojciec byłby zadowolony: rzeczywiście jestem pierwszym polskim inteligentem w rodzinie. Ojciec był skomplikowanym człowiekiem. Nie miało to nic wspólnego z poglądami. Od małego sam musiał dawać sobie radę. Nie miał pieniędzy, często głodował. Pamiętam, że jeszcze po wojnie, gdy byłem mały, nie mógł przejść obok piekarni, gdy był wypiek świeżego pieczywa, bo go mdliło. Dwa, może trzy razy w życiu widziałem, jak wymiotował na ulicy. Po prostu coś sobie przypominał, nie chciał mi nic o tym mówić. Był zamknięty w sobie, zamknięty podwójnie. Zarówno z powodu dzieciństwa i młodości, jak i z powodu KZMP i KPP. Strasznie mnie ciekawiło, dlaczego on tam trafił. Przecież nie można tego wytłumaczyć banałem, że przed wojną do lewicy trafiali biedni. Czasem słuchałem jego rozmów z kolegami. Starsi panowie, nie zawsze dobrze wykształceni (mój ojciec główne nauki pobierał w Wolnej Wszechnicy[7]), mówili jak dzieci. To było prawie religijne marzenie, żeby zbudować nowy, wspaniały świat...

---

[7] Wolna Wszechnica Polska – prywatna szkoła wyższa, powstała w 1918 r. Składała się z czterech wydziałów (matematyczno-przyrodniczego, humanistycznego, nauk politycznych i społeczno-pedagogicznego) oraz Collegium Publicum (cykl publicznych wykładów niedzielnych) i Studium Pracy Społeczno-Oświatowej (kursy kształcące i dokształcające pracowników społeczno-oświatowych – od 1925). Miała opinię uczelni liberalno–lewicowej, co było szczególnie istotne w drugiej połowie lat 30., kiedy na uczelniach państwowych bardzo silne były wpływy endeckie, a studentów pochodzenia żydowskiego poddawano dodatkowym restrykcjom (getto ławkowe od 1937).

Gdy mój ojciec już nie mógł mieszkać z nami, ponieważ groziło to nieszczęściem – otwierał gaz i nie zapalał, zapominał wyłączyć, wychodził z domu pod naszą nieobecność, nie mógł trafić z powrotem – umieściłem go w Konstancinie, w domu Akademii Nauk, gdzie spędził jeszcze kilka lat. Miał tam bardzo czułą opiekę.

Robiąc porządki w papierach ojca, znalazłem jego przedwojenne dokumenty, w tym indeks z Wolnej Wszechnicy, schowane między koszulami. To znalezisko mną wstrząsnęło: wszędzie dziecięcym sposobem wydrapane litery z imienia. Wziąłem lupę, dokładnie się przyjrzałem, chociaż już podejrzewałem, że wiem, o co chodzi: ojciec naprawdę miał na imię Aron, ale jeszcze przed wojną postanowił być Adamem. Jak mocne musiały być w nim rozmaite kompleksy i lęki, skoro wziął żyletkę czy scyzoryk i te litery „r", „o", „n" – wydrapał do tego stopnia, że porobił dziurki w kartce i dopisał, rozlewającym się atramentem: „d", „a", „m".

Musiał się z tym wiązać poważny konflikt z jego ojcem a moim dziadkiem. Żydzi traktowali takich odstępców, którzy przestają się przyznawać do żydostwa i nawet zmieniają imię na polskie, jako osoby nieżywe, umarłe. Byłoby normalne, gdyby dziadek użył formuły: mój syn umarł, nie mam już syna. Kiedy dziadek z obozu w Drancy pisał tę ostatnią pocztówkę do ojca do Lyonu, to użył imienia „Adam". Widocznie tuż przed śmiercią uznał, że musi uszanować świadomy wybór syna.

Ojciec bardzo o mnie dbał, ale nie umiał znaleźć ze mną wspólnego języka. W ciągu tygodnia rzadko go widywałem, ale w sobotę czy niedzielę mieliśmy obowiązkowy spacer do parku. W trakcie spacerów prowadziliśmy rozmowy wyłącznie o historii, skupiające się na dwóch sprawach. Na pierwszym miejscu był wątek martyrologiczny: rozbiory, powstania, nieszczęścia... Na drugim: ruch robotniczy. Dla niego bojowcy kapepowscy z krwią na rękach – to byli bohaterowie. Dopiero pod koniec życia nieco zmienił poglądy, trochę pod wpływem moich kłopotów – bardzo ciężko przeżywał, że nie mam żadnych widoków na przyszłość – a na pewno też pod wpływem Beatki, dla której jego kapepowskie wspomnienia były bajką o złym wilku. Moja żona w sposób łagodny, ale stanowczy sprowadzała go na ziemię. Miała z nim kontakt znacznie lepszy niż ja: między nami w późniejszym okresie wybuchały dzikie awantury, które do niczego dobrego nie prowadziły, chociaż zawsze starał się nam pomagać, kiedy tylko mógł. Beatkę kochał jak córkę. Kiedy zachorowała, siedział przy niej całą dobę, aż go lekarze wyrzucali.

Ojciec w akcji, Lyon, 1942 r.

Miałem kłopot w rozmowach z ojcem, bo trudno było do niego dotrzeć. Kiedy już był bardzo stary, kompletnie sklerotyczny, wziąłem go kiedyś na grób mamy, bo nie docierało do niego, że mama umarła. Był przekonany, że gdzieś wyjechała, że go opuściła i bardzo cierpiał z tego powodu. Chciałem mu uświadomić, że mama nie żyje – nie dlatego, żeby mu sprawić dodatkowy ból, ale po to, żeby nie myślał o niej źle. Szliśmy powoli po Powązkach, tata był ode mnie dużo niższy, chyba 15–17 centymetrów, a na starość jeszcze się skurczył. Zacząłem go pytać o różne rzeczy związane z dzieciństwem, czym się zajmował w Palestynie, czy do szkoły chodził... Okazało się, że był uczniem cieśli, bo rodzice chcieli mu dać jakiś konkretny zawód. Więc idziemy, męczę go, męczę i nagle on, rozsierdzony, zatrzymał się, ręce na biodrach, spojrzał na mnie w przebłysku pełnej świadomości i powiedział: – Ty myślisz, że łatwo się odpowiada na takie pytania. Otóż zapamiętaj sobie – gdy zadaje się takie grube pytania staremu Żydowi, to on musi opowiedzieć całą historię świata, a ja nie mam już czasu... Dałem mu spokój. Miał chwilę świadomości i powiedział coś, co tkwiło w nim przez lata, z czym nie mógł dać sobie rady. Gdy był już zupełnie stary i niedołężny, okazywałem mu więcej czułości. Kiedy go goliłem, to miałem wrażenie, że mam do czynienia z brodatym małym dzieckiem. To wszystko jest bardzo skomplikowane emocjonalnie. Podczas pobytu w Paryżu dzwoniłem do niego co tydzień. Właściwie to nie była żadna rozmowa, bo on nie wiedział, kim jestem. Najczęściej brał mnie za swego ojca. Kiedyś odruchowo odezwałem się do niego po francusku, zapytałem: – Co u Pana słychać, panie poruczniku? I nagle zaczął mi opowiadać całkiem przytomnie o sytuacji na froncie, o tym, że się wszyscy z niego śmieją, bo gdy dostaje przydziałową porcję wina, to przehandlowuje to z kolegami na ciepłą wodę, żeby się przyzwoicie ogolić. I tak przez pięć minut, tytułując mnie panem pułkownikiem, snuł swoją opowieść. Na koniec powiedział: – Jak już zwyciężymy, to zaśpiewamy Marsyliankę.

Potem, kiedy przyjechałem do Warszawy, pojechałem do niego do Konstancina. Lekarze powiedzieli mi, że świetnie wiedzą, kiedy ojciec jest w dobrym humorze; staje wtedy na baczność i śpiewa Marsyliankę... Tak było do samego końca. Dla niego pobyt we Francji i partyzantka – to był okres największego dowartościowania w życiu. On się tam spełnił. Został porucznikiem, co prawda w partyzantce, ale potem ten stopień został w 1944 roku uznany przez wolną Francję. Mało tego, jako przedstawiciel ochotników cudzoziemskich był członkiem komitetu wyzwolenia Lyonu.

Z mamą było trochę inaczej. Jej ojciec, a mój dziadek, sam doszedł do wszystkiego, stał się zamożnym człowiekiem, potem tracił, znowu odzyskiwał... Jego żona, moja babcia – znam ją tylko ze zdjęć – była bardzo piękną panią, wcześnie osieroconą. Jej rodzina chyba jakoś nie za bardzo się chciała nią zająć, bo trafiła w końcu do przyklasztornego pensjonatu dla ubogich dziewcząt. Wyszła stamtąd jako dorosła kobieta. Niewątpliwie miała rozdwojone poczucie przynależności narodowej.

Mama była panienką z dobrego domu, świetnie wychowaną, nonszalancką w sprawach finansowych, bo w domu rodzinnym raz były pieniądze, raz nie, ale ona w ogóle nie przywiązywała do tego wagi. Na studiach związała się z lewicą – próbowała niwelować nierówności społeczne w sferze kultury, działała w teatrze dla robotników. Nie interesowała się za bardzo polityką. Dzieliła ludzi na dobrych i na złych; jeśli kogoś akceptowała, to jego poglądy miały mniejsze znaczenie. Świetnie opowiadała, potrafiła na przykład tak odtworzyć atmosferę przedwojennego Sosnowca, że długo uważałem to miasto za najpiękniejsze na świecie. Kiedy w końcu pojechałem kiedyś na zjazd historyków do Sosnowca i zobaczyłem wszystko na własne oczy, to mi się niedobrze zrobiło. O swoim rodzinnym mieszkaniu przy Piłsudskiego 12 mówiła jak o jakimś gnieździe, wspaniałym schronieniu.

Mama była niewątpliwie nadopiekuńcza. Prowadziła mnie w moich lekturach, zainteresowaniu sztuką, od małego uczyła słuchania muzyki klasycznej, wspaniale opowiadała o międzywojniu. To była fascynująca opowieść o barwnym świecie ludzi pasjonujących się trochę sztuką, a trochę wyzwoleniem ludzkości. Próbowała też o tym pisać – to były nie tyle wspomnienia, ile szkice wspomnieniowe – ale po jej śmierci nic nie znalazłem. Pewnie wszystko podarła. Gdy mama zmarła, przekonałem się, jak kochali ją współpracownicy i wszyscy, którzy ją znali.

W Sosnowcu, gdzie mieszkali przed wojną, nie było żadnych problemów narodowościowych, dziadek nawet był radnym miejskim. Mój wujek, brat mamy, załatwił im ucieczkę, ale oni kategorycznie odmówili; dziadek powiedział, że jako radny nie może opuścić Sosnowca – no i zginęli w Oświęcimiu. Jeszcze doszła do nich wiadomość, że się urodziłem, bo mama z nimi korespondowała, wysyłała listy do Zurychu (gdzie widocznie był jakiś punkt kontaktowy), z Zurychu szły do Sosnowca. Widziałem list, w którym cieszyli się z narodzin wnuka.

Krótko mówiąc – wszystko, co we mnie jest – taki luz związany z sympatią do ludzi, łatwością obcowania z ludźmi, chęcią obcowania z ludźmi – to jest z mamy. Ale wszystko, co we mnie jest z faceta myślącego, analizującego, syntetyzującego – to jest z ojca. W '37 ojciec został wezwany do Moskwy. Jak się domyślam, bardzo chciał tam pojechać. Nie miał świadomości, że czeka go pewna śmierć. KPP właściwie już była w rozsypce[8]; jednym z tych zarządzających tą, jak by to powiedzieć, masą upadłościową, był Antoni Lipski[9]. Opiekował się ojcem jak starszy kolega. Ojciec zawsze o nim mówił bardzo ciepło. Lipski zaprosił go do siebie i powiedział tak: – Jesteś wezwany do Moskwy, ale towarzysze radzieccy chyba nie do końca rozumieją naszą sytuację, nam zależy szczególnie na tym, żeby ktoś pojechał do Francji i zaczął organizować naszych towarzyszy, którzy tam mieszkają.

Oczywiście Lipski doskonale wiedział, że nie ma co organizować, bo Francuzi nie przyjmowali do swojej partii, więc raczej chodziło o to, żeby ratować ojca. Ojciec dopiero po latach zrozumiał, że Lipski mu uratował życie, choć sam popełnił błąd, przed którym chciał ojca uchronić – pojechał do ZSRR w 1938 roku i już stamtąd nie wrócił.

Ojciec nie był Dąbrowszczakiem[10]. Chyba za późno przyjechał do Francji. Nie był członkiem francuskiej partii komunistycznej, mimo że wylądował we Francji pod koniec '38 roku, ale FPK nie przyjmowała Polaków, bo oskarżano ich, że są agentami Piłsudskiego, wywiadu wojskowego, czyli dwójki, a także wszystkich możliwych tajnych służb. Dopiero wybuch

---

[8] Komunistyczna Partia Polski nie cieszyła się zaufaniem Stalina; została rozwiązana w 1938 r. przez Międzynarodówkę Komunistyczną, a jej czołowi działacze zginęli w sowieckich obozach.

[9] Antoni Lipski, 12.06.1904–1938; działacz komunistyczny; pseudonimy: Innocenty, Nowowiejski, Onufry, Teodor; po ukończeniu szkoły podstawowej pracował jako goniec w Urzędzie Górniczym; maturę zdał eksternistycznie, po czym rozpoczął studia w Wolnej Wszechnicy Polskiej w Warszawie; wielokrotnie aresztowany i więziony za działalność polityczną; w sierpniu 1930 r. został wybrany członkiem KC KPP; w grudniu 1937 r. wyjechał do Paryża, a następnie do Moskwy; został aresztowany i stracony w 1938 r.

[10] Potoczne określenie polskich uczestników wojny domowej w Hiszpanii w latach 1936–1939, walczących po stronie wojsk republikańskich przeciw oddziałom gen. Franco. Nazwa pochodzi od batalionu im. gen. Jarosława Dąbrowskiego, utworzonego w październiku 1936 r.

wojny francusko-niemieckiej pozwolił wszystkim Polakom aktywnie wejść do struktur armii francuskiej, czy – później – ruchu oporu. Czytałem ostatnio w jakimś podłym pisemku tekst na swój temat; przy okazji również o ojcu – że nie chciał służyć w wojsku polskim. Wystarczy jednak poczytać trochę przedwojennych pamiętników, żeby się przekonać, że komuniści się zgłaszali, tylko że ich nie przyjmowano. Z dwóch powodów – bo komunistów do wojska nie chciano przyjmować, co można zrozumieć, a poza tym osoby pochodzenia żydowskiego były niechętnie widziane, co można przeczytać choćby w pamiętniku Anatola Mühlsteina (zastępcy ambasadora RP w Paryżu)[11]. Wobec tego ojciec zgłosił się na ochotnika do armii francuskiej. Miałem więc świadomość, że jestem dzieckiem kombatanta. Kiedy przyjechałem z rodzicami do Polski, mówiłem raczej po francusku niż po polsku. W czasie wojny, aż do wyzwolenia

Francji, czyli do '44 roku, rodzice nie używali przy mnie języka polskiego, bo w Lyonie mieszkali na lewych papierach i chodziło o to, żebym się nie wygadał. Kiedy przyjechaliśmy do Polski, to najpierw zatrzymaliśmy się w miejscowości Mlądz pod Warszawą, niedaleko Świdra. Poszedłem się bawić z dziećmi. Po powrocie do domu powiedziałem ponoć mojej mamie, iż te dzieci są bezwstydne, bo na co dzień mówią po polsku, a przecież po polsku mó-

Dwuletni Stefan, jeszcze we Francji.

[11] Anatol Mühlstein, *Dziennik. Wrzesień 1939 – listopad 1940*, Wydawnictwo Naukowe PWN, Warszawa 1999.

wi się tylko w nocy, w łóżku. Polski był więc dla mnie językiem konspiracji i łóżka... Przez jakiś czas byłem dwujęzyczny, ale po polsku mówiłem nędznie, z fatalnym akcentem i z francuskim „r", którego nie pozbyłem się do dzisiaj. Po francusku przestałem mówić, kiedy poszedłem do szkoły, w wieku lat sześciu. Miałem silną motywację, bo marzyłem o tym, żeby się przestano śmiać ze mnie w klasie. Francuski odrzuciłem zupełnie, do piętnastego roku życia nie mówiłem ani słowa, potem dopiero rodzice wzięli się za mnie. Opowiada się o mnie, że byłem wychowany we Francji, we francuskich szkołach. To wszystko pic i lipa, bo życie spędziłem w Warszawie.

Obydwaj dorastaliśmy w cieniu wojny...

Oczywiście. Takie było całe moje dzieciństwo. Ulice jeszcze zaminowane, wokół same gruzy, do szkoły chodziło się wytyczonymi ścieżkami, ktoś musiał mnie zawsze odprowadzać. Dla mnie dosyć długo gruzy były jednym z elementów normalnego życia. Bawiliśmy się tam (często bez pozwolenia rodziców), a na Stare Miasto czy na MDM chodziliśmy oglądać budowane czy odbudowywane domy, nie mówiąc już o Pałacu Kultury[12].

W naszej klasie nie było chyba ani jednego dziecka, w którego rodzinie ktoś nie

Stefan, cztery lata.

---

[12] Pałac Kultury i Nauki im. Józefa Wissarionowicza Stalina budowano trzy lata; budowę rozpoczęto w maju 1952 r., uroczyste przekazanie do eksploatacji nastąpiło 22 lipca 1955 r.

zginął, a niektóre dzieci w ogóle nie miały rodzin. Ten podział uświadomiłem sobie później. W podstawówce nie zdawałem sobie sprawy z problemów narodowościowych; dopiero po latach dotarło do mnie, że żydowskie dzieci nie miały dziadków. Pamiętam taką kolację w Paryżu, kiedy byłem już ambasadorem. Zaprosiłem Romana Polańskiego, byli jacyś Francuzi. Okazało się, że nic nie rozumieją z naszej wspomnieniowej rozmowy. Romek jest starszy o dziewięć lat, ale nie zmienia to faktu, że on był w Krakowie niezniszczonym, a ja w kompletnie zniszczonej Warszawie. Ot, trzysta kilometrów, ale jaki dystans... Wspominaliśmy naszą pierwszą szkolną wycieczkę, jego – do Warszawy, a moją – do Krakowa. Pojechałem do Krakowa i okropnie mi się nie spodobał. Gdzie te dzieci biedne się bawią w tym Krakowie? – myślałem. Wróciłem do Warszawy, powiedziałem mamie, że Kraków nie bardzo mi się podoba, a mama była w Krakowie zakochana, bo studiowała tam w Wyższej Szkole Handlowej. Natomiast Roman wrócił z Warszawy do Krakowa z poczuciem apokalipsy – tak mi mówił – większym niż podczas wojny, bo on czegoś takiego wcześniej nie przeżył. Widział obolałych, prześladowanych ludzi, ale nie był w kompletnie zniszczonym mieście. Francuzi w dalszym ciągu nic nie rozumieli. Myśmy już nawet nie próbowali wyjaśnić, dlaczego przy stole siedzi dwóch Polaków, którzy mają zupełnie inne wspomnienia z powojennych czasów.

Wojna była stale obecna w domu. W Warszawie zamieszkaliśmy w jednym z dwóch odbudowanych domów przy placu Zbawiciela; odbudowanych, ale nie do końca. W czasie wojny mieszkali tam Niemcy albo z Gestapo, albo pracownicy jakiegoś urzędu niemieckiego. Widać było, ze zwiewali błyskawicznie, bo w piwnicach były mundury, fenomenalna papeteria, czerpany papier, najpiękniejszy, jaki widziałem w życiu.

Bawiliśmy się na podwórku w powstanie, w partyzantów, a nawet, w latach 50., w łapanie szpiegów. To były ulubione zabawy, oczywiście poza piłką nożną. Przez naszą szpiegomanię dostaliśmy kiedyś lanie. Przed szkołą wystawał facet w kitlu, z białym wózkiem na kółkach, sprzedawał pańską skórkę i watę cukrową. Milicja go ścigała, bo chyba nie miał pozwolenia. W kilku chłopaków zaczęliśmy chodzić za nim; okazało się, że wjeżdża w jakąś bramę nieopodal szkoły, a potem wpycha wózek do piwnicy. Pamiętam jak dziś – w tym wózku szukaliśmy radiostacji. Nic nie znaleźliśmy, ale facet usłyszał jakieś szmery, zszedł na dół i nas tak sprał, że o mało nam antenki nie wyrosły na łbach. Jeszcze trochę, a byłaby nowa radiostacja... Ojciec był ateistą dosyć prostackim, na zasadzie: Boga nie ma, bo go nie widać. Aż sam nie pojmuję, że mogłem słyszeć od ojca, który jednak był człowiekiem oczytanym, teksty na poziomie jakichś propagandowych piśmideł.

Stefan sześcioletni.

W szkole nie powodowało to żadnych komplikacji, bo szkoła była świecka. Ale kiedy jeździłem na kolonie, to widać było dramatyczny rozziew między dziećmi takimi jak ja i pozostałymi. To był bardzo poważny problem; oczywiście świadomość bycia w mniejszości rodzi agresję i, dosyć głupkowate, poczucie wyższości. Komunizm przed '56 rokiem, w tym swoim prymitywizmie, potrafił być dosyć skuteczny, szczególnie wśród dzieci i młodzieży. W tym wieku łatwo akceptuje się infantylne, uproszczone wizje świata.

W ówczesnej propagandzie Związek Radziecki stawał się czymś szalenie zmitologizowanym – to po prostu była arkadia, kraina wiecznego szczęścia, gdzie wszyscy ludzie walczyli o lepsze jutro i o pokój. Pamiętam, że kiedy w piątej klasie pierwszy raz usłyszałem dowcip od starszego kolegi: – Co to jest: „Duże, czerwone i kończy się na -uj?", to do głowy mi nie przyszło, że jest to Związek Radziecki w walce o pokój. Ta indoktrynacja w postaci ostrej trwała tylko do Października, ale właśnie takiej indoktrynacji byłem poddawany w dzieciństwie, między siódmym a trzynastym rokiem życia.

Nie mam jednak ochoty ustawiać się wyłącznie w roli krytyka systemu wychowawczego panującego w domu i w szkole. Fascynowały mnie opowieści o KPP. Ojciec dużo mówił na ten temat, w przekonaniu, że opowiada rzeczy prawdziwe (choć – to mój dzisiejszy komentarz – wyrwane z kontekstu, rzecz jasna). Dla młodego chłopaka to było tak, jakby góralskiemu dziecku ojciec opowiadał o Janosiku. Krótko mówiąc: w KPP byli sami wspaniali ludzie walczący o sprawiedliwość społeczną – żeby biednym było dobrze, żeby się wszyscy kochali, żeby byli koleżeńscy, jeden za wszystkich, wszyscy za jednego... Właściwie nie było różnicy, czy czytałem *Trzech Muszkieterów*, czy słuchałem opowiadań ojca o KPP-owcach lub o Dąbrowszczakach. Oczywiście, wedle ojca wszyscy komuniści walczyli z Niemcami, więc właściwie były to opowieści o jedynych sprawiedliwych na świecie, co pobudzało dziecięcą wyobraźnię.

Na marginesie: w praktyce pojmowałem hasła sprawiedliwości społecznej w sposób trochę uproszczony. Nasłuchałem się, że trzeba być sprawiedliwym, dobrym i ujmować się za pokrzyw-

Stefan, dziewięć lat.

dzonymi, bo w końcu to były te hasła, które same w sobie nie są złe i nie odbiegają od dekalogu. Kiedyś dostałem najpiękniejszą w życiu zabawkę: kolejkę elektryczną. Na cały pokój. Szyn było co niemiara, cała męska część klasy przychodziła, żeby się bawić. Jakim byłem idiotą! Sączono nam w uszy różne hasła propagandowe: „Wróg podsuwa ci Coca-Colę!", „Stonka ziemniaczana – kolorowy dywersant!", ale również: „Zbieraj złom!". Doszedłem do wniosku, że spełnię patriotyczny obowiązek, jeśli oddam moją kolejkę do składnicy złomu. Tak też zrobiłem. Dostałem jakieś grosze, wróciłem do domu, a tam czekała siostra, która chciała się pobawić kolejką. Kiedy jej powiedziałem, że to niemożliwe, poszła na skargę do rodziców. Przyszli rodzice i zapytali, gdzie kolejka i ja dumnie – siostrze nie pisnąłem słowa, bo idiotka mała, i tak nic by nie zrozumiała – powiedziałem rodzicom, że oddałem na złom. Prawdopodobnie z jakimś patetycznym dodatkiem, że kraj potrzebuje żelaza, bo przemysł ciężki... Coś mnie jednak tknęło, że może rodzice trochę inaczej pojmują komunizm niż ja, bo ojciec był gotów mnie złoić, a mama dostała histerycznego ataku śmiechu, co doprowadziło ojca do wściekłości. Krzyczał na matkę, żeby się uspokoiła, ja spoglądałem na nich w ogóle nie kapując, o co chodzi. Wieczorem spytałem mamę, dlaczego ojciec był wściekły – przecież trzeba zbierać złom, a moi koledzy, gdyby mieli kolejki, to też by oddali do składnicy. Nie wiem, czy to był początek załamywania się mojej wiary w szczytne hasła, ale niewątpliwie do dojrzałości dochodziłem również przez farsę.

Czytało się wtedy takie sowieckie gówna jak *Cement*[13], *Kawaler Złotej Gwiazdy*[14] czy *Daleko od Moskwy*[15]; to były nędzne powieści, ale dla młodego chłopaka było w nich coś egzotycznego i zrozumiałego jednocześnie.

---

[13] Fiodor Gładkow, *Cement*, Iskry, Warszawa 1953.
[14] Siemion Babajewski, *Kawaler Złotej Gwiazdy*, Książka i Wiedza, Warszawa 1949.
[15] Wasilij Ażajew, *Daleko od Moskwy*, Państwowy Instytut Wydawniczy, Warszawa 1955.

Z tych lektur tylko jedna książka mnie zachwyciła i zachwyca do dzisiaj. To *Dwaj kapitanowie* Kawierina[16], przepiękna opowieść o miłości. Niedawno czytałem ją raz jeszcze. Tam nie ma nic o Stalinie. Tam jest o wyprawach arktycznych i o miłości.

I o '37 roku...

Tak, o '37 roku i o wrednych typkach, również o donosicielach. Zresztą z *Dwoma kapitanami* miałem inną już przygodę, moskiewską, jako ambasador. Zrobiono musical z *Dwóch kapitanów*, pod tytułem *Nord-Ost*, bardzo na to chciałem pójść. Zadzwoniłem, zarezerwowałem bilety, a potem się okazało, że przelatuje przez Moskwę Jerzy Szmajdziński, który się chce ze mną zobaczyć, więc odwołałem teatr i pojechałem na spotkanie z ministrem Szmajdzińskim na lotnisko. Następnego dnia dowiedziałem się, że w teatrze na Dubrowce był atak terrorystyczny[17]. Więc *Dwaj kapitanowie* to szczęśliwa dla mnie książka.

Wróćmy teraz do punktu wyjścia, czyli do roku 1956.

Między wrześniem a końcem października '56 nasze warszawskie mieszkanie wyglądało jak nigdy przedtem: już nie tylko znajomi, którzy wpadali do rodziców na kolację, ale prawdziwe trzęsienie ziemi. Bez przerwy przychodzili ludzie; w pokoju, w gabinecie ojca słyszałem podniesione głosy, toczyły się jakieś

---

[16] Weniamin Kawierin, *Dwaj kapitanowie*, Wydawnictwo „Prasa Wojskowa", Warszawa 1950.

[17] 23 października 2002 r. podczas trwania spektaklu *Nord-Ost* grupa bojowników czeczeńskich wtargnęła do teatru na Dubrowce; atak przeprowadzony został przez czeczeńskie komando pod przywództwem Mowsara Barajewa. W momencie ataku w teatrze znajdowały się 922 osoby. W wyniku interwencji rosyjskich jednostek specjalnych oraz użycia przez policję gazu obezwładniającego zginęło około 40 terrorystów i 125 zakładników. Według oficjalnych danych żaden z terrorystów nie przeżył.
Po tym tragicznym wydarzeniu realizatorzy spektaklu zadecydowali o zdjęciu tytułu z afisza. 10 maja 2003 zagrany został ostatni, 410. spektakl w Teatrze na Dubrowce, a zespół wyruszył w pożegnalne tournée po Europie środkowowschodniej z koncertową wersją musicalu.

zasadnicze spory o ważne sprawy. Oczywiście podsłuchiwałem, choć niewiele z tego rozumiałem, ale trochę jednak zaczęło mi się przestawiać w głowie: że ten Gottwald, co jest patronem szkoły, to był bandzior, Stalin bandzior, Bierut bandzior; nagle się okazało, że nie bardzo wiem, w czym żyłem. Do ojca przychodziły też osoby świeżo wypuszczone z więzienia. Widziałem pierwszy raz w życiu byłych więźniów. Twojego ojca, Michale[18]... Potem nagle dyskusje o tym, że trzeba stworzyć jakąś gazetę, która będzie „mówiła prawdę". Trwało to może kilka tygodni; ja i inni koledzy w klasie byliśmy już zupełnie inni. Znajomych ojca wspominam jak dobrych wujków; z drugiej strony – po kilkudziesięciu latach widzę ich inaczej. Bo ta cała mitologia z dzieciństwa, o dzielnych, niezłomnych bojownikach, walczących o szczęście ludzkości, została nagle skonfrontowana z oportunizmem, z tchórzostwem, chowaniem całej wiedzy pod dywan w imię przegranej idei. Dlatego miałem ogromny kłopot z oceną Marca '68, o czym będę opowiadał potem. Nie mówię oczywiście o moim osobistym doświadczeniu marcowym – o tym, jak mnie wyrzucali z pracy z wilczym biletem, tylko o stanie umysłu tych osób, który wydawał mi się chwilami trochę niegodziwy. Zrobiłbym paralelę z tym, o czym mówiłem wcześniej – pochylaniem się nad kaźnią kapepowców w latach 30. i zupełnym niedostrzeganiem nieszczęść innych ludzi i całych narodów...

W Marcu znajomi ojca zachowywali się podobnie: odrzucali możliwość analizy powojennej historii Polski i swojego udziału w ustanowieniu komunizmu w naszym kraju, a koncentrowali się tylko na sytuacji bieżącej i na swoich krzywdach w pełnym przekonaniu, że są wyrzucani za sprawą antysemityzmu. Ja się z tym nie utożsamiałem. Mam więc na ten temat bardzo mieszane uczucia, bo myślę, że, z nielicznymi wyjątkami, funkcjonowanie ojca i jego kolegów po wojnie było haniebne lub głupie. Przy całym ich purytanizmie, przynajmniej tym manifestowa-

---

[18] Mowa o generale Wacławie Komarze, który spędził w więzieniu ponad dwa lata (1952–1954).

nym na zewnątrz, zachowywali się tak, jakby byli władcami w podbitym kraju. Widziałem to w rozmowach z najróżniejszymi osobami, już mniejsza o nazwiska, z pierwszego czy drugiego szeregu. Myślę, że w Październiku skończył się ich potencjał intelektualny. A potem prawie nikt z nich nie dokonywał wysiłku, żeby coś zrozumieć. Zasklepiali się tylko w przeszłości, dla nich samych heroicznej. Do dzisiaj mam takie ambiwalentne odczucia: oni do '45, kiedy nie liczą się z objęciem władzy w kraju – i ci sami po '45, kiedy wychodzą z nich okropne cechy: pazerność na władzę połączona z czarno-białą wizją świata. Część z nich zachowywała się jak małe Ludwiki XIV. Przypomina mi się taka zasłyszana historyjka: w PPS-ie, przed zjednoczeniem jeszcze, był pewien bardzo radykalny działacz, o którym mawiano, że miał ksywę „Robespierre". Cyrankiewicz powiedział kiedyś o nim: „Towarzysze, jaki tam z niego Robespierre, co najwyżej Robespierdek". W środowisku PPR, zwłaszcza wśród starych KPP-owców, było jeszcze gorzej. Jeśli nawet uznać, że większość z nich przed wojną w coś wierzyła, miała jakieś idee (pomijam cały problem manipulowania Kominternem[19] przez Moskwę), to w '45 ulegli, w sposób świadomy, demoralizacji.

Kiedy byłem starszy, to zacząłem brać udział w rozmowach z ojcem i jego przyjaciółmi; nie miał ich wielu, może trzech-czterech... To byli ludzie, którzy mieli do siebie absolutne zaufanie, rozmawiali za pomocą równoważników zdań, rozumieli się w pół słowa. Gdy byli już na emeryturze, lgnęli do siebie, prowadzili długie dyskusje, raczej o dawnych czasach, ale prowadziło to też do rozmów o współczesności. I wtedy się okazywało, jak oni wspaniale wszystko wiedzą: przecież stworzyli

---

[19] Komintern – Międzynarodówka Komunistyczna, zwana również III Międzynarodówką, utworzona w Moskwie w marcu 1919 r. Oficjalnym jej celem było propagowanie idei komunizmu na całym świecie. Faktycznie chodziło o stworzenie ośrodka decyzyjnego w Moskwie, któremu podporządkowane były partie komunistyczne w innych krajach. Wielu działaczy Kominternu poniosło śmierć w trakcie stalinowskich czystek w latach 30. W pierwszych kilkunastu miesiącach II wojny światowej Komintern był zaangażowany w obronę oficjalnej linii polityki ZSRR, czyli przyjaźni z Hitlerem; w krajach Europy zachodniej szerzył też ideologię pacyfistyczną. Komintern został rozwiązany przez Stalina w 1943 r.

ustrój, w którym, jak się chce pogadać, to trzeba wyjść do kuchni i puścić wodę. Albo iść na spacer, najlepiej nago, żeby nigdzie nie podłożono pluskwy. Ich ideologiczne wykształcenie było bardzo powierzchowne, na ogół czarno-białe, bez związku z gorszą lub lepszą edukacją formalną, jaką odebrali w młodości.

Kiedy, już jako historyk, zająłem się rewolucją francuską, to często miałem dylemat bardzo zbliżony do opisanego powyżej. Przy analizie środowisk jakobińskich miałem pełną świadomość, że bohaterowie moich analiz doszli do zbrodni i morderstw, do wojny domowej, nie oglądając się na koszta. A przecież wszystko, z czego wyrastali, to był sen o czymś innym...

Gdy byłem jeszcze na studiach, to się chciałem zająć historią najnowszą. Magisterium pisałem ze stosunków polsko-francuskich w latach 1921–1925. Ale potem, po Marcu, zrozumiałem, że nawet mowy nie ma, żeby zajmować się historią najnowszą. Dlatego zainteresowałem się XVIII wiekiem. Mój promotor Andrzej Zahorski, który był wspaniałym człowiekiem, rozumiał, podobnie jak ja, że doktorat muszę zrobić jak najszybciej. Stąd neutralny politycznie temat: „Stosunki polsko--holenderskie w okresie Sejmu Czteroletniego". Ta praca poszła dosyć szybko. Ale później, kiedy już mogłem samodzielnie wybierać tematy badawcze, to zająłem się rewolucją francuską. Do dziś nie potrafię odpowiedzieć na pytanie, czy wybrałem tę specjalizację, aby uciec od historii najnowszej, czy może zająłem się rewolucją francuską, bo próbowałem objaśniać sobie współczesność przez wiek XVIII, oczywiście bez uciekania w dosłowność i prezentyzm.

Te rozmowy z otoczeniem ojca bardzo mi pomagały w analizie rewolucji. Kiedy analizowałem stan ducha i mentalność przyjaciół ojca, to rozgryzałem też „swoich" z XVIII wieku. To był wieloletni dialog, choć w pewnym momencie ani ja nie chciałem z nimi gadać, ani oni ze mną. Im byli starsi, tym mniej rozumieli. Dopiero pod koniec życia zaczęli coś pojmować, w myśl znanego powiedzenia: jaka jest różnica między jabłkiem Newtona a starymi towarzyszami? Taka, że jabłko, jak dojrzeje, to spada, a u nich na odwrót. Coś w tym rzeczywiście było.

Wróćmy do lat 50. A co wtedy czytałeś? Gazety?

„Życie Warszawy", „Dookoła Świata". Hłaskę czytałem. Z gazetami to było tak: mieszkałem na ulicy Nowowiejskiej, gdzie odbudowywały się dwa domy – na Nowowiejskiej i na placu Zbawiciela, a dookoła były gruzy (w związku z czym byłem przez wiele lat przekonany, że Gruzinki to nie są przedstawicielki narodu gruzińskiego, tylko kurwy z sąsiedztwa). Od Nowowiejskiej był sklepik „Ruchu". Sprzedawca zgodził się, żebym w soboty przed południem pomagał mu przy sprzedaży gazet, za co dostawałem „Dookoła Świata". To było okno na świat ze zdjęciami z innych krajów, również zachodnich. Paryż zobaczyłem po raz pierwszy na zdjęciach właśnie w „Dookoła Świata" – nie wierzyłem, że takie miasto może istnieć. Fotografie z krajów tropikalnych, reportaże – to było fascynujące.

A co do Hłaski – nie umiem dziś powiedzieć, czy go rozumiałem – ale, ponieważ był modny, nawet wśród czternastolatków, to wszyscy w klasie zabijali się o numery czasopism, w których drukowano jego kolejne opowiadania, a ja byłem strasznie dumny jako sprzedawca w sklepiku „Ruchu", że mogłem dla nich te czasopisma zdobyć. To było pierwsze moje wielkie osiągnięcie życiowe.

Jednocześnie pojawił się w domu, chyba po raz pierwszy, wątek antysemityzmu. Nie wiedziałem, co to znaczy, nic z tego nie rozumiałem, ponieważ nie miałem jeszcze pojęcia o korzeniach rodziny. Wiedziałem, że dziadkowie zginęli w Oświęcimiu, ale nie łączyłem tego z ich pochodzeniem. Oświęcim funkcjonował wówczas w świadomości jako zbiorowy koszmarny grób i fabryka śmierci, bez podziału na ofiary polskie, żydowskie czy cygańskie. Pamiętam tylko – to była wiosna '56 roku, a może już po wakacjach – przyszedł jakiś kolega i z triumfem obwieścił, że moi rodzice są Żydami. Byłem wtedy bliski załamania – przekonany, że od tego dnia zacznę być współwinowajcą ukrzyżowania Pana Jezusa. Poszedłem do rodziców, którzy unikali tematu jak diabeł wody święconej. Zaczęły się jakieś pierwsze próby wyjaśniania, bardzo nieudolne, ponieważ oboje byli kompletnie zablokowani i nie byli w stanie o tym mówić.

Ta blokada przejawiała się niekiedy w zabawny sposób. Miałem w klasie kolegę – potem, po '56, wyemigrował do Izraela – który pochodził z małego miasteczka. Pamiętam go przede wszystkim z powodu jego upodobania do kanapek z czosnkiem – siedzenie z nim w jednej ławce wszyscy uznawaliśmy za najgorszą karę. Kiedyś pojechaliśmy zwiedzać Wilanów. Byłem głodny i Szymek poczęstował mnie kanapką. Zżarłem tę kajzerkę z czosnkiem, piekło mnie jak jasna cholera, ale nie byłem już głodny. Miałem taki zwyczaj, że po przyjściu do domu podchodziłem do ojca i całowałem go w policzek. Tym razem ojciec poczuł czosnek. Chyba przypomniały mu się wszystkie kompleksy, bo wystawił mnie na balkon, żebym się wywietrzył. Siedziałem tam kilka godzin, zmarzłem jak diabli. Nie rozumiałem, za co spotkała mnie taka kara, dopiero potem mama zaczęła mnie delikatnie uświadamiać. Dzisiaj widzę, że ojciec miał z tym jakiś straszny problem.

Wracając do Października: jesienią zacząłem podczytywać „Po prostu", dostawałem je od kolegów ze starszych klas. Byłem na placu Defilad w październiku, bo prawie cała klasa poszła[20]. Tłumy nieprzebrane; moja metamorfoza w ciągu dwóch miesięcy poprzedzających Październik była tak szybka, że stałem na placu już jako gorliwy zwolennik Gomułki, z pełnym obrzydzeniem patrzący na to, co się działo przedtem. Tylko młodzi ludzie mogą tak łatwo przyswajać nowe poglądy. Polska była wreszcie rozgadana; i w domu wszyscy mówili: rodzice, ja, przyjaciele, którzy przychodzili, znajomi, wszyscy na ten sam temat. Radio bardzo się zmieniło. Zaczęło rozbrzmiewać zupełnie nowymi dźwiękami, nagle się pojawił jazz, muzyka taneczna, ale inna niż ta przedtem. Kiedy człowiek ma już czternaście czy piętnaście lat, to nogi same niosą do tańca, w dodatku niektóre koleżanki już się podobały...

---

[20] Chodziło o wiec na placu Defilad 24 października 1956 r., w cztery dni po objęciu przez Władysława Gomułkę funkcji I sekretarza KC PZPR. Na plac przyszło wtedy blisko pół miliona mieszkańców Warszawy. W trakcie przemówienia Gomułka potępił zbrodnie z okresu stalinowskiego i zapowiedział przemiany demokratyczne w Polsce. Wiec odbywał się w atmosferze zagrożenia – w Budapeszcie trwało już powstanie skierowane przeciw komunistycznej władzy.

Właśnie w październiku zaczęły się poważne kłopoty w szkole, bo złapano mnie na paleniu papierosów. A do tego jeszcze razem z kolegą dokonaliśmy – jak to oceniono w szkole – akcji antyradzieckiej. Nienawidziliśmy pani od rosyjskiego, okropnej baby, żony oficera radzieckiego. Zrobiliśmy jej kuku, nie będę mówił jakie, bo się wstydzę do dzisiaj. No i za to wszystko wyleciałem z podstawówki. Nie chodziłem do szkoły – dostałem wilczy bilet. Po trzech tygodniach okazało się, że wyjeżdżamy do Szwajcarii. Ojciec został mianowany przedstawicielem Polski w biurze ONZ w Genewie. Pojechał przed nami, już w styczniu '57, zresztą częściowo sparaliżowany, bo mu wyskoczyły dwa dyski. Operacja się nie udała, chodził jak Frankenstein. Dopiero w Genewie, po kolejnym zabiegu, uczył się na nowo poruszać.

Nie chciałem tam jechać za żadne skarby świata. Miałem czternaście lat i byłem bardzo przywiązany do swojego małego środowiska: kolegów, klasy, podwórka. W dodatku jeden ze starszych kolegów zaczął opowiadać mi o kalwinizmie, przedstawiając jego zasady w wyjątkowo czarnych barwach. Uznałem, że zamiana Warszawy – pełnej kolegów, pogodnej i wesołej, na kalwińskie piekło na ziemi jest kompletnie bez sensu.

Wyjechaliśmy dopiero w marcu. W pociągu okazało się, że nie bardzo potrafię zachowywać się przy stole. W wagonie restauracyjnym mama zamówiła kurczaka i, po wieloletnim treningu w szkolnej stołówce, nie umiałem sobie dać rady ze sztućcami. Mama nagle uświadomiła sobie, że istnieje cywilizacyjna przepaść między nią – panienką z dobrego domu, która odebrała solidne wychowanie od mieszczańskich rodziców, z wszystkimi zasadami savoir-vivre'u – a synem, z którego jest tak dumna, a który po prostu nie potrafi jeść jak człowiek. Chyba właśnie tego dnia uznała, że musi się mną zająć bardzo intensywnie.

W drodze do Genewy przeżyliśmy, z mojego powodu, przymusową przerwę: zwiałem, kiedy tylko pociąg zatrzymał się w Wiedniu. Zdecydowałem, że dalej za żadne skarby świata nie pojadę, że muszę być dorosły i dać sobie radę. Po prostu wysiadłem z pociągu, zostawiłem mamę z siostrą. Policja znalazła mnie po kilku godzinach i dopiero wieczorem, już innym pociągiem, ruszyliśmy wszyscy do Genewy. Przez dwa tygodnie rodzice nie zamienili ze mną słowa. Nie dziwiłem się, zresztą ja też nie chciałem z nikim rozmawiać. W moim młodzieńczym buncie uznałem, że pobyt w Genewie – to jak odsiadka w więzieniu, tylko trochę większym.

Posłano mnie do szkoły, żebym się uczył języka. Najpierw kazano mi czytać po francusku, więc zerwałem jakąś okładkę z francuskiej książki, a w środku ukryłem *Trzech muszkieterów*, *Hrabiego Monte Christo* – oczywiście po polsku. Potem mnie przesadzili do pierwszej ławki...

Przełom nastąpił, kiedy rodzice wysłali mnie na obóz dla młodzieży. Byli tam Szwajcarzy, ale i cudzoziemcy tacy jak ja, którzy po francusku nie mówili ani słowa. Po kilku miesiącach coś mi się odkleiło w mózgu i mój francuski zaczął wracać. Najpierw był to język dosyć szczególny, bo mi się jakaś panienka spodobała, więc raczej szukałem w słowniku słów tylko z jednej dziedziny. Dawało to ciekawy efekt, kiedy miałem porozmawiać z kimś na inny temat. Ale po wakacjach wróciłem do Genewy, do normalnej szkoły: Collège de Genève. To było świetne, stare liceum genewskie, z długą tradycją, wywodzącą się jeszcze z czasów Kalwina. W klasie znalazło się, poza mną, kilku cudzoziemców – trzech czy czterech Węgrów, których rodziny uciekły z Budapesztu[21]. Oczywiście wiedziałem jeszcze z Warszawy, co się dzieje na Węgrzech, więc zbliżyliśmy się w sposób naturalny. Byliśmy klasowymi outsiderami. Koledzy nie potrafili dostrzec różnic między nami, dla nich wszyscy byliśmy komunistami z Europy wschodniej. Odnosili się do nas z pogardą, z niechęcią, nawet nie z pobłażaniem. Trzeba było walczyć, pierwszy raz w życiu, o swoje miejsce na ziemi.

Potem koledzy z klasy zaczęli dostrzegać różnicę między nimi a mną. Ja byłem synem urzędnika stamtąd, a Węgrzy – ucie-

---

[21] Po krwawym stłumieniu powstania węgierskiego przez wojska radzieckie w listopadzie 1956 r. wyemigrowało z Węgier blisko dwieście tysięcy ludzi. Część z nich osiedliła się w Szwajcarii.

kinierami. Nie poprawiło to mojej sytuacji. Dostawałem szału, bo przyjechałem dumny z Października. Oni nie mogli tego zrozumieć, a poza tym chyba za bardzo nie mieli na to ochoty. Tak naprawdę przełom w naszych relacjach nastąpił dopiero wtedy, kiedy stwierdziłem, że muszę się przebić w klasie. Miałem tylko jedno wyjście – opanować znakomicie francuski, ale tak, żeby nie tylko mówić bardzo dobrze, ale dostać nagrodę za wypracowanie. To miało być jakieś wspomnienie. Zakładałem, nie bez racji, że oni tak dalece nie wiedzą o polskich sprawach, że nie są w stanie zweryfikować tego, co napiszę. Stworzyłem więc mitomański tekst o wojnie: wstrząsające wspomnienie partyzanckie, wywołujące podziw wszystkich kolegów. Tylko nauczyciel francuskiego nie dał się złapać. Kazał mi zostać po lekcjach i powiedział: – Słuchaj, przecież widzę, że wszystko jest świetnie zmyślone. To jest tak dobrze napisane, że cię wystawię do nagrody, tylko umieść na początku notatkę, że to fantazja, bo w jury może się znaleźć ktoś bez poczucia humoru. Oczywiście dopisałem, dostałem nagrodę i dopiero wtedy zmieniły się relacje z kolegami. Zacząłem bez przerwy opowiadać kolegom o Polsce, żeby pokazać, że to jest inny, wolny kraj, bez stalinizmu, że poprzedni rozdział jest już zamknięty.

Do Genewy przyjeżdżali zaufani ludzie ustroju, ale również tacy, których nowa władza szybko zaczęła nazywać rewizjonistami. Nawet samo słuchanie tych rozmów było bardzo pouczające; czułem, że siedzę w pierwszym rzędzie teatru politycznego, mogłem już nie tylko słuchać, ale i zadawać pytania. To była edukacja w niezwykle przyspieszonym tempie. Fascynował mnie był profesor Oskar Lange[22]. Oczywiście nie rozumiałem części tego, co mówił, ale był porywający – niezależnie od tego, co dzisiaj wiemy o Oskarze Lange i w jaki sposób, słusznie czy niesłusznie, go oceniamy. Były to niewątpliwie wypowiedzi antycentralistyczne. W tym, co mówił o gospodarce, o społeczeństwie, objawiały się nagle zupełnie nowe światy. Ciekawy okazał

---

[22] Oskar Lange był podówczas głównym ekspertem ekonomicznym ekipy Gomułki; oficjalnie – przewodniczącym Rady Ekonomicznej przy Radzie Ministrów.

się też przyjazd Adama Rapackiego[23]. Minęło kilka miesięcy i byłem już zupełnie innym człowiekiem.

A jak, po latach, oceniasz tę szwajcarską szkołę?

Ach, słuchaj... jaki tu najlepszy dać przykład? Olbrzymi wpływ wywarł na mnie nauczyciel niemieckiego. Uczył również fizyki czy logiki i jednocześnie pisywał do francuskiej prasy liberalno-centrowej. Nazywał się Hans Jorg Ringer. Już na pewno nie żyje, musiałby mieć ponad dziewięćdziesiąt lat. Był również, starszy ode mnie o bodajże dziesięć lat, asystent z uniwersytetu, Bernard Schautz, dawał mi lekcje francuskiego. Ci dwaj panowie zajęli się mną w sposób szczególny. Żaden z nich nie był chyba człowiekiem wybitnym, natomiast obaj rozumieli, że z chłopakiem ze Wschodu trzeba mówić inaczej. Starać się łagodzić kanty, dobierać inne słowa, inne argumenty. Po prostu opowiadali o wolnym społeczeństwie obywatelskim, co na mnie wywarło piorunujące wrażenie. Nagle zobaczyłem, na czym polega

Czternaście lat, Genewa.

[23] Adam Rapacki był podówczas ministrem spraw zagranicznych PRL, twórcą tzw. planu Rapackiego, czyli projektu utworzenia strefy bezatomowej w Europie środkowej.

różnica między tym, co pamiętałem z polskiej szkoły, w dużej mierze represyjnej, składającej się przede wszystkim z nakazów i zakazów, a szkołą szwajcarską, gdzie uczniowie byli traktowani partnersko. Poza tym, tak ważne, dyskusje merytoryczne. Byłem już dość rozbudzony w swoich lekturach, zaczynałem interesować się historią. Usłyszałem wtedy od Ringera, że w miarę burzliwego rozwoju technologii klasa robotnicza będzie zanikała, zupełnie zmienią się zasady redystrybucji dochodu narodowego, więc należy już teraz zastanawiać się, w jaki sposób zorganizować na nowo życie społeczne. W jaskrawy sposób kłóciło się to z przywiezioną z Polski teorią walki klas. W ogóle nie wiedziałem, co myśleć, bo jedno wychodziło z głowy, drugie jeszcze nie do końca wchodziło albo nie było przyswajane i w środku była kompletna pustka – ale stopniowo zaczynało mnie zachwycać ich zafascynowanie wolnością. Pamiętam, jak Bernard, ten młody asystent, przepytywał mnie z różnych rzeczy, których nauczyłem się w Polsce, i za każdym razem puentował: – Słuchaj, ale tak się nie można z człowiekiem obchodzić, to jest ewidentny brak wolności. Ja nawet nie zawsze rozumiałem, co on do mnie mówi, ponieważ moją szkolną wiedzę wyniesioną z Polski traktowałem jako naturalny porządek świata.

Z drugiej strony, miałem bliskiego przyjaciela w szkole, zupełnie z innej paki, Kubańczyka, którego ojciec był wrogiem Batisty, więc wyemigrował. Pracował w jakimś urzędzie w Genewie. Mój przyjaciel Ernesto był zakochany w Fidelu. Mówił o nim, że wygra z dyktaturą i przywróci Kubie godność narodową i społeczną[24]. Ernesto był chłopakiem niezwykle rozwiniętym umysłowo, wiedział o świecie dużo więcej niż jego rówieśnicy w klasie. Związało nas to, że graliśmy w jednej orkiestrze – Ernesto na trąbce, ja na perkusji. Na fortepianie grał rodowity genewczyk, później wybitny dyrygent europejski – Michel Tabachnik, który na przełomie stuleci był zamieszany w aferę

---

[24] Upadek reżimu Batisty i dojście do władzy Fidela Castro nastąpiło w początkach 1959 r.

Rodzina (Anna, Stefan, Irena, Adam), Genewa, 1957 r.

sekty „Świątynia Słońca"[25] i nawet, w 2001 roku, zasiadł z tego powodu na ławie oskarżonych. Ja byłem chyba tylko na dokładkę, bo przecież talentów żadnych nie miałem, ale nauczyli mnie jak małpę grać na perkusji i dawałem sobie nieźle radę.

Otóż Kubańczyk Ernesto Cata wywarł na mnie olbrzymi wpływ, bo jako pierwszy uświadomił mi, że wszelkie dyktatury – i prawicowe, i lewicowe – są takie same; on, oczywiście w młodzieńczy, bardzo uproszczony sposób, stawiał znak równości między Batistą a Stalinem...

Miałem jeszcze jednego przyjaciela: Bernard Pidoux był synem bardzo zamożnego genewskiego bankiera. Pasjonował się sprawami społecznymi, uważał jednak, że Szwajcaria jest krajem zamkniętym, więc interesował się Francją. Nie mógł znieść

[25] Sekta „Świątynia Słońca" powstała w romańskiej części Szwajcarii, a działała również we Francji i Kanadzie. Jej założycielem był Jo Di Mambro. Znana była z kilku zbiorowych samobójstw, m.in. 25 osób w kantonie Valais w Szwajcarii (1994) i 16 osób w masywie Vercors, również w Szwajcarii (1995). W związku z tymi wydarzeniami wiosną 1996 r. aresztowano Michela Tabachnika, którego prokurator uznał za aktywnego działacza sekty. Szwajcarski sąd oczyścił go z zarzutów. Podobnie, czyli uniewinnieniem przed sądem (2001), zakończyło się dochodzenie prowadzone przez prokuratorów francuskich w związku ze zbiorowym samobójstwem w okolicach Grenoble.

myśli, że na świecie jest tyle biedy, a on urodził się jako syn bankiera; wpadał w coraz większą depresję i w końcu popełnił samobójstwo. Wcześniej zaprosił nas, kolegów, na kolację, a następnego dnia okazało się, że nie żyje – zostawił list pożegnalny. Syn bankiera, który popełnia samobójstwo, bo na świecie jest bieda – to brzmi idiotycznie, kiedy o tym opowiadam w XXI wieku, ale w tamtych latach miało to dla mnie olbrzymie znaczenie. Wyobraź sobie: odkrywam Zachód, jestem zachwycony – i na tym samym Zachodzie nadwrażliwy przyjaciel, który nie może pogodzić się z nierównościami społecznymi, odbiera sobie życie. Przyczynami jego samobójstwa przejęło się tylko kilka najbliższych mu osób. Reszta uważała, że był niezrównoważony psychicznie. To był dla mnie wstrząs. Świat nagle się bardzo skomplikował i trzeba było się z tym samemu uporać. W ciągu pół roku zbyt dużo wiedzy na mnie spadło.

A czy interesowałeś się koleżankami w szkole?

Dziewczyn w szkole nie było. Polowało się na mieście.

W jaki sposób skończył się twój szwajcarski epizod?

Do Warszawy wróciłem w '59, bo znowu wyleciałem, tym razem ze szwajcarskiej szkoły, za złe zachowanie. Nauczyliśmy ściągać, wspólnie z Węgrami, całą klasę. Szwajcarzy słowa tego w ogóle nie znali; nasi koledzy wpadli w zachwyt, kiedy odkryli, że istnieje coś takiego jak taśma samoprzylepna, za pomocą której można czynić cuda: nauczycielowi, który chodził po klasie i nas kontrolował, przyklejaliśmy – delikatnie – ściągawkę do marynarki z tyłu. System funkcjonował świetnie chyba przez dwa tygodnie, po czym ktoś nie zdążył zedrzeć ściągi przed dzwonkiem i nauczyciel wyszedł z tym do pokoju nauczycielskiego, co skończyło się tragedią grafologiczną. Węgrów rozparcelowano po innych klasach, a ja wyleciałem ze szkoły. Nikt nie zakapował, tylko taką już chyba miałem opinię, że kombinuję. Mama podjęła dramatyczną decyzję, że wracam do kraju. Na zasadzie ryzyk-

-fizyk – może zmądrzeję przez to, że się będę musiał sam sobą zająć. Właściwie nie wiem, jak oni to sobie wyobrażali. Kiedy wróciłem do Polski, w naturalny sposób szukałem dawnych kolegów, który w międzyczasie podrośli. Ale tak naprawdę po powrocie trafiłem do innego środowiska, bo przecież przed wyjazdem wyleciałem ze szkoły i nie mogłem do niej wrócić. Wylądowałem w liceum Władysława IV na Pradze. Po Genewie już byłem inny. Niektórzy moi dawni koledzy i koleżanki znaleźli się w drużynach walterowskich[26], o których pojęcia nie miałem, nawet nie za bardzo chciałem cokolwiek zrozumieć, po prostu odrzucałem tę ideę. Nie aprobowałem tej lewackiej opozycji wobec Gomułki, z którego byłem dumny przez cały czas pobytu w Genewie. To, co mówili – w nastroju świąteczno-religijnym – o Jacku Kuroniu, wzbudzało we mnie dreszcz przerażenia. Właściwie swój stosunek do Jacka zmieniłem dopiero wtedy, kiedy go poznałem osobiście, już wiele lat później, a zwłaszcza wtedy, kiedy ciężko chory Jacek znalazł się u mnie w mieszkaniu w Paryżu. Chciałem, żeby Jacek i Danusia mieszkali u mnie – w razie czego można było liczyć na opiekę w ambasadzie, a poza tym mieszkanie po śmierci Beaty było rozpaczliwie puste i bardzo chciałem kimś się opiekować. Byłem wtedy w depresji, a Jacek robił mi ciągle awantury, ponieważ nie chciałem nic jeść. Kiedyś koło południa zadzwonił do mojej sekretarki, żebym natychmiast zszedł na dół do mieszkania. Myślałem, że coś mu się stało, więc pobiegłem, a tu się okazało, że Jacek, który w ogóle nie mógł stać samodzielnie, musiał się opierać o blat kuchenny, zrobił mi dwie duże kanapki. Powiedział, że jak nie zjem natychmiast, to się puści blatu i się wywali... To był zupełnie inny Jacek.

---

[26] Walterowcy, potoczna nazwa powstałej w 1955 r. organizacji młodzieżowej, nazwanej od pseudonimu Karola Świerczewskiego „Waltera" Kręgiem Walterowskim, a następnie Hufcem Walterowskim; organizacja miała na celu stworzenie w Polsce drużyn młodzieżowych wedle wzoru radzieckiego pedagoga, Antona Makarenki. Z jednej strony była to organizacja o charakterze bardziej lewicowym niż ówczesny Związek Harcerstwa Polskiego, z drugiej – dawała swoim członkom znakomitą szkołę działania społecznego. Jednym z założycieli Walterowców był Jacek Kuroń; aktywnymi członkami Hufca byli także m.in. Adam Michnik i Seweryn Blumsztajn.

Ale w 1957 roku, po powrocie z Genewy, bałem się Jacka i odrzucałem to wszystko, co słyszałem od walterowców. Powinienem jednak dodać, że przez tę Genewę nie zauważyłem początków powolnego zabijania Października, rozwalenia „Po prostu"[27]. Również dlatego, że wylądowałem na Pradze. Strasznie mi się tam podobało.

Gdzie mieszkałeś?

U mojego stryja, który – mówiąc eufemistycznie – bardzo mnie krótko trzymał, więc oddychałem pełną piersią w tej szkole, do której codziennie przychodziłem z wielką radością. Rodzice moich kolegów nie znali moich rodziców. Miałem więc poczucie, że się odrywam, być może definitywnie, od środowiska przejętego w spadku. Nawiasem mówiąc, niektóre dziecięce przyjaźnie, te z Gottwalda, wróciły po latach, kiedy nie mieliśmy już świadomości przynależności do kasty – ale musieliśmy się wszyscy zdrowo zmienić, żeby to było możliwe.

Władysław IV – wspaniałe liceum, pełne różnych numerów, jak to w męskiej szkole, miało fantastyczną atmosferę. Dostałem wspaniałego wychowawcę, pana Henryka Radeckiego, o którym kilka zdań powiedziałem już wcześniej. Niezwykle starannie ubrany, z aparycją przedwojennego inteligenta, rozumiejący wszystko, bardzo opiekuńczy; naprawdę nie robił różnicy między dzieckiem inteligenckim a dzieckiem robotniczym. W tej szkole było też trochę żuli, trochę cinkciarzy. Ja byłem ciut starszy, bo repetowałem w związku z Genewą – po powro-

---

[27] „Po prostu", pismo społeczno-polityczne wydawane w latach 1947–1957 w Warszawie; początkowo było typowym produktem komunistycznej propagandy, kierowanym do odbiorcy studenckiego. Od 1955 r., w miarę postępów odwilży po śmierci Stalina, „Po prostu" zmieniło się radykalnie. Ukazywało się z podtytułem „Tygodnik studentów i młodej inteligencji", angażując się w ruch na rzecz reform ustrojowych (redaktorem naczelnym był Eligiusz Lasota, potem Ryszard Turski). Stało się symbolem przemian Polskiego Października; zostało zlikwidowane przez władze jesienią 1957 r., co wywołało w Warszawie demonstracje studenckie i zamieszki uliczne. W skład redakcji wchodziło wiele wybitnych postaci, m.in. Jan Olszewski, Jerzy Ambroziewicz, Walery Namiotkiewicz, Ryszard Godek, Anna Bratkowska, Stefan Bratkowski, Ryszard Turski, Jerzy Urban, Lech Emfazy Stefański, Marek Hłasko.

cie do Polski zostałem cofnięty o rok. W klasie maturalnej miałem dziewiętnaście lat, a nie osiemnaście, ale i tak nie byłem wcale najstarszy. Żadnego gadania o polityce nie było, bo to mało kogo obchodziło. Ja już wiedziałem, że chcę iść na historię. Szkoła była dla mnie świetną odtrutką i na życie przedgenewskie, i na samą Genewę. Nauczycieli miałem w większości bardzo dobrych, przedwojennych inteligentów – uważnych, lubiących młodzież, wiedzących, jak z nami pracować. Gdy w wiele lat później chodziłem na rozmowy z nauczycielami moich dzieci, to miałem wrażenie, że tylko kilku z nich było na poziomie podobnym jak większość moich belfrów z Władysława IV. Chociaż i u nas pojawiali się już „pedagodzy" z nowego zaciągu. Pamiętam, przyszła młodziutka, śliczna dziewczyna, tuż po studiach. Przedstawiła się, powiedziała, że od dzisiaj będzie nas uczyła polskiego. Wtedy jeden z moich kolegów wstał i powiedział do niej po imieniu: Baśka, ty idź do domu, ty się tu nie przyjmiesz...

Odkrywałem nie tylko nową szkołę, ale Pragę – inne miasto. Wprawdzie okropnie zapuszczone, ale ze znakomitymi ludźmi. Mam związane z tym szalenie miłe wspomnienia. Naprzeciwko szkoły był ogród zoologiczny, gdzie czasem chodziliśmy na wagary. Nadzwyczajnym miejscem była poczta za rogiem, przy Targowej. Na dużej przerwie i po szkole można było tam (albo w budce telefonicznej) wypić winko. Ciuchy! Odkrycie ciuchów na Skaryszewskiej (bo i tam chodziliśmy na wagary) było wspaniałą przygodą. Mogłem cały dzień oglądać fantastyczne ubrania, nie do znalezienia w państwowych sklepach. A te flaczki u bazarowych przekupek...

Mam więc z Pragi nadzwyczajne wspomnienie, bo traktuję ten dwuletni pobyt u Władysława IV jako coś w rodzaju dobrej szczepionki, która skutecznie uodporniła mnie na typowe inteligenckie zachowanie – protekcjonalne traktowanie ludzi z innych środowisk. Taką szczepionkę przyjmowałem jeszcze kilkakrotnie w dorosłym życiu. Po latach, kiedy dojeżdżałem do Białegostoku, było nią i samo miasto, i ludzie z zupełnie innych środowisk, których tam spotykałem, ale przede wszystkim – pociąg (zwłaszcza osobowy) Warszawa-Białystok. To powinna być właściwie obowiązkowa lekcja dla osób interesujących się polityką i problemami społecznymi: pociąg fenomenalnie weryfikuje wszystkie, nawet teoretycznie nadzwyczaj szlachetne pomysły. Daje dar oglądu rzeczywistości. Nawet, jeśli jest to rzeczywistość niekiedy głupia.

Czasy Władysława IV – to jednocześnie początek pisania poezji. Debiutowałem tuż przed maturą, wiosną 1961 roku w „Nowej Kulturze". To były trzy czy cztery wiersze, wszystkich nie pamiętam. Wysłałem je normalnie, w liście, nie szukałem protekcji. Potem ktoś zadzwonił, że wydrukowali... Chodziłem dumny jak cholera. Był taki klub, nazywał się Largactil, na Starym Mieście. Miałem tam trochę kumpli, do klubu trafiłem przez kolegów ze szkoły. Urzędowali w nim kandydaci na poetów i malarzy. Wszyscy byliśmy też kandydatami do wina gellala, strasznego tunezyjskiego sikacza, o którym Michał Radgowski powiedział kiedyś, że na jego jakość fatalnie wpływa tęsknota za daleką ojczyzną...

Pamiętam, jak moje akcje w Largactilu wzrosły; na ogół się garbiłem, a to był tydzień, kiedy nie zgarbiłem się ani razu. Chodziłem wyprostowany jak struna, dumny jak paw. Chłopcy z męskiej szkoły mieli rozbudzoną wyobraźnię na tematy męsko-damskie. Człowiek, gdy wychodził ze szkoły, przemykał po mieście jak myśliwy. A taki facet po debiucie literackim – to był w oczach dziewczyn naprawdę ktoś.

Przed maturą zacząłem się wahać, czy na pewno chcę iść na historię, bo mnie strasznie chwyciło malowanie i rysowanie. Zaczęło się od rysowania węglem. Kupowałem ogromne ilości bloków rysunkowych, sprawiłem sobie nawet jakieś farby. Pamiętam, że katowałem się strasznie długo portretem Beethovena, żeby jakoś powiązać upodobanie do Beethovena z wybuchem talentu malarskiego. Chciałem zdawać na ASP. W końcu ktoś wybił mi to z głowy – nie dlatego, żeby uważał, że ASP to złe studia, ale powiedział mi prawdę – że to są złe rysunki. Niektóre mam nawet do dzisiaj.

Tak więc były to świetne lata. Zachowałem sporo właściwości młodego chłopaka, siebie samego sprzed kilku lat, ale ze względu na nowe środowisko i przedwczesną samodzielność – chyba szybciej dojrzałem. Dobrze mi to bardzo zrobiło.

A z tą samodzielnością było tak: oficjalnie pozostawałem pod opieką stryja i ciotki, ale miałem sporo luzu. Moi opiekunowie wprowadzili taką regułę, że mam być w domu o ósmej wieczorem, bo inaczej zamykają drzwi. Tylko na to czekałem. Gdy drzwi były zamknięte, nocowałem u kolegów. Ich rodzicom mówiło się, że stryj wyjechał i zostawił zamknięte mieszkanie, a kluczy nie mam. Czasem spotykałem moich dawnych kolegów z Gottwalda, ale nie bardzo miałem o czym z nimi rozmawiać. Pamiętam też, że bardzo się starałem, żeby ponownie, po genewskiej przerwie, nauczyć się języka używanego powszechnie przez młodzież, z przekleństwami włącznie. To były wręcz heroiczne wysiłki. Okazało się to nadzwyczaj skuteczne. Gdy witałem ojca na lotnisku, to odezwałem się takim językiem, że ojciec tylko otworzył usta, nie był w stanie wykrztusić z siebie słowa, zwłaszcza akcent go obezwładnił...

Muszę powiedzieć, że przez całe życie starałem się nadążać za zmianami w języku, również młodzieżowym. Co tu dużo mówić: polszczyzna ma wspaniałe przekleństwa – i pojedyncze słowa, i całe związki frazeologiczne. Język młodzieżowy jest zaś niezwykle inteligentny i dowcipny. Nie operuję nim, bo nie chcę się wygłupiać. Ale słucham uważnie i jestem pełen zachwytu. Lubię mówić językiem praśnym, bynajmniej nie po to, żeby kląć odruchowo, jak cham. Nie z każdym można tak gadać, ale, jeśli mogę, to uwielbiam takie pogawędki.

I w końcu zdałeś maturę...

Wstyd powiedzieć: ledwo, ledwo...

Miałem już powyżej uszu tych rozmaitych przyjacielsko-rodzicielskich kurateli. Przed maturą byłem bez grosza, chciałem zarobić na pierwsze dorosłe wakacje. Znalazłem pracę (co wtedy wcale nie było łatwe) w stoisku jednego z wydawców francuskich na Międzynarodowych Targach Książki w Pałacu Kultury. Po prostu nie miałem czasu na maturę, zdawałem ją z doskoku, zwalniając się z pracy tylko na chwilę, ponieważ szkoda mi było zarobku. Bałem się o wynik, byłem (i jestem) absolutną nogą z przedmiotów ścisłych, a w związku z innym programem nauczania w Genewie wszystkie musiałem zdać przed dopuszczeniem do matury. W końcu została już tylko matma. Nic nie umiałem, ale mój wychowawca, kochany pan Radecki, wiedział o tym. I stanął za mną, pomagał, dyktował mi po prostu... Nikt w komisji nie odważył się zwrócić mu uwagi, dlatego że był ogólnie szanowanym nauczycielem, dżentelmenem, starszym panem. Zrobił to inteligentnie, nie dostałem piątki, zdałem na trójkę, chyba z dylem... Ale zdałem. No i byłem po maturze.

Nie umiałem jednak systematycznie pracować, przygotowywać się do egzaminów, usiąść i kuć na blachę. W związku z tym do egzaminu wstępnego nie byłem dobrze przygotowany. Zastanawiam się, z czego wynikał ten brak metodycznej roboty. Trochę z przekonania, że może i tak się uda. Chyba też z olbrzymiej niechęci do ówczesnych szkolnych podręczników historii. Czytałem sporo powieści historycznych, zmęczyłem nawet siedem czy osiem powieści Kraszewskiego, pochłonąłem *Wojnę i pokój*, oczywiście *Przygody dobrego wojaka Szwejka*, również sporo monografii – ale z podręcznikami nie mogłem sobie dać rady.

Krótko mówiąc, oblałem egzamin wstępny na historię w Warszawie, co mi późniejsi koledzy bądź przyjaciele (a niektórzy z nich byli w komisji egzaminacyjnej) wypominali bardzo długo. Dokuczali mi zresztą także z powodu wierszy. I mówili mi prawdę w oczy, grzecznie, ale stanowczo. Jestem na przykład bardzo wdzięczny Henrykowi Samsonowiczowi. Kiedyś wziął mnie na stronę i powiedział to, co się zwykle mówi w takiej sytuacji: że nie wystarczy być inteligentnym, ale trzeba jeszcze pracować. Ta rozmowa bardzo mi pomogła, również później, już po studiach.

W końcu dostałem się na studia w Krakowie, gdzie spędziłem rok. Nie znałem tam nikogo poza jedną osobą, znajomym rodziców – urbanistą, uroczym i skromnym Juliuszem Goryńskim. Szwagrem Goryńskiego był Kazimierz Wyka, do którego zgłosiłem się natychmiast po przyjeździe. Miałem z nim miłą, przyjazną rozmowę. Pytał, co mnie interesuje w życiu, i dał mi jedną radę: żebym się nie przyznawał, że jestem z Warszawy, przynajmniej przez pierwszy semestr. Co też robiłem, kombinowałem na różne sposoby. Ale czasem trudno kombinować: jak powiesz, że jesteś z Łodzi, a ktoś zna Łódź, to już leżysz. Więc mówiłem, że nie jestem z Warszawy, za żadne skarby świata nie z Warszawy... Spod Warszawy, w Warszawie tylko czasami bywam.

I uważasz, że to była dobra rada?

Tak. Myślę, że to jest rada, która jest aktualna do dzisiaj. Bo nie jesteśmy poza Warszawą specjalnie lubiani. Przyznałem się dopiero wtedy, kiedy zdobyłem zaufanie kolegów z roku... Warszawa zawsze odstręczała ludzi w sposób niebywały. Warszawiak – to był w powszechnej opinii pyszałek, buc, zarozumialec, gardzący innymi, kanciarz, spryciarz. W dodatku Kraków w 1961 roku zachował jeszcze starą, tradycyjną strukturę społeczną, i to pomimo istnienia Nowej Huty. A Warszawa była kojarzona z nowym ustrojem, z budowaniem centralnej administracji. Była siedliskiem osób, które w stolicy mieszkały w pierwszym pokoleniu, ale bardzo starały się pokazać, że nie tylko są warszawiakami z dziada pradziada, ale emanacją mądrości i wiedzy. Odznaczali się też, w odczuciu przeciętnego krakowskiego mieszczanina, całkowitym brakiem manier.

Więc lądujesz na dworcu w Krakowie...

Nie wiedziałem, co zrobić, dokąd iść, gdzie się obrócić, o hotelu mowy nie ma... Pierwszą noc spędziłem na Plantach. Siedziałem, siedziałem i w końcu zasnąłem. Walizkę zostawiłem przedtem w przechowalni na dworcu.

Na początku zamieszkałem w akademiku, oczywiście na waleta, bo dochody rodziców uniemożliwiały mi otrzymanie miejsca w pokoju. Wielki przedwojenny akademik, strasznie wysokie stropy. Ojciec wysyłał mi pieniądze, dokładnie wyliczone, żeby mi się nie przewróciło we łbie. Stwierdziłem, że to jest jednak trochę za mało i wynająłem pokój w amfiladzie, na ulicy Szlak. Zacząłem szukać roboty. Prawie wszyscy na moim roku byli spoza Krakowa. Ktoś mi powiedział, że można zarobić na dworcu towarowym. Byłem tam kilka razy. To wprawdzie były jakieś pieniądze, ale ja po tym umierałem, ponieważ nie miałem wystarczającej siły i krzepy, żeby przeładowywać towary. Wracałem wykończony, wiedziałem, że tak długo nie pociągnę, nie będę mógł się uczyć. Wreszcie jeden z kolegów z roku zaproponował mi, żebym zamieszkał u niego na Podgórzu, z drugiej strony Wisły. Bardzo inteligentny chłopak, starszy ode mnie, już po wojsku. Rozumiejący bardzo dużo, ostrożny w wypowiedziach, chyba nie wiedział, jak ze mną mówić, bo skądś się dowiedział, co robi mój ojciec. Ale niezwykle opiekuńczy. Nazywał się Jerzy Sermak.

Wreszcie, w połowie pierwszego roku, zacząłem mieć duże pieniądze. Dochodziłem do dwukrotnej przeciętnej krajowej. Wszystko dzięki Aleksandrowi Krawczukowi, który był opiekunem naszej grupy. Ja miałem dwadzieścia lat, on czterdzieści, ale wyglądał młodo. Chodził w swetrze do kolan. Miał świetne wykłady. Nagle wyszła z niego mentalność brytyjskiego tutora, zajmował się każdym z osobna. Ale to dotyczyło chłopców. Dziewczynami zajmował się trochę inaczej, bo był bardzo czuły na urodę panienek.

A powiedziałeś mu, że jesteś z Warszawy?

Jemu powiedziałem. Zainteresował się, czy rodzice pomagają? Zacząłem mu opowiadać o napiętych stosunkach z ojcem... Wtedy spytał: No dobrze, a czy chciałby pan udzielać korepetycji? Odpowiedziałem: – Historia, polski, francuski. Następnego dnia dał mi telefony. Na kawę mnie wziął. Do Sukiennic. Strasznie to przeżywałem – siedzieć w Sukiennicach ze swoim wykładowcą. A potem się okazało, że do niego czekała kolejka takich jak ja... Dał mi telefony dobrych, zamożnych krakowskich rodzin... Zacząłem dawać lekcje.

Niebawem Pod Jaszczurami ogłoszono konkurs poetycki. Wysłałem wiersz. Trzeba było oznaczyć go jakimś kryptonimem. Dałem kryptonim: NEON. Wiersz miał tytuł *Noe*. Przewodniczącym jury był Julian Przyboś. Okazało się, że dostałem pierwszą równorzędną nagrodę z barczystym, starszym ode mnie chłopcem, który nazywał się Michał Sprusiński. Nie znałem go przedtem i nie słyszałem o nim. Był fenomenalnie zdolny, już na trzecim roku został asystentem u Wyki. To właśnie Michał zaczął mnie wprowadzać w krakowskie życie. Jeszcze tego samego wieczoru poszliśmy do baru w Hotelu Francuskim. Michał mówił ze mną otwarcie, normalnym językiem. Opowiadał o wszystkich świństwach, jakie widzi dookoła – literackich, ale i politycznych. Miał na mnie rzeczywiście bardzo duży wpływ.

Kiedy człowiek sam mieszka, to się wszystkiego uczy. Muszę się pochwalić: świetnie prasowałem koszule, spodnie, sam prałem. Zakupy trzymałem, zwłaszcza gdy się jesień zaczynała, między podwójnymi oknami na parapecie... Starałem się dobrze gospodarować pieniędzmi, pod tym względem stałem się systematyczny. Jednym słowem, nabierałem typowych starokawalerskich obyczajów. Stałem się schludny, dokładny, choć nadal bałaganiarski.

Na moim roku nie mówiło się o polityce, o świecie. Trochę mnie to raziło. Po Warszawie to było takie jałowe... Nie rozumiałem, dlaczego tak się dzieje. Ale zgadałem się z dwoma kolegami na roku. Jeden nazywał się Zyblikiewicz. To był wnuk albo prawnuk legendarnego prezydenta Krakowa z lat 70. XIX wieku[28]. Lubek (Lubomir) Zyblikiewicz był radykalnie lewicowy. Czegoś takiego jeszcze nie widziałem na oczy. Na tle Krakowa był jakimś pokręconym dziwakiem. Drugi chłopak, z którym się zgadałem, to był Andrzej Szczygieł, późniejszy dyrektor Muzeum Historycznego Miasta Krakowa (zmarł w 2003 roku).

---

[28] Mikołaj Zyblikiewicz był prezydentem Krakowa w latach 1874–1881. Lubomir Zyblikiewicz jest dzisiaj profesorem Uniwersytetu Jagiellońskiego, kierownikiem katedry stosunków międzynarodowych i polityki zagranicznej w Instytucie Nauk Politycznych i Stosunków Międzynarodowych UJ.

Założyliśmy we trójkę klub imienia Gramsciego. Chodziło nam o to, żeby to było lewicowe. Gramsci świetnie się nadawał na patrona – tęskniliśmy przecież, tuż po Październiku, za powrotem do czystości, do źródeł... Ta jego wizja społeczeństwa była wizją szeroką, obejmującą politykę, kulturę, naukę. Chyba skończyło się na tym, żeśmy sobie dyskutowali we trójkę. Nie mieliśmy żadnych kandydatów do klubu, pomijając jakieś dwie, trzy panienki. Ale one miały inną motywację... Oczywiście widzieliśmy, że to nie ma większego sensu. Lubek nie musiał się niczym przejmować, bo on był z Krakowa i miał świetne papiery: prezydenta Zyblikiewicza otaczano tam wielką czcią. Natomiast ja byłem jednak facetem znikąd.

Mniej więcej w tym samym czasie Adam Włodek, poeta i opiekun grupy młodych w Związku Literatów (prywatnie – ówczesny mąż Wisławy Szymborskiej), wciągnął mnie do tej grupy. W ten sposób stałem się młodym literatem, który chodzi na zebrania. To wyglądało strasznie komicznie.

Pod koniec pierwszego semestru zacząłem się źle czuć. Słabłem, kasłałem, byłem do niczego. Gdy na Święta przyjechałem do Warszawy, rodzice zapędzili mnie na badania. Okazało się, że mam początki gruźlicy. Nic groźnego, ale kazano mi wyjechać w góry na przerwę semestralną. Wybrałem się do Zakopanego. Na nartach (wypożyczonych) jeździłem słabo – to był pojazd poruszany siłą woli. Pojechałem z moim przyjacielem Jankiem Kofmanem, mieszkaliśmy w jednym pokoju. Pewnego dnia wybraliśmy się na Kasprowy z jakąś większą grupą. Była zadymka, GOPR nie pozwolił zjeżdżać. Oczywiście nic sobie nie robiliśmy z zakazu – pojechaliśmy, po drodze odpadła mi narta, a dalej już nic nie pamiętam, podobno zasnąłem i byłem na najlepszej drodze do zamarznięcia. Znaleźli mnie goprowcy. Do dziś nie pamiętam, czy wlali we mnie wódę, czy dali mi po ryju, żebym się ocknął. Pokazali mi, którą drogą mam iść na górę. Jakoś tam doszedłem, gęby nie czułem zupełnie. W schronisku byli już uprzedzeni. Złapali mnie, kazali rozebrać się do rosołu, wsadzili do jakiejś balii i polewali wodą, chyba zimną. Nagle zobaczyłem swoje odbicie na golasa w balii. To nie było odbicie, tylko Janek Kofman, który miał taką samą przygodę i też się odmroził. Zjechaliśmy kolejką na dół. Kazali nam iść na zastrzyk przeciwtężcowy. Janek potulnie posłuchał lekarza, a ja się przestraszyłem i uciekłem.

W Zakopanem poznałem uroczą dziewczynę, która mi się szalenie spodobała. Ładna, miła, świetnie się z nią rozmawiało. Zadurzyłem się, zakochałem, diabli wiedzą. Ale do końca pobytu w Zakopanem nie miałem świadomości, że to córka Zenona Kliszki[29]. Mieliśmy się bardzo ku sobie. Profesor Józef Garbacik, któremu się podobały moje studenckie osiągnięcia, chciał, żebym został w Krakowie; proponował, że będzie moim opiekunem naukowym. Nawet nie pamiętam, dlaczego; może zaakceptował moją pracę semestralną o Toynbee'em? Dzisiaj oceniłbym to chyba bardzo słabo, może jednak, jak na studenta pierwszego roku, było przynajmniej błyskotliwe. Ale ja już chciałem do Warszawy.

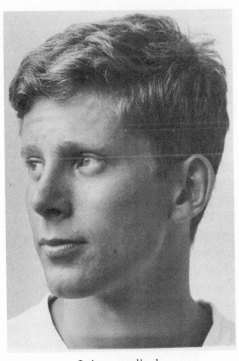

Już na studiach,
po powrocie do Warszawy, 1964 r.

Nie będę mówił o Agnieszce i o sobie, bo opowiadam tę historię z innego powodu. Byliśmy ze sobą dwa lata. Wspominam to z wielkim sentymentem. Dopiero później zacząłem zdawać

---

[29] Zenon Kliszko, podówczas sekretarz KC i Członek Biura Politycznego, wicemarszałek sejmu, był jednym z najbliższych współpracowników Władysława Gomułki; w życiu politycznym Polski odgrywał wielką rolę aż do grudnia 1970 r.

sobie sprawę, jak na mnie patrzą koledzy lepiej wykształceni personalnie i politycznie. Oczywiście chodziło o to, kim był ojciec Agnieszki, jak wysokie zajmował miejsce w ówczesnej hierarchii politycznej. Moje relacje z nim były dość skomplikowane. Właściwie miałem z nim ciągle na pieńku... Najpierw nie aprobował mnie chyba zupełnie, potem nie miał innego wyjścia i jakoś zaakceptował. Ale po drodze były takie wydarzenia jak list Kuronia i Modzelewskiego[30]. Zdecydowanie opowiadałem się za Karolem i Jackiem. Jacka nie kojarzyłem, ale Karola oczywiście znałem, udzielał się bardzo aktywnie na wydziale. Byłem nim ewidentnie urzeczony. Uważałem, że jest rzeczą karygodną, haniebną, żeby dwóch wybitnych chłopaków, ewidentnie lewicowych, siedziało w więzieniu... Tak się zaczął ostry spór z ojcem Agnieszki, który i tak był bardzo nerwowy, a kiedy mówił o Jacku i Karolu, zawsze podnosił głos. Uważał, że ich działalność jest głęboko szkodliwa. Potem nasz konflikt wpłynął na relacje z Agnieszką i związek zaczął się rozpadać.

Często z nim rozmawiałeś?

O nim samym nie ma co mówić, bo już wszystko zostało napisane. Wybuchowy neurastenik. Nie polubiłem go. To nie był facet, który da się polubić. I okropnie mi to ciążyło, bo przecież Agnieszka... Jej mama była bardzo miłą osobą, z domu Kaczanowska. Brat Agnieszkowej mamy był dyrektorem szpitala psychiatrycznego w Tworkach, a bratanek, Witek, jest wybitnym malarzem i rzeźbiarzem, mieszka w USA.

Znajomość z Kliszką dała też jeden nieoczekiwany efekt. Całe środowisko znajomych rodziców – to byli w dużej mierze

---

[30] „List otwarty do członków POP PZPR" Jacka Kuronia i Karola Modzelewskiego nosił datę 19 marca 1964 r. Zawierał krytykę realnego socjalizmu z pozycji marksistowskich. Ta wyglądająca dzisiaj niewinnie próba krytyki ustroju realnego socjalizmu zakończyła się natychmiastowym aresztowaniem autorów. W lipcu 1965 r. rozpoczął się proces przed Sądem Wojewódzkim dla m.st. Warszawy. Wyroki, zatwierdzone potem przez Sąd Najwyższy, były drakońskie: Kuroń dostał 3 lata, a Modzelewski 3,5 roku więzienia.

przedwojenni kapepowcy – ludzie, którzy do Polski wrócili albo z Sowietów z Pierwszą Armią i ZPP, albo z Francji. Krótko mówiąc – zaufani reżimu do '56 roku, którzy potem dojrzewali, zaczynali pojmować, że Gomułka powinien wrócić do czynnej działalności, że był XX Zjazd... Ale chyba nie wyrośli do końca ze schematu myślenia o odchyleniu prawicowo-nacjonalistycznym[31].

Kliszko był natomiast człowiekiem z frakcji krajowców[32]. Muszę przyznać, że rozmowy z nim pozwoliły mi spojrzeć inaczej na kilka problemów, które wynikały z obserwacji i rozmów ze środowiskiem rodziców. Jak by to powiedzieć, żeby to brzmiało poprawnie politycznie... Uświadomiłem sobie, że jest grupa osób, która, gdy mówi o Polsce, to nie o bycie wirtualnym, tylko o kraju, w którym żyliśmy. Nie mówię teraz o polityce, tylko o innym spojrzeniu na kwestię patriotyzmu. Oczywiście warto pamiętać, że po 1968 roku to się degenerowało – był Moczar, a i samemu Kliszce wiele można zarzucić. Karierę polityczną kończył w fatalnym stylu.

Rozmowy z Kliszką pozwoliły mi więc spojrzeć zupełnie inaczej na środowisko rodziców. Kliszko nie trawił tego środowiska i mówił o tym otwarcie. Ojciec też nie znosił Kliszki. W końcu doszło do spotkania między panami, przy stole... To było okropne; kiedy się zorientowaliśmy, że tu o rozmowie mowy być nie może, to mama Agnieszki coś zagadywała, usiłowała ratować sytuację, a panowie w ogóle nie rozmawiali. Owszem, ojciec zwracał się do Agnieszki, czasami do mnie, ale między sobą zupełnie nie rozmawiali. Sytuacja była o tyle kretyńska, że Kliszko wtedy odpowiadał za sprawy zagraniczne, a ojciec był jeszcze formalnie na placówce w Genewie.

---

[31] Zarzuty odchylenia prawicowo-nacjonalistycznego postawiono Władysławowi Gomułce i jego najbliższym współpracownikom na plenum KC PPR na przełomie sierpnia/września 1948 r. Zarzuty te spowodowały natychmiastowe usunięcie Gomułki z funkcji I sekretarza KC, a w 1951 r. – aresztowanie. Termin „odchylenie prawicowo-nacjonalistyczne" szybko wszedł do języka oficjalnej propagandy partyjnej.

[32] Kliszko spędził okres okupacji w Polsce, od 1942 r. był członkiem konspiracyjnej PPR.

Czy on coś mówił o swoich doświadczeniach czasu okupacji?

Nie za dużo, o wojnie akurat najmniej. Jeśli już, to najwięcej o Gomułce, do którego miał stosunek absolutnie bałwochwalczy. Opowiadał o więzieniu, co na mnie robiło wielkie wrażenie, bo z grubsza wiedziałem, kto go wsadził.

A jak się z nim rozmawiało? Jego publiczne wystąpienia były okropne...

Prywatnie był bardziej interesujący. Ale, à propos fatalnego stylu przemówień Kliszki, mogę ci opowiedzieć anegdotę. Kiedyś byłem świadkiem, jak Kliszko wrócił z Sejmu, zadowolony ze swego wystąpienia. Przyszedł Władysław Bieńkowski. To było, jeszcze zanim popadł w całkowitą niełaskę, zanim napisał *Motory i hamulce socjalizmu*[33]. I tak słucha, słucha... A jak wiadomo, to był wspaniały mówca. A Kliszko chwali się, chwali... I pyta Bieńkowskiego, co o tym sądzi. A Bieńkowski na to: – No tak, jesteś wspaniałym mówcą. To na pewno było świetne wystąpienie. Tylko opowiem ci anegdotę. Na pewnej ulicy żyło sobie czterech krawców. Wszyscy żyli zgodnie i jakoś wiązali koniec z końcem, aż nadszedł czas walki konkurencyjnej. Jeden wywiesił na swoim domu napis: TU MIESZKA NAJLEPSZY KRAWIEC W WARSZAWIE. A drugi wstawił napis: TU MIESZKA NAJLEPSZY KRAWIEC W POLSCE. Trzeci: NAJLEPSZY KRAWIEC W EUROPIE. A czwarty kombinuje, kombinuje i w końcu wywiesił: NAJLEPSZY KRAWIEC NA TEJ ULICY. I Bieńkowski puentuje: Jesteś na pewno najlepszy w Sejmie, ale na tej ulicy to jednak ja... Pamiętam minę Kliszki, był cały skrzywiony...

Czy miałeś jakieś spotkania z Gomułką?

Spotkałem go dwukrotnie. Raz, kiedy wyglądało, że sprawa między Agnieszką i mną jest poważna, więc w dowód najwyższe-

---

[33] Władysław Bieńkowski został usunięty z partii w 1970 r. za książkę *Motory i hamulce socjalizmu* wydaną rok wcześniej w paryskim Instytucie Literackim.

go zaufania Kliszko zabrał mnie do mieszkania Gomułki[34]. Ze zdziwieniem zorientowałem się, że Gomułka jest wyższy ode mnie, a byłem przekonany, że jest niski. Lekko utykał, kawał chłopa, szeroki, wysoki. Na stole były małe pączki. Ja tego nie lubię, więc nie tknąłem. A on z tym swoim akcentem mówi: – I co? Nie jecie tych pączków? Nie lubicie? To co byście chcieli? A ja na to: – Kromkę chleba z masłem. On patrzy na mnie takim przenikliwym wzrokiem, uderza dłonią w stół i mówi: – No, udał się chłopak. Chleba chce, a nie jakieś tam ciastka... Potem były pytania o uniwersytet i atmosferę wśród studentów. Zacząłem coś nawijać i doszło do Karola i Jacka. Wtedy wizyta szybko się skończyła.

A z drugim spotkaniem było tak: z Agnieszką i jej rodzicami pojechaliśmy do Łańska[35] na dzień czy dwa. Byli tam Gomułka i Józef Cyrankiewicz. Nie wiem, dlaczego zaczęliśmy z Cyrankiewiczem rozmawiać o literaturze, w końcu doszliśmy do Irzykowskiego. Cyrankiewicz, spoglądając na mnie figlarnie, zapytał: – Czy zna pan *Pałubę*? ... Odpowiedziałem, że znam. W tym momencie Gomułka, który siedział jak na tureckim kazaniu, odwrócił się i zapytał: – A kto to jest ten Pałuba? Wtedy Cyrankiewicz powiedział: – Nieważne, to wspólny znajomy. Rozmowa trwała dalej, Cyrankiewicz co jakiś czas spoglądał na mnie porozumiewawczo i kpiarsko, ale nie była to przecież kpina ze mnie. Bał się Gomułki, ale jednocześnie, z tą swoją nonszalancją, był gotów drwić z niego, biorąc za wspólnika młodego człowieka, którego widział po raz pierwszy. Nie wiedziałem, jak się zachować, ulotniłem się jak najszybciej. Zapewne miałem szczęście, że towarzysz Gomułka nie znał towarzysza Pałuby...

A spotkałeś jeszcze kiedyś Kliszkę, już po rozstaniu z Agnieszką?

---

[34] Władysław Gomułka mieszkał podówczas na Saskiej Kępie, na rogu ulic Saskiej i Dąbrówki.
[35] Był to mocno strzeżony, położony na Mazurach ośrodek wypoczynkowy Urzędu Rady Ministrów.

Tak, na ulicy, to było kilka lat później, chyba w roku 1969. Do września można było występować o paszporty nansenowskie, żeby wyjeżdżać – oficjalnie do Izraela[36]. On szedł sam, bez ochroniarzy; powiedziałem: – Dzień dobry. A on spytał, prawie się nie zatrzymując: – Jakie masz plany? Czy wyjeżdżasz? Odpowiedziałem: – Nie, nie wyjeżdżam. Do widzenia. I odszedłem...

A poznałeś jakichś innych działaczy partyjnych czy rządowych?

Tak, Edwarda Ochaba[37]. Ojciec przed wojną siedział z nim krótko, tylko raz, w więzieniu. Dobrze znałem też jego dwie córki: Marynę, która jest wybitną tłumaczką i kompletną wariatką, niegdyś bardzo ofiarną w działalności opozycyjnej, oraz Zosię, nauczycielkę fizyki, uosobienie ciepła i dobroci. W swoim czasie odeszła z politechniki, gdzie była asystentką, bo chciała uczyć w szkole.

Ochab uchodził w potocznej, zbiorowej świadomości za człowieka niemądrego. Zawsze miałem wrażenie, że jest to ktoś, kto w sposób najszczerszy myśli na co dzień tymi niebywałymi gazetowymi komunałami. Kiedy mówił, to tak, jakby człowiek „Trybunę" otworzył. Nie do pojęcia. Pamiętam tylko jedną ciekawą rozmowę. Opowiadał mi o Lenino. Muszę przyznać, że zgłupiałem zupełnie; myślałem, że czegoś nie kapuję. Bo mówił tak, że spokojnie można było to uznać za antyradziecką przemowę. Usłyszałem to wszystko, co wiemy z późniejszych lat, o wysłaniu Polaków na rzeź, z zimną krwią... Pamiętam, jak byłem wstrząśnięty kilka lat później, gdy Ochab przyszedł do domu, do rodziców, aby złożyć kondolencje, kiedy moja siostra

---

[36] Przy ubieganiu się o zezwolenie na wyjazd trzeba było złożyć deklarację, że jest to emigracja do Izraela. Zainteresowany otrzymywał dokument podróży w jedną stronę, bez prawa powrotu do Polski. Musiał też podpisać akt zrzeczenia się polskiego obywatelstwa. Z możliwości wyjazdu w tym trybie skorzystało po Marcu ponad dwanaście tysięcy osób.

[37] Edward Ochab, od marca do Października '56 I sekretarz KC PZPR, ustąpił ze stanowiska Przewodniczącego Rady Państwa w lipcu '68, na znak protestu przeciw kampanii antysemickiej.

popełniła samobójstwo. To była jesień 1968 roku. Mówił wtedy do ojca i do mamy: – To straszne, co się stało, nie przejmujcie się. Nie trzeba tracić wiary. Socjalizm zwycięży... Coś w tym duchu. Trzeba było mieć nieźle nasrane w głowie, żeby takie zdanie wypowiedzieć akurat w tym momencie rodzicom tragicznie zmarłej córki.

Wróćmy do życia studenckiego. Więc wracasz z Krakowa do Warszawy...

Tak, przeniosłem się do Instytutu Historycznego UW. Miałem dwadzieścia lat. To było bardzo ciekawe środowisko, rozpolitykowane, w nastroju opozycyjnym. Najbardziej uderzająca była nieprawdopodobna ruchliwość, chęć czytania, poznawania wszystkiego, wymieniania poglądów, szukania. Dominowała chyba orientacja lewicowa. Toczyliśmy niekończące się dyskusje: jak zbudować sprawiedliwy świat – tak aby nie było w tym wszystkim komunizmu, represji, dyktatury proletariatu? Oczywiście było też normalne życie studenckie – prywatki, romanse...

A co czytaliście?

Lekturami katował nas Karol Modzelewski. Był wówczas asystentem na wydziale, człowiekiem z charyzmą, wszystko się dookoła niego kręciło. Był naszym guru, tylko tak można to

Pod koniec studiów (1966 r.).

opisać. Z własnej, nieprzymuszonej woli przeczytałem olbrzymie ilości klasyków marksizmu-leninizmu, z socjaldemokratami wiedeńskimi włącznie. Na liście lektur był i Plechanow, i Kautsky. Byłem zresztą maniakiem czytania, pochłaniałem wszystko, co się ukazywało. Jedyne kolejki, które pamiętam – to te pod PIW-em, a nie pod budką z piwem. Później zaprzyjaźniłem się trochę z Julkiem Rogozińskim, wspaniałym tłumaczem, starszym ode mnie. Sugerował mi rozmaite lektury. Zaczytywałem się na śmierć, od tego czasu, i od pracy nad doktoratem w archiwum, mam chroniczne zapalenie spojówek, bo od nałogu czytania nie da się już uciec.

Chodziłeś do teatru?

Tak, pamiętam zwłaszcza ogromne wrażenie, jakie wywarło na mnie wtedy trzech autorów. Sartre, którego sztuki pojawiły się wtedy w teatrach, Max Frisch i Dürrenmatt. Później, po latach, uczestniczyłem w jakiejś dyskusji o Sartrze. Marcin Król, oczywiście jak najsłuszniej, zaczął walić w niego kamieniami. A ja nagle zacząłem go bronić, tak jakbym bronił siebie. Bo co innego Sartre we Francji, w dialogu międzykulturowo-międzypolitycznym, pluralistycznym, a co innego w Polsce. Natomiast Sartre jako autor sztuk pokazujących wszystko całkowicie odmiennie, niż było przed '56 rokiem, otwierał, budził i zachwycał podobnie jak Dürrenmatt. Chodziłem wtedy do dwóch teatrów, do Współczesnego i do Dramatycznego. Do Powszechnego – dopiero za czasów Zygmunta Hübnera, czyli po 1974 roku, kiedy teatr na Zamoyskiego stał się miejscem olśniewających spektakli.

Po latach, kiedy uczyłem już w szkole teatralnej, Erwin Axer i Maciej Englert poprosili mnie, żebym z okazji okrągłej rocznicy Współczesnego zrobił długą rozmowę o tym teatrze, a raczej o kontekście politycznym i historycznym, o tym, jak funkcjonował Współczesny i ile znaczył na mapie kulturalnej Polski. Ten teatr miał duże znaczenie w mojej edukacji kulturalnej. Kiedy ludzie dyskutują o PRL-u, to często pomijają – świadomie lub nieświadomie – oczywisty fakt, że nie żyliśmy na kulturalnej pustyni.

Niektóre teatry, filmy, niektóre piosenki – choćby cała twórczość Starszych Panów, czyli Jeremiego Przybory i Jerzego Wasowskiego, czy Agnieszki Osieckiej; niektórzy pisarze – oni wszyscy zrobili nieporównanie więcej dla ucywilizowania polskiego komunizmu niż inne środowiska, zaangażowane w politykę. Dzięki nim inteligencja polska wyszła z tego wszystkiego pokaleczona mniej, niż można było podejrzewać. To była gigantyczna praca, wykonana między '56 a '80 rokiem. Żeby z siłą wodospadu wtłoczyć się do mózgów obsrywanych codzienną propagandą... Kultura w najszerszym tego słowa znaczeniu uratowała polskie dusze po '56.

Dobrze pamiętam rozmowę z Axerem, bo mówił z olbrzymią czułością o twórcach tego teatru, o tym, co dali publiczności, również w sensie politycznym – w rozumieniu greckim, czyli w najszerszym tego słowa znaczeniu. Gdy potem miałem okazję trafić do Szkoły Teatralnej, to uważałem ją nie tylko za miejsce pracy, gdzie mam nauczać historii, tylko... To zabrzmi patetycznie. Czułem się dopuszczony do świątyni. I z powodu miejsca, i z powodu ludzi, którzy tam jeszcze wtedy pracowali. Ale o tym opowiem później.

A kino?

Byłem i jestem fanatycznym kinomanem. Co wtedy oglądałem? Wszystko. Wiele lat później, gdy okazało się, że Marcin chodził na wagary nie do normalnego kina, tylko do Iluzjonu (w tych czasach Iluzjon był na Wspólnej, w dawnym kinie Śląsk), to, nie przyznając się Beacie, udzieliłem mu rozgrzeszenia. Bo wiesz, jak ktoś chodzi do kina na filmy, które stanowią część historii kultury, to znaczy, że wie, co chce oglądać. Marcin odziedziczył miłość do kina po mnie, do dziś jest fanatycznym kinomanem, potrafi pójść na trzy seanse dziennie.

Wracamy do czasów studenckich. Z kim się zadawałeś po powrocie z Krakowa?

Zanim zacznę opowiadać, najpierw muszę wyznać winę. Gdy wróciłem z Krakowa, to dość szybko znalazłem się w środowisku

Wakacje, 1964 r.

ówczesnego ZMS-u[38] uniwersyteckiego. To nie był ten ZMS, o którym czytam dziś w opracowaniach różnych młodych ludzi. Oczywiście, można mu zarzucić to, co całemu ZMS-owi, czyli dyspozycyjność wobec partii. Widziały gały, co brały, gdy ktoś zapisywał się do ZMS-u, to przecież nie do małej organizacji uniwersyteckiej... Ale ten ZMS uniwersytecki miał jednak inne właściwości: to był klub osób o zabarwieniu niewątpliwie lewicowym, ale bynajmniej nie bezkrytycznych zwolenników polityki partii. Przecież z tego środowiska wyrosła bardzo duża grupa późniejszych opozycjonistów. Chyba wszyscy tęskniliśmy za permanentną burzą mózgów. Wśród nas byli: Karol Modzelewski, Alik Smolar, Ninka Oliwa, Wiesiek Łagodziński, Krzysiek Gawlikowski... Wszystkich nie wymienię, nie pamiętam. To środowisko starszych kolegów później nazwano komandosami. Pamiętam, jak poznałem Adasia Michnika. Wyglądał, jakby był nie z liceum, ale z przedszkola. Po prostu mały aniołek, strasznie

---

[38] Związek Młodzieży Socjalistycznej – organizacja młodzieżowa, utworzona w styczniu 1957 r., w miejsce skompromitowanego Związku Młodzieży Polskiej (ZMP).

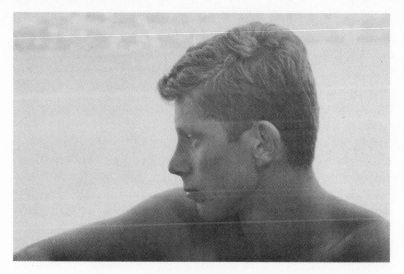

Wakacje, 1964 r.

pyskaty. Przyszedł z propozycją nawiązania współpracy między ZMS-em uniwersyteckim a jakąś szkołą. Robił duże wrażenie. Pamiętam później Adama, jak podczas ferii zimowych pokłócił się z Leszkiem Kołakowskim. Po prostu chłopak wstał i zaczął polemizować jak równy z równym.

W pewnym momencie zostałem nawet wybrany I sekretarzem Komitetu Uczelnianego ZMS. Oczywiście miałem świadomość, że w ten sposób ci najaktywniejsi zostali w cieniu. To były naprawdę pasjonujące lata.

A inni koledzy?

Dobrym kolegą z wydziału był Marek Owsiński, w niepodległej Polsce prezes Polskiego Radia; Olek Łuczak, wtedy żadnemu z nas się nie śniło, co Aleksander Łuczak będzie robił w przyszłości[39]. Krzysiek Bauer, Tomek Wituch, z którym nas teraz wszystko dzieli ideologicznie. On jest teraz bardzo na

---

[39] Aleksander Łuczak w III Rzeczypospolitej był m.in. wicepremierem, ministrem edukacji narodowej i ministrem nauki.

prawo i bardzo dmowski; był naprawdę poważnym, myślącym kolegą. Ale najważniejszy był kontakt z kadrą. Idziesz na wydział, a tam wykłady Aleksandra Gieysztora, Stanisława Herbsta, Stefana Kieniewicza, Mariana Małowista, Andrzeja Zahorskiego. Z młodych – fenomenalnego, młodo zmarłego Benedykta Zientary, Henryka Samsonowicza, Antoniego Mączaka... Takiego wydziału ze świecą szukać na świecie, to były studia na najwyższym europejskim poziomie. Wtedy, po Październiku, w polskiej historiografii dokonał się cud. Przypadkowy, jak to zwykle z takimi cudami bywa. Nikt nie potrafi odpowiedzieć na pytanie, dlaczego w jednym czasie Węgrzy wydają wspaniałych kompozytorów, Rumuni – szachistów, Rosjanie – genialnych pisarzy, a tu zdarzył się taki wysyp talentów historycznych. Polska szkoła historyczna dominowała wtedy w Europie. Gdy jechało się na Zachód i powoływało się na Witolda Kulę (chociaż akurat on pracował wtedy, z różnych względów, na ekonomii), to otwierały się zazwyczaj wszystkie drzwi.

O piorunujących skutkach powołania się na nazwisko Kuli miałem okazję przekonać się osobiście. Gdy byłem pierwszy raz we Francji, paryscy znajomi znaleźli mi znakomitą pracę u bardzo bogatego człowieka, który miał wspaniały księgozbiór. Chciał skatalogować będące w jego posiadaniu polskie książki z XVIII wieku. Znalazłem tam pierwsze wydania podręczników Komisji Edukacji Narodowej. Dzwoniłem wtedy do Aleksandra Gieysztora, czy nie kupiłaby tego nasza Biblioteka Narodowa, ale nie było pieniędzy i wszystko przepadło... To były, jak się zorientowałem, rozparcelowane cząstki biblioteki Potockich z Łańcuta[40]. Widziałem potem, że coś z tych zbiorów trafiło do Lichtensteinu. Zarobiłem masę pieniędzy, mogłem przez dwa miesiące z tego żyć.

---

[40] Chodziło o najcenniejszą część zbiorów z Łańcuta, wywiezioną przez Alfreda III Potockiego na kilka dni przed wkroczeniem Rosjan – książki, dokumenty i listy, a wśród nich stare pergaminy ruskie o ogromnej wartości oraz korespondencję księżnej Izabeli z Czartoryskich Lubomirskiej. Ostatecznie po wojnie Potocki osiadł w Szwajcarii; zapewne utrzymywał się z wyprzedaży wywiezionych przez siebie dóbr.

Poszedłem wtedy do Françoisa Fureta, o którym będę miał okazję jeszcze opowiedzieć. Długo klędziłem mu, co chcę robić w Paryżu. Był wyraźnie znudzony. W końcu powiedziałem: – Mam tu dwa listy polecające. Jeden od Witolda Kuli, a drugi od Bronisława Geremka. Usłyszałem w odpowiedzi: – Trzeba było od tego zacząć, nie stracilibyśmy trzech kwadransów. Jestem potwornie głodny. Chodźmy na obiad. Z takimi rekomendacjami... Nasi profesorowie mieli na nas wielki wpływ; byli zazwyczaj odważni i niezależni. Pamiętam jak we Wrocławiu, w 1963 roku, Henryk Samsonowicz powiedział w trakcie wykładu: – Przestańcie zaśmiecać sobie głowę myśleniem o piastowskich Ziemiach Zachodnich. One rzeczywiście były kiedyś piastowskie, ale do Polski trafiły jako rekompensata wojenna.

A przecież przez całą podstawówkę, a potem liceum, wbijano nam do głów propagandowe komunały o odwiecznych piastowskich ziemiach... Samsonowicz nie mówił, że nigdy nie były piastowskie, ale w trakcie wykładu strasznie się rozgadał, żeby nam pokazać mechanizm reparacji wojennych. Tłumaczył, że jest w naszym interesie budowa wielokulturowości tego regionu. To był szok – słuchać wykładu o tezach jaskrawo odmiennych od gazetowej papki, którą częstowano nas na co dzień.

Wybiegam teraz na chwilę poza narrację chronologiczną. Z tą wielokulturowością miałem okazję zetknąć się osobiście, kiedy Beata, tuż po ślubie, postanowiła przedstawić mnie swojej rodzinie. Oni pochodzili spod Lwowa, mieszkali pod Opolem. To była taka wieś-ulicówka, ale z ostrym podziałem: ci spod Lwowa w ogóle nie rozmawiali z tubylcami.

Zaraz po przyjeździe Beatka dała mi wódkę i powiedziała, że bez tego ani rusz, bo na dzień dobry trzeba rozpić. Wujek już na mnie czekał, poszliśmy na pole. Powiedział mi wtedy: – No dobrze, wchodzisz do rodziny. Ale jeśli skrzywdzisz Beatkę, to zabiję... I pewnie byłby gotów to zrobić. To był chłoporobotnik; uprawiał ziemię, ale pracował jako robotnik w hucie, był silny jak tur, a łeb miał potworny. Bardzo polubiłem i wujka, i jego żonę. Był naprawdę mądrym facetem, choć bez formalnego wykształcenia. Mieszkał w niewielkim, poniemieckim domku. Nie inwestował zupełnie, bo ciągle jeszcze myślał, że wróci do siebie, pod Lwów. Zrozumiał, że to nierealne, dopiero chyba po '70 roku. To wtedy zrobił duży remont, zbudował łazienkę. Miał dwa radioodbiorniki: jeden nastrojony na Warszawę I, a drugi na Wolną Europę. Wieczorem słuchał wiadomości z obydwu stacji, a potem wyciągał średnią, co oznaczało, że nigdy nie miał nasrane w głowie, ani z jednej, ani z drugiej strony. Dla niego wielkim problemem początkowo było moje pochodzenie. Ale zachował się nadzwyczajnie, olał to. Obchodziłem go tylko jako mąż Beatki. Powiedział mi kiedyś: – Stefanku, wytłumacz mi, bo nie rozumiem... Przed wojną, kiedy widziałem Żyda, to była biedota, chałaciarze. Czy tacy jak ty byli już wtedy, czy pojawili się dopiero teraz? Odpowiedziałem mu: – Wiesz, Misiek, w miastach byli również inni, czuli się Polakami... A on mi odpowiedział: – Wiesz, ja to pierdolę, ty jesteś rodzina i to się liczy...

Pochodził z biednej chłopskiej rodziny spod Lwowa; za młodu czasami jeździł do miasta, ale rzadko, bo nie było za co. Normalnie, jak to w tamtych czasach: jedna para butów na kilkoro rodzeństwa, sól traktowana jak artykuł luksusowy; jeśli w domu – bardzo rzadko – było mięso, to tylko z przydomowej hodowli.

Wtedy, w 1966 roku, podczas pierwszej wizyty, nie wiedziałem, jak się zachowywać. Nie umiem udawać, że jestem ze wsi, a z drugiej strony każdy fałszywy krok, protekcjonalny ton mógł się fatalnie skończyć. Starałem się być naturalny. Po przyjeździe poszliśmy do GS-u z Beatką. Beatkę znali, przyjeżdżała przecież na wakacje, ale tym razem była z mężem, prawdziwym warszawiakiem, który nie był spod Lwowa... W sklepie było sporo miejscowych; kiedy przyszła moja kolej, sprzedawczyni z wyzywającym spojrzeniem powiedziała mi po śląsku, czyli po niemiecku, ile mam zapłacić. Spokojnie odpowiedziałem po niemiecku i zapłaciłem. Kolejka zamarła. Zapytali: czy Ślązak? Mówię, że nie. A skąd po niemiecku? To mówię, że się uczyłem, bo musiałem czytać książki. I mówi pan? Lepiej czy gorzej, ale mówię. A oni na to: – Tutaj, nawet jakby kto znał, to nie mówi do nas po niemiecku. Odpowiadam: – A co mnie to obchodzi... Wróciłem do domu i powiedziałem Miśkowi: – Słuchaj, trzeba kupić flaszki, zaprosić kilku sąsiadów, Franek Hreczuk zawsze przychodzi, bo to ziomek, ale zaprośmy przynajmniej jednego z ich strony. I zaczęło się. To był pierwszy wieczór, który zaczął budować w tej wsi rodzaj jedności. Tam się wcześniej działy straszne rzeczy. W Strzelcach Opolskich czy w Izbicku, jak na dancing przyszedł żołnierz, to mu zrzucali czapkę i grali jakiś Parademarsch. Ciągłe mordobicie – ci tych od Ruskich, ci tych od Szkopów. A tu zaczęło się dziać coś strasznie fajnego. Lubiłem tam jeździć, zresztą także z innych powodów. Zacząłem odkrywać, że istnieje Polska, o której nie mam pojęcia. Polska wielonarodowościowa, którą się ukrywało i o której się nie mówiło...

Wracam do naszego wydziału. Nasi wykładowcy byli w większości świetni, wspaniali, budujący umysły. Na niedawnym spotkaniu koleżeńskim zauważyłem, że wszyscy, niezależnie od tego, jak im się w życiu ułożyło i co robią, noszą w głowach i w sercach wdzięczność do tej grupy osób, która kształtowała całe pokolenia młodych historyków. Która uczyła nas otwartości, skłonności do wysłuchiwania innych argumentów... Te wykłady i kolokwia to była prawdziwa uczta. Dyskutowało się wszystkie punkty widzenia. Nie było nigdy ewidentnych ograniczeń, nawet w sprawach politycznie trudnych.

Co cię najbardziej interesowało w trakcie studiów?

Historia społeczna, ale ciągle widziałem, że nie do końca można to uprawiać. Żyło się w takiej schizofrenii – z jednej strony pełne przekonanie, że Polska różni się od innych krajów Wschodu daleko posuniętymi swobodami, a z drugiej strony – świadomość istnienia cenzury, ograniczeń... Średniowiecze mnie nie fascynowało. W Paryżu zorientowałem się, że mam niepokojącą lukę dotyczącą tej epoki; przez rok zaczytywałem się monografiami z dziedziny mediewistyki. Uzupełniałem wykształcenie, bo nagle zrozumiałem, że to takie głupie i prostackie lenistwo i zaniechanie. Każdy historyk musi przez to przejść – bez znajomości średniowiecza nie jest profesjonalistą, niewiele rozumie z tego, czym się zajmuje.

Czytałem też sporo z historii najnowszej; miało to trochę cechy mechanicznego gromadzenia wiedzy. Byłem zafascynowany samym czytaniem, nie wiem, czy wystarczająco myślałem nad tym, co pochłaniam. Po latach myślę, że w czasie studiów połknąłem znacznie więcej lektur, niż byłem w stanie zanalizować. Dopiero później, po studiach, starałem się nadrobić zaległości. Już jako student czytałem sporo w językach obcych – po francusku, angielsku i niemiecku, ale to tylko rozszerzało zainteresowania zamiast je pogłębiać i nie zmieniało wniosków, jakie wyciągałem z lektur. Dużo zawdzięczam wskazówkom Karola Modzelewskiego. Byłem tym dość przejęty, a że środowisko było rozpolitykowane, to każda z lektur stawała się tematem wymiany poglądów. I Gramsci, i Lukacs, i Lévi-Strauss... Równocześnie środowisko przyjacielskie poszerzyło mi się o osoby z filozofii i socjologii: Marcina Króla, Piotrka Niklewicza, Wojtka Karpińskiego, Irka Białeckiego. Był nawet taki okres, że byłem bliżej z nimi niż z dawnymi przyjaciółmi.

Zacznę może od tego, co im zawdzięczam. Oni byli z zupełnie innych domów, dzieci prawdziwej inteligencji polskiej. Zobaczyłem wtedy zupełnie inny typ myślenia, niezwykle interesujący, nawet nie tylko dlatego, że odmienny, choć oni tę odmienność pobudzali. Najciekawsze było zetknięcie z młodymi przedstawicielami starej polskiej inteligencji. Te same lektury, te same problemy, ale zupełnie inaczej rozstrzygane, inaczej widziane. Ale było też coś, co mnie zachwycało i o czym mówić trudno. Oni wszyscy byli świetnie wychowani. Dostali z domu dobrą przedwojenną edukację rodzinną. Zachowywali się tak, że byli widoczni na tle innych osób. Gust, dobre wychowanie, elegancja. Nie, żeby byli lepiej ubrani, skądże. Po prostu wiedzieli, co do czego, jak się zachować; to jest coś, co się przenosi w genach. Mieli bardzo wysoką kulturę dialogu, polemiki, sposobu mówienia. Wszystko razem tworzyło wielką wartość; nie widzę nic zdrożnego w tym, że zachowywałem się po prostu jak kopista, który patrzy, co by tu ściągnąć, żeby się do nich upodobnić. Kiedy spotkałem ostatnio Marcina Króla i powiedziałem mu o tym, zaczerwienił się i odparł, że lepszego komplementu w życiu nie słyszał. Byliśmy prawie rówieśnikami, oni byli może trochę młodsi ode mnie, ale wydawało mi się, że są o wiele starsi. A jednocześnie świetnie się bawiliśmy.

Marcin Król, szalenie inteligentny, ożywiony, z mocną świadomością tego, kim jest, kim być może... Marcin był nad podziw dojrzały, bardzo ujmujący w sposobie bycia. W tamtym okresie masę czytał, wspaniale myślał i był skłonny do dyskusji na każdy temat w najprzeróżniejszych dziedzinach. Bardzo się podobał dziewczynom. Irek Białecki, przeuroczy kompan z tymi samymi właściwościami środowiskowymi, małomówny, słuchający i z rzadka zadający celne pytania, bardzo miły, dobry kolega, dobry człowiek. Piotrek Niklewicz namówił mnie do czytania pisarzy latynoskich. To było wejście na rozszerzoną, świetną giełdę wiadomości o tym, co w najszerszym tego słowa znaczeniu było możliwe na ówczesnym rynku wydawniczym. Piotrek robił wrażenie niepozornego, ale tylko dlatego, że miał kompleks niższości wobec tamtych kolegów, Marcina na przykład. Piotra wspominam jako bardzo dobrego, troskliwego, czułego przyjaciela, a jednocześnie kompletnego wariata. Nikomu nie odbijało jak jemu. Piotrek wyjechał z Polski jeszcze przed stanem wojennym, przez lata pracował w „Głosie Ameryki", a teraz znalazłem go na Skypie i fajnie nam się rozmawia, odnaleźliśmy wspólne tematy. Siedzi w Stanach, napisał książkę, był w Warszawie, miał promocję... Wojtek Karpiński, cały w książkach i myśleniu, trochę w chmurach, zagubiony, jakby obok, ale bardzo dokładnie wszystko obserwujący, mnóstwo czytający. Niezainteresowany dniem dzisiejszym, funkcjonował jako ponadczasowy intelektualista, który chce wiedzieć, żeby wiedzieć. Potem się okazało, że ma bardzo wyrobione sądy na tematy aktualne. Był znakomitym kompanem. Później spotykałem go w Paryżu, gdy byłem ambasadorem. Nigdy nie rozmawialiśmy o błahostkach. Wojtek potrafił we wszystkim zauważyć problem, o którym warto pogadać. Małgosia Dziewulska... Nie zdziwiłem się zupełnie, gdy dowiedziałem się po latach, czym się zajmuje. Małgosia, z dobrego domu, przeżyła w imię sztuki poniewierkę w Puławach, zanim coś wyszło z jej zamierzeń.

Bardzo silna dziewczyna, taka trochę z oddali, z pełnym wdzięku dystansem do wszystkiego. Miała typ urody trochę nie z tej ziemi. Jakby ktoś ją za delikatnie narysował, Botticelli na przykład, jakby zeszła z tego płótna i krążyła po ziemi. Marylka Wodzyńska... Śliczna, miła... Była trochę hieratyczna, zresztą do dzisiaj jest. Taka wielka dama ze świadomością gestu, sposobu mówienia, niebywałej elegancji w słowie.

Właściwie wszyscy moi przyjaciele i znajomi z czasów studiów mieszkali z rodzicami. Byłem jednym z nielicznych wyjątków: miałem mieszkanie wynajęte od pana Makarczyńskiego, znanego reżysera filmów dokumentalnych na temat Warszawy: jeden pokój z kuchnią na rogu Woronicza i Puławskiej. Wspaniałe mieszkanie, przedwojenne, z piecem i z kuchnią gazową. Jako student nie wstawałem wcześnie; był w tym domu dozorca, przeuroczy facet, świadek Jehowy obdarzony kupą dzieci. Pasjonował go tylko jeden temat: udowadniał wszystkim, że Hitler był wariat, ponieważ w czasie pierwszej wojny na froncie urwało mu przyrodzenie. Przychodził od pierwszego mrozu aż do wiosny i palił mi w piecu, co mnie szalenie urządzało, a dla niego każda złotówka była na wagę złota.

I prowadziliście rozmowy o przyrodzeniu Hitlera?

To nie były rozmowy, tylko jego długie monologi, gdzie on tam ruszał jakąś szosą, potem zbaczał na jakąś węższą drogę, a w końcu wjeżdżał w ślepe uliczki, czyli zaczynał opowieści o kutasie Hitlera. Poranki od jesieni do wiosny z tym panem były rozkoszne; poza tym, jako świadek Jehowy, był człowiekiem niebywałej prawości i uczciwości. Podejrzewam więc, że kutas Hitlera odgrywał u niego jakąś taką rolę i dosłowną, i metafizyczną, to była wizja świata. Mianowicie, że Hitler, zanim zgrzeszył, już został ukarany, więc nie miał potem innego wyjścia, niż wejść na drogę grzechu absolutnego.

Nie możemy się z Ewą nadziwić, że się nie znaliśmy wtedy. Mieliśmy wielu wspólnych znajomych. Był na przykład Edzio Wende, chyba jeszcze przed ślubem ze swoją Ewą. Starszy od nas, kawał byka, chodził z tą śliczną kruchą blondyneczką, na którą się gapili wszyscy panowie, ale wystarczyło, żeby Edek spojrzał, nawet nie tyle niechętnie, ile z obietnicą porządnego mordobicia, żeby nagle wszyscy dostawali zeza i na tym kończyło się oglądanie Ewy. Edka znałem chyba głównie poprzez jego Ewę, bo była naszą rówieśnicą, studiowała romanistykę.

A moja Ewa była w szkole muzycznej i oprócz tego studiowała na romanistyce, więc znała Edka, ale my dwoje jakoś nigdy się nie poznaliśmy.

Dobrze, ale był taki wspólny mianownik – miejsce, gdzie spotykali się niektórzy studenci szkół artystycznych oraz studenci Uniwersytetu Warszawskiego, czyli Studium Wojskowe przy UW.

Ja tych ze szkół artystycznych nie znałem i nie ciągnęło mnie do nich, bo wydawało mi się, że to są środowiska głównie bankietujące. To mnie nie zachęcało. Oczywiście kompletnie się myliłem.

Poznałem ich dopiero na obozie wojskowym, bo studenci z PWST pojechali z nami.

Przez ten mundur w pewnym momencie na chwilę wyleciałem ze studiów. Był chyba rok akademicki 1963/1964. Akurat w Wolnej Europie leciał cykl audycji o Studium Wojskowym, ośmieszający tę instytucję. Kiedyś siedzieliśmy w studium na zajęciach z historii, przyszedł jakiś palant na zastępstwo. Był chyba artylerzystą, więc przyniósł masę ściągawek. Miał nam zrobić wykład o procesie norymberskim.

Siedziałem na końcu, graliśmy z kolegą w okręty. W ogóle nie mieliśmy pojęcia, co się dzieje na sali. W pewnym momencie, już po wygłoszeniu politgramoty, prowadzący przystąpił do przepytywania – i tu wpadłem, bo paluchem wskazał na mnie.

Wstałem od jakiegoś trójmasztowca, miałem pustkę we łbie, nie miałem pojęcia, o czym facet mówił i o co teraz mnie pyta. A ten usiłował wydobyć ze mnie listę zbrodniarzy wojennych skazanych na śmierć... Owszem, nazwa „Norymberga" coś mi mówiła. We łbie miałem tylko wiadomości „na nie"; znaczy, że Hitler nie, bo już nie żył, że Goebbels się otruł, a dalej koniec, pusto.

Ktoś podpowiedział mi jakieś nazwiska, coś mu rzuciłem na odczepnego, ale on mówi: – Dobrze, dalej! No, ale dalej nie ma, bo ja nie mam żadnego nazwiska do dodania, kompletna pustka. Nagle ktoś mi podpowiedział jakieś nazwisko, które chyba źle usłyszałem i powiadam: Manteuffel. Kiedy sobie uświadomiłem, co powiedziałem... Na co słyszę: – Jaki Manteuffel? Mówię: – Feldmarszałek. A on: – Dobrze, dalej! Myślałem, że może wybrnę z opresji; miałem już w głowie pełen katalog, według alfabetu, pracowników wydziału. Uśmierciłem, oczywiście ze stopniami wojskowymi, bo wiedziałem z filmów wojennych, jak tymi stopniami manipulować, profesorów Manteuffla, Herbsta, doktora Berghauzena. Używałem wszystkich nazwisk nie kończących się na -ski albo -icz.

Studia, 1965 r.

Co tu dużo mówić. Feldmarszałkowie i generałowie ginęli jak muchy. Rozbestwiłem się; na sali zapadła bardzo intensywna cisza. Wszyscy wiedzieli, o jaką wysoką stawkę gram. Kiedy nie żył już nikt z wykładowców wydziału, to ruszyłem na studentów. Koło mnie siedział kolega Brachfogel; uważałem, że pasuje genialnie. Potem zamordowałem Janka Kofmana i wielu innych. Nie miałem zmiłowania – lecieli wszyscy, którzy mieli nazwiska podchodzące. Siebie też uśmierciłem. Działałem w poczuciu bezkarności, bo wiedziałem, że palant artylerzysta przyszedł tylko na zastępstwo i nie zna naszych nazwisk. Mellera wykończyłem więc nie mniej brutalnie.

A jaki stopień miał Meller?

Chyba Obergruppenführer. Mówię dalej, już nie mam konceptu, a ten wciąż żąda dalszych nazwisk. Przecież nikt już nie żyje, rozumiesz! Jestem na cmentarzu, widzę zbiorowe mogiły Instytutu Historycznego, poległo też kilku wybitnych wykładowców uniwersyteckich z innych wydziałów. Byłem coraz bardziej nonszalancki i bezczelny. Kiedy facet żądał dalszych nazwisk, na swój pohybel wpadłem na pomysł, żeby uśmiercić także, poza nazistowskimi bandytami, kilku ukraińskich faszystów – znanych kolaborantów. Na pierwszy ogień poszedł zwyrodniały zbrodniarz – ataman Bazylow.

Niezwykle miły i ciepły dla studentów profesor Ludwik Bazylow, historyk z naszego wydziału, był wówczas prorektorem uniwersytetu, zajmował się między innymi studiami zaocznymi. Był to jedyny profesor, jakiego wojsko kojarzyło, bo wszyscy robili zaoczne studia, każdy miał nazwisko Bazylowa w indeksie. W tym momencie zielony się ocknął; zaczęło się wycie. Zrozumiałem, że tamci, mimo moich wysiłków, jakoś przeżyją, ale ja zginę. Wrzeszczał, darł mordę, bo chyba wreszcie zrozumiał, że sobie to wszystko wymyśliłem ku uciesze moich kolegów.

Zajęcia zostały przerwane, a mnie wezwano do pułkownika Maksymiliana Schnepfa, dowódcy Studium Wojskowego, który oczywiście wiedział o audycjach w Wolnej Europie i natychmiast zapytał, czy to nie ja tam pisuję. Miałem jeszcze na tyle przytomności umysłu, że zaprzeczyłem. Zostałem relegowany z wnioskiem do rektora, więc poszedłem do domu.

Mieszkałem już wtedy na rogu Marszałkowskiej i Żurawiej. Miałem uroczy pokój – cztery i pół metra kwadratowego: leżanka, składana plastikowa szafa. Długo tam zresztą nie wytrzymałem, chyba niecały rok, ponieważ trasa z północy Warszawy, to znaczy od Fukiera na Mokotów, czyli do miejsc zamieszkania niektórych moich przyjaciół, wiodła przez okolice, w których mieszkałem, a Warszawa była miastem z najmniejszą ilością toalet publicznych na świecie. Doszło kiedyś do tego, że w nocy, kiedy już spałem, a okno było otwarte, bo inaczej bym się udusił w tym małym pokoju, jeden z moich kolegów podsadził drugiego, który mi nalał przez okno.

Siedziałem więc w tej klitce i czekałem. Na wydział nie chodziłem, bo miałem zakaz, który potraktowałem bardzo dosłownie: byłem przekonany, że nie mogę się pokazać nawet na dziedzińcu. Przez dwa tygodnie leżałem na łóżku, czytałem i modliłem się tylko, żeby się starzy nie dowiedzieli. W końcu dostałem wezwanie do rektora, podpisane przez... Ludwika Bazylowa. Poszedłem do rektoratu z duszą na ramieniu. Byłem przekonany, że wylecę, zwłaszcza że Bazylow miał prawo potraktować to osobiście.

Wchodzę. Sekretarka, wspaniała i niezwykle kompetentna pani Radziejowska, przedwojenna dama, spojrzała na mnie. Jedno oko było srogie, ale drugie – wyraźnie rozbawione. Gabinet rektorski był olbrzymi. Na końcu, w rogu, siedzieli: prorektor UW, profesor Ludwik Bazylow i profesor Stanisław Herbst, czyli dwie osoby z dużej listy moich ofiar. Kazali mi podejść, usiąść na krześle przed biurkiem.

Zaczął profesor Bazylow: – Panie kolego, pańska sytuacja jest bardzo trudna, chyba nie ma dla pana miejsca na uniwersytecie. Wypada jednak posłuchać również pańskiej wersji wydarzeń. Proszę więc opowiedzieć o wszystkim ze szczegółami.

Profesor Bazylow miał rubaszne usposobienie, ale pan profesor Herbst wyglądał, jakby się wstydził, że się na ziemi pojawił. Czerwienił się i bladł, potem znowu czerwienił, a ja opowiadałem... Zacząłem od rozwlekłej opowieści o grze w okręty, bo chciałem opóźnić przejście do morderstw. W końcu do nich doszedłem, a profesorowi Bazylowowi nawet powieka nie drgnęła, zadawał tylko dodatkowe pytania: – Przepraszam, ale czy może pan opowiedzieć bardziej szczegółowo, w jaki sposób postanowił pan uśmiercić profesora Herbsta? Chyba się myliłem w zeznaniach – raz go rozstrzeliwałem, za drugim razem wieszałem, w każdym razie nie mieścił się w grupie samobójców, co by mi szalenie ułatwiło sytuację. Niestety, powinienem był więcej osób skazać na samounicestwienie, metodologicznie byłoby mi potem łatwiej. Tak samo było przy każdym, kogo profesor Bazylow znał; relacja ciągnęła się chyba dłużej niż mój tekst oryginalny, wygłoszony na studium wojskowym. W końcu złapałem się na tym, że z dużym zaangażowaniem wdaję się w tę opowieść. Temperatura rozmowy podnosiła się coraz wyżej. Nowa seria dodatkowych pytań pojawiła się, kiedy zaczęli ginąć studenci. Obaj moi rozmówcy z zaciekawieniem dowiadywali się o studentach Wydziału Historycznego i innych zaprzyjaźnionych wydziałów i instytutów; profesor Bazylow z pewnym aplauzem oceniał niektóre akty wandalizmu. W końcu nadszedł nieunikniony koniec. Zapadła cisza... Profesor, trochę do siebie, trochę do mnie, powiedział: – No, dobrze i co ja mam z tym zrobić? Zwrócił się do Herbsta: – A co ty myślisz, Stasiu? Profesor Herbst nie mógł z siebie słowa wykrztusić, był porażony do tego stopnia, że po prostu przestał mówić.

Nie będę się już rozwodził nad tym dłużej. Zapadł werdykt: – Zostanie pan przywrócony w prawach studenta, ale sam pan rozumie, że sprawa nie jest błaha i w związku z tym muszę jednak zyskać pewność, jak to naprawdę było, i co jakiś czas będę pana prosił, panie kolego, żeby pan przyszedł i opowiedział! Zobaczymy, co się zgadza, a co nie.

Prawie do końca studiów byłem co jakiś czas proszony do rektoratu; za każdym razem wzbudzałem absolutny zachwyt pracownic rektoratu, bo one już wiedziały, że kolejna rozmowa to droga przez mękę, a ja miałem świadomość, że nie mogę sobie folgować, nie mogę tego zamienić w żarty, tylko muszę poważnie relacjonować kaźń.

I rektor sam tego słuchał?

Ależ nie, różnie bywało, często pojawiła się jakaś ofiara. Kiedyś zaprosił jednego z uśmierconych, doktora Janusza Berghauzena z Wydziału. To przesłuchanie nie trwało jakoś długo, bo Berghauzen nie mógł się skupić, był w trakcie umierania ze śmiechu od samego początku.

Przechodzę do puenty. Tyle czasu minęło od wszystkich perypetii dziejowych, jakie mnie spotkały. W późnych latach 70. zacząłem pracę nad rozprawą habilitacyjną. Byłem w Paryżu już jako visiting professor, miałem pieniądze, mieszkałem normalnie gdzieś w mieście. Któregoś dnia ktoś mi przywiózł jakąś paczuszkę od Beaty, zaszedłem na rue Lauriston[41] i tam spotkałem bardzo już schorowanego pana profesora Bazylowa. Póki piastował wszystkie możliwe funkcje uniwersyteckie, to bardzo mało pisał, potem wrócił na Wydział...

I trysnął książkami!

I to jakimi! *Ostatnie lata Rosji carskiej: rządy Stołypina*; *Syberia*; *Historia nowożytnej kultury rosyjskiej...* Po prostu nagle się okazało, że jest świetny. Oczywiście obaj przywołujemy natychmiast w pamięci tamto wydarzenie. Mówi do mnie: – Wie pan, chory jestem! Co pan robi wieczorem? Ja nie miałem żadnych planów. – No to pójdźmy gdzieś! Poszliśmy do jakiegoś bistro i on nagle mówi: – Niech pan mi jeszcze raz opowie! Pewnie, że opowiedziałem, ale to była opowieść przez łzy, bo widziałem, że to właściwie puenta życia.

Ale to przecież nie był koniec twoich kontaktów z Ludowym Wojskiem Polskim...

Na obozie w Bartoszycach byłem dosyć rozhukany, bo to było po zakończeniu dwuletniego związku z Agnieszką. No i jeszcze to okropne wojsko...

Najbardziej pamiętam pierwszy dzień. Był z nami student, szeregowiec Jacek Winkler, inteligentny, sympatyczny, który

---

[41] Przy rue Lauriston 74 mieści się Stacja Naukowa PAN w Paryżu, dysponująca pokojami gościnnymi. Jest to tradycyjne miejsce pobytu naukowców, zjeżdżających do Paryża na stypendia lub badania archiwalne.

wyglądał dosyć dziwnie – miał takie gorejące oczy. Kierował się jedną ambicją: był w Bartoszycach po raz drugi, bo nie zaliczył poprzedniego obozu, a marzył o tym, żeby wyjechać z Polski i zaciągnąć się na statek, na połów wielorybów. Był w tym wysoki poziom determinacji. W końcu wyjechał, miał potem bardzo burzliwy życiorys, był w Afganistanie, później osiadł we Francji i był jednym z założycieli maleńkiego PPS-u. Ktoś mi opowiadał o stenogramach z posiedzeń PPS-u paryskiego w stanie wojennym. Zawsze były trzy punkty porządku – sytuację krajową referuje towarzysz Winkler, sytuację na świecie towarzyszka Winklerowa, a pozostałe punkty towarzyszka Winklerówna.

Ale wróćmy do Bartoszyc: Jacek wystąpił wtedy w trakcie pierwszego apelu i wygłosił taki mniej więcej tekst: – Chciałem powiedzieć, że w tym roku przyjechałem do Bartoszyc o dzień wcześniej z ładunkami wybuchowymi, które rozmieściłem w stosownych miejscach. Jeśli nie zaliczę obozu, to na pewno zdołam je wszystkie uruchomić – i wrócił do szeregu. Bali się go jak jasna cholera, kilka razy widzieliśmy, jak go rewidowano, raz w sienniku mu grzebali. Ja się z nim zaprzyjaźniłem; kiedy już obóz się skończył, to spytałem: – Słuchaj, Jacku, co z tymi ładunkami? – Chodź, pokażę ci. Rzeczywiście były...

Jedzenie dawali obrzydliwe! Marcin Król właściwie nie jadł, brzydził się tym okropnie. Ja wcinałem, bo chodziłem ciągle głodny. Różnica między mną a kolegami była taka, że ja lubię zupy mleczne, choć niekoniecznie przypalone. Tych zup mlecznych miałem od cholery, bo nikt poza mną za nimi nie przepadał. Fantastycznym rarytasem były paczki z domu, choć mieliśmy kłopot z przechowywaniem zapasów.

Wszyscy tęskniliśmy choćby za chwilą prywatności. Przyznam, że wymyśliłem coś obrzydliwego, ale zyskało to ogólną akceptację. Nie będę mówił czyją – wystarczy, że ja sam stanę przed komisją śledczą. Zgłosiłem się do zastępcy dowódcy do spraw politycznych i powiedziałem, że grupa studentów-żołnierzy chce zrobić gazetkę poświęconą przyjaźni polsko-radzieckiej i potrzebujemy w tym celu pokoju. Mało tego, ja rozumiem, że na obozie nie ma przepustek, ale my musimy czytać prasę.

Krótko mówiąc, dostaliśmy pokój, a także zgodę na jednorazowe codziennie wychodzenie do kiosku po gazety. Pokój był naszym azylem. Mieliśmy karton, nożyczki, klej – wszystko, o co poprosiliśmy. Rozłożyliśmy to, żeby upozorować ciężką pracę koncepcyjną. Było rozkosznie, bo przychodziły paczki, dzieliliśmy je i organizowaliśmy małe przyjęcia. Nikt tam do nas nie przychodził, nikt nie śmiał. Co jakiś czas pytano, kiedy ta gazetka będzie, aż w końcu coś, w ostatnich dniach obozu, wyprodukowaliśmy. Finału dokładnie nie pamiętam, ponieważ, jak była zielona noc, to na drugim piętrze byłem podoficerem wartownikiem. Przyszli koledzy, wszyscy zdrowo urąbani, i powiedzieli: – Masz tutaj trochę wódki. – Nie bardzo mogę, bo jak ktoś przyjdzie, to będzie czuć. – Daj spokój, niedużo tej wódki, tu masz wodę, żeby sobie popić. No, więc chlapnąłem sobie wódkę, która się okazała spirytusem! Popiłem szklanką wody, która się okazała wódką – i na drugim piętrze nie było już wartownika. Nic nie pamiętam, film mi się urwał, do Warszawy wyjechałem zdecydowanie później niż wszyscy. Spałem na korytarzu w jakimś potwornie zatłoczonym pociągu, ze strasznym kacem, a na mnie spali jacyś inni.

Obóz – to także integracja z ludźmi z innych wydziałów. Taka lewa namiastka wojska, może rzeczywiście momentami miało to jakieś walory dydaktyczne. Nie mówię oczywiście o dyscyplinie ogólnowojskowej, tylko o sytuacjach ludzkich, kiedy na przykład ktoś nogę skręci i trzeba ciągnąć nie tylko rkm, ale i faceta. Nie będę nazwiska wymieniał: jednemu tak pomogłem i do dzisiaj nie mogę odżałować, że to zrobiłem. Trzeba było zostawić albo zastrzelić!

Obserwowanie niektórych oficerów ze Studium to była wspaniała zabawa. O jednym mówili, że trafił za karę, bo był dowódcą kompanii reprezentacyjnej, upił się trochę i kiedy przyjechał do Warszawy towarzysz Ulbricht czy może już Honecker, to nagle powiedział: – Kurwa, nie będę witał szwabów! No i wylądował w Studium. Drugi był attaché wojskowym gdzieś za granicą i wyleciał za opilstwo, języków oczywiście nie znał, zresztą nikt nie zwracał na to uwagi. Ale z czasów tego attachatu została mu znajomość dwóch francuskich słów: raz, dwa – czyli un, deux. Jak szliśmy Czerniakowską, a wiedział, że znam francuski, to mnie wzywał: – Meller, do mnie! Brał mnie pod rękę, bo był lekko nawalony, szliśmy we dwójkę na czele kompanii i recytowaliśmy: Un, deux, un, deux... Był też nadzwyczajny, inteligentny pan, kapitan Kucejko. Wywoływał entuzjazm żołnierski swymi opowieściami do tego stopnia, że kurhan w pobliżu studium wojskowego, gdzieś koło Czerniakowskiej, został nazwany oficjalnie kurhanem Kucejki.

Nie, nieoficjalnie.

Jak najbardziej oficjalnie. Antek Kroh, później autor świetnej książki o Szwejku, nadzwyczajny chłopak, który rozwinął się fenomenalnie ze swoim pisarstwem, walczył o to, żeby to był kopiec Kucejki. Doprowadził do tego, bo ja widziałem mapę, na której jest kopiec Kucejki.

Był też olśniewający pułkownik Omelan. Baron Münchhausen przy nim to małe piwo. Miał nieprawdopodobny dar narracji. Pamiętam różne jego opowieści, ale najbardziej – przepiękną historię o małym Omelanku, chłopskim dziecku, które na Pradze w październiku 1944 roku idzie... przez łany zboża nad Wisłę, żeby oglądać palące się miasto. Te październikowe łany zboża doprowadziły wszystkich do paroksyzmów śmiechu, do wycia. Potem wszyscy wpatrzyliśmy się w niego i podziwialiśmy kunszt oratorski tego niebywałego połączenia Sabały z Münchhausenem.

Oni wiedzieli, że my wiemy, że oni tam są za karę. Było kilku skurwysynów, ale nie za wielu. W sumie traktowali nas pobłażliwie. Natomiast, jeśli chodzi o Bartoszyce, o obóz wojskowy, to cała kadra oficerska, łącznie z małżonkami, żyła wspomnieniem minionego roku, kiedy to do woja zostało wziętych dwóch muzyków: Kisielewski i Tomaszewski[42]. Kiedyś mi potem Wacek opowiadał, jak to było – spali całymi dniami, a wieczorami i nocami przygrywali w kasynie.

---

[42] Czyli niezwykle popularny w tych latach, znakomity duet fortepianowy Marek i Wacek.

Powiedz mi, jak poznałeś Beatę?

Skończył się mój związek z Agnieszką, byłem na luzie, bardzo aktywny w sferze stosunków męsko-damskich. Zadurzałem się bez przerwy, flirtowałem, aż mi to nagle zaczęło trochę ciążyć. Któregoś dnia umówiłem się z dwiema dziewczynami, że pójdziemy na prywatkę, i nagle stwierdziłem, że już nie, basta, mam tego dosyć. Pomyślałem, że pójdę z trzecią, że to będzie bardzo wyraźny sygnał, że coś się zmienia w moim życiu. Na pierwszym roku była taka, już przeze mnie wcześniej zauważona, naprawdę prześliczna osiemnastoletnia dziewczyna, przeurocza, ciągle się śmiała, zupełnie jak dziecko. Wszyscy za nią biegali, nie tylko po to, żeby uwodzić. Była bardzo lubiana i jednocześnie wyzwalała w otoczeniu opiekuńcze nastroje; nawet rówieśnicy traktowali ją jak dużo młodszą siostrę, wymagającą opieki.

Beata, piętnaście lat.

Podszedłem więc do niej i mówię po ludzku, że jestem w kłopocie, bo mam romans z dwiema dziewczynami, a chcę pójść na prywatkę z trzecią, żeby tamtym dać oczywisty sygnał, żeby się odczepiły. Na początku w ogóle nie zrozumiała, o co mi chodzi. Nic dziwnego; więc powtórzyłem, rozwijając myśl. Wtedy stężała i powiedziała: – Słuchaj, za kogo ty mnie właściwie masz? Z czym do mnie przychodzisz! I opieprzyła, w uroczy zresztą sposób, jak burego kota. Już nie pamiętałem o tamtych dwóch, tak byłem nią zafascynowany. Oczywiście nie poszła ze mną nigdzie, ja zresztą też nie.

Kiedyś, na początku, przy moich pierwszych sprawach z dziewczynami, byłem – w co trudno dzisiaj uwierzyć – wyjątkowo nieśmiały. Zadurzałem się bardzo łatwo, co mnie kompletnie paraliżowało. Ale w czasie, kiedy poznawałem Beatę, byłem już dość ostrym zawodnikiem, pokonałem bariery nieśmiałości. Zakrzątnąłem się mocno koło niej. Kiedy moi przyjaciele to zauważyli, zaczęli ją ostrzegać, że trzeba na mnie uważać, bo jestem ladaco. Ostrzegał Janek Kofman (był moim bliskim przyjacielem, ale w stosunku do Beatki przejawiał silny instynkt opiekuńczy), ostrzegał Felek Cieszyński. Pilnowałem się bardzo, nie przejawiałem żadnych zewnętrznych objawów donjuanizmu, więc Beata przyjmowała ostrzeżenia do wiadomości, ale nie za bardzo wiedziała, o co chodzi. Widziała, że facet wcale nie jest taki, jak go opisują, więc pewnie dlatego też zaczęła się mną interesować. A może zadziałał duch przekory? Skoro wszyscy mówili, że jestem okropny...

Pewnego razu mój najbliższy przyjaciel Marcin Kula wydał pierwszą publikację. Aż dziwne, że tak późno, bo z takim usposobieniem powinien był napisać pierwszy artykuł naukowy w przedszkolu, a nie na studiach. Zaprosił nas na oblewanie – oczywiście do Fukiera. Już nie pamiętam wszystkich; był na pewno Robert Mroziewicz – no i była Beatka, Marcin ją znał jeszcze z liceum, a potem chodzili razem na lekcje angielskiego do Metodystów. Siedzimy, pijemy gellalę i jemy słone migdały. Beata była śliczna i zwracała uwagę wszystkich mężczyzn. Nagle jakiś facet w mundurze, zdrowo narąbany, ale jeszcze przytomny, podchodzi do Beatki i mówi: – Mała, chodź ze mną! Zapewnię ci wspaniałe życie, pracuję w wywiadzie, bez przerwy jeżdżę za granicę, nie pożałujesz. Siedziałem obok i w pierwszym odruchu odpaliłem: – Ty, wywiad, odpierdol się od mojej żony! Rzeczywiście się odpierdolił, a Beatka, zamiast mi podziękować, mówi podniesionym głosem: – Co ci w ogóle przychodzi do głowy, jak mogłeś tak powiedzieć, że żona, co za bezczelność! I zostałem znowu zdrowo opieprzony. No, ale od łyczka do rzemyczka... Była zima, zbliżał się koniec roku. Zacząłem ostro zabiegać, żeby Beatka poszła ze mną na sylwestra. Nie było to

proste, koło niej kręcił się jakiś kolega; ale w końcu – wyobraź sobie, zgodziła się!

I to był przełom. Po tym sylwestrze byliśmy już razem.

Który to był rok?

To był sylwester '65/'66. Chcieliśmy się gdzieś urwać. Po wojnie mieszkaliśmy z rodzicami przez jakiś czas w Konstancinie, koło boiska, u wspaniałej pani Anielci. Kiedy wiele lat

Ślub, 17 kwietnia 1966 r.

później byłem w Genewie, podsyłała mi – przy pomocy znako-
mitego posłańca, profesora Oskara Lange – uwielbianą przeze
mnie swojską kiełbasę. Ona chyba głęboko wierzyła, że na zachodzie nie ma nic do jedzenia.

To właśnie do pani Anielci pojechałem z prośbą o pomoc. Powiedziałem, że zakochałem się w dziewczynie i chciałbym jakiś
pokój wynająć na przerwę semestralną. Załatwiła mi pokój
u bardzo przyjemnej staruszki, a Beata nakłamała swojej mamie, że jedzie na obóz studencki. Skądinąd nie mijała się aż tak
bardzo z prawdą – obóz studencki był, tylko dwuosobowy...

Postanowiliśmy pobrać się jak najszybciej. Ślub był już
w kwietniu. Beatka była z bardzo skromnej rodziny spod Lwowa, po wojnie mieszkała w Chorzowie. Jej mama pracowała
w Locie, kiedyś w młodości była pływaczką, potem trenerką. Życie osobiste jej się nie ułożyło, miała partnerów od cholery, ale
szczęścia tam nie było. Beata miała z mamą nienajlepsze stosunki, tak naprawdę wychowywała ją ukochana babcia. Po prze-
prowadzce do Warszawy mieszkała z babcią i mamą w pokoju
z dużą kuchnią na Muranowie. W domu była, co tu dużo mówić,
bieda. Beata spała na rozkładanym łóżko w kuchni, w potwor-
nej ciasnocie. Miała tylko jeden płaszczyk, który nosiła od jesieni do wiosny. Dokonywała cudów, żeby tak wspaniale wyglądać.

Babcia umarła, zanim poznałem Beatę; mama Beaty początkowo przywitała nasz związek z radością, ale potem zaczęła opowiadać Beacie okropne rzeczy na temat mojego środowiska, a przede
wszystkim mojego pochodzenia. Doszło do tego, że Beatka z mamą zerwała; pogodziły się dopiero, kiedy moja żona była w ciąży.

Nigdy nie mogłem się nadziwić, skąd wzięło się w niej znakomite wyczucie dobra i zła. Miała wbudowaną bardzo precyzyjną
moralną busolę, była wyjątkowo prostolinijna. W miarę upływu
lat zaczęła widzieć świat we wszystkich skomplikowanych kon-
figuracjach, rozstała się z czarno-białymi schematami, ale
uczciwość i prostolinijność została. Mój ojciec ją uwielbiał, miał
z nią znacznie lepszy kontakt niż ze mną i bardzo się liczył z jej
zdaniem. Teraz, po latach, mogę powiedzieć, że miała olbrzymi
wpływ na ewolucję poglądów ojca.

Rościsław Galicki,
ojciec Beaty, 1941 r.

Beata urodziła się po wojnie w Niemczech; jej matkę wywieziono w czasie okupacji na roboty do bauera. Matka jej opowiadała, że ojciec nie wrócił do Polski, co zresztą było tak częste, że nie wywoływało zdziwienia. Pewnego dnia, w połowie lat 80., na stary adres Beaty przyszedł do niej list. Na Muranowie mieszkał wtedy ostatni partner jej matki – matka nie żyła już od wielu lat. Pisała druga żona ojca Beaty.

On był Rosjaninem – jego oddział dostał się do niewoli, udało mu się uciec; ukrywał się we Lwowie u dziadków Beaty, oczywiście na lewych papierach. Zakochał się w matce Beaty. Kiedy przyszli Niemcy, zgarnęli oboje na roboty do Niemiec. Po wojnie jeździli razem po Europie i jakoś nie mogli zdecydować, czy mają tam zostać, czy wracać. Dopiero w 1947 roku, po narodzinach Beaty, doszło do dramatycznego rozstania: matka stwierdziła, że wraca do Polski, a on – do Sowietów, gdzie go oczywiście natychmiast wsadzili i zesłali do łagru.

Rozpił się po wyjściu z gułagu. Nie udało mu się skończyć wymarzonych studiów malarskich, ale malował sporo, przede wszystkim dwa rodzaje obrazów: to, co lubił, czyli martwą naturę – i to, co trzeba było namalować, żeby przeżyć, na przykład sceny z 1917 roku z pisarzem Maksymem Gorkim w kołchozie. Był dobrym malarzem, kilka jego obrazów wisi w Galerii Trietiakowskiej w Moskwie, co miałem okazję zobaczyć na własne oczy. Mieszkał w Moskwie, ożenił się, też z malarką, założył rodzinę, miał córkę, czyli siostrę przyrodnią Beaty.

Pamiętam, że Beata bardzo przeżyła tę historię – zwłaszcza że nigdy wcześniej nie chciała szukać ojca, choćby przez Czerwony Krzyż. Mówiła, że gdyby ojciec chciał, to by ją znalazł. Okazało się, że matka Beaty pisywała do jego matki, która nie przekazywała mu listów. Wszystkie listy znalazła dopiero druga żona po śmierci teściowej. Kiedy Beata już się ukoiła i poszła spać, poleciałem na górę do Marcina – miał wtedy 16-17 lat – żeby przekazać mu nowinę. Było już po północy, ale Marcin, jak zwykle, czytał pod kołdrą z latarką w ręku. Mówię mu, że dziadek się odnalazł, co więcej – mamy wreszcie zdjęcia dziadków Beaty i jej ojca. Nagle uświadomiłem

Rościsław Galicki, ojciec Beaty, po wojnie.

sobie, do kogo podobny jest nasz Marcin: to po prostu żywa kopia swojego rosyjskiego dziadka, ojca Beaty. Nie zapomnę jego reakcji; usiadł i mówi: – Kurwa mać, co to jest? Wielkie Księstwo Litewskie? – Polacy, Ukraińcy, Żydzi, Niemcy, a tu jeszcze mi się jakieś Ruskie przyplątały! Dostał ataku śmiechu, on też był tym wszystkim bardzo podniecony.

Krótko mówiąc, zaprosiliśmy Irę – drugą żonę ojca Beaty – żeby przyjechała z córką. Marina, przyrodnia siostra Beatki, była do niej niebywale podobna, czyli geny tatusia okazały się bardzo silne.

Skończyło się tak, że się zaprzyjaźniliśmy, moje dzieci jeździły do nich do Moskwy. No, a teraz czas na puentę. Marina umarła dokładnie na tę samą rzadką genetyczną chorobę co Beata, tylko znacznie wcześniej. U Beatki choroba trwała dwadzieścia lat, a u Mariny – kilka miesięcy...

Wróćmy teraz do spraw studenckich. W końcu doszedłeś do magisterium...

Pracę magisterską o stosunkach polsko-francuskich między 1921 a 1925 rokiem, czyli między pokojem ryskim a traktatem w Locarno, pisałem u profesora Henryka Jabłońskiego, w katedrze historii najnowszej. Nie było to specjalnie ciekawe, czysta historia polityczna na dosyć słabym poziomie, przydała mi się tylko znajomość języka. Naprawdę fascynujące było tylko to, że mogłem zająć się dziejami Francji. To był już rok 1966. Rok wcześniej, w maju 1965 roku, uciekł do USA szef Polskiej Misji Wojskowej w Berlinie Zachodnim, pułkownik Władysław Tykociński. Zarządzono potem przegląd personelu polskich placówek za granicą. Nie były to jeszcze marcowe czystki, ale atmosfera powoli gęstniała. W centrali MSZ uznano, że ojciec powinien wrócić do Polski. Trzeba zresztą przyznać, że, jak na standardy resortu, w Genewie urzędował wyjątkowo długo. Tak więc rodzice byli już na miejscu, w Warszawie.

Jabłoński w czasie wojny mieszkał we Francji i poznał tam mojego ojca. Byłem jeszcze naiwny jak dziecko. Nie bardzo ro-

Beata w 1966 r.

zumiałem, dlaczego mój promotor, początkowo bardzo serdeczny, przypominający wojenne związki z moim ojcem, zaczyna się zmieniać. Może mniej przeszkadzała mi wyraźna oschłość profesora, ale na egzaminie magisterskim mój promotor poleciał ostro – zaczął zadawać pytania zupełnie z księżyca, bez związku z tematem pracy. Byłem bardzo dobrze przygotowany i dostałem piątkę, chociaż dopiero w drugim terminie, bo z pierwszego zostałem odesłany do poprawki.

Czułem, że coś się dzieje; miałem świadomość, że tu nie chodzi o sprawy osobiste, ale coś już wisiało w powietrzu. Jabłoński, mistrz partyjnej mimikry, wyczuł to znacznie wcześniej niż inni.

Jesteś już więc świeżo upieczonym absolwentem historii...

Zaraz po magisterium starałem się o studia doktorskie. Podanie złożyłem na początku roku 1967, ale oczywiście nie miałem żadnej odpowiedzi. Chyba jeszcze profesor Jabłoński wspomniał mi o Polskim Instytucie Spraw Międzynarodowych. I tak trafiłem do PISM-u, a mówiąc bardziej precyzyjnie – do biblioteki PISM, do działu, gdzie się czytało zachodnie gazety i streszczało artykuły na specjalnych fiszkach. Nikt z pracowników tej szacownej instytucji nie czytał moich wypracowań, czytelnicy z zewnątrz – jak najbardziej. Siedziałem w jednym pokoju z panem Józefem Chudkiem, przyjacielem Jerzego Andrzejewskiego, znanym bibliofilem, człowiekiem wielkiej wiedzy. Stosunek do mnie miał dziwny, bo ten doświadczony starszy pan czuł nadciągającą burzę i rozumiał, że jeżeli trafiłem na zaplecze biblioteczne, to nie po to, żeby robić karierę. Pan Józef sprawdzał moje teksty, poprawiał przede wszystkim interpunkcję, nie miał nigdy żadnych uwag merytorycznych. Kiedyś postanowiłem zrobić mu dowcip. W USA trwał konflikt między Richardem Nixonem a Lyndonem B. Johnsonem, co doprowadziło w końcu, w 1968 roku, do rezygnacji Johnsona z ubiegania się o reelekcję. Artykuł na ten temat streściłem w sposób mniej więcej następujący: Jeden chuj o drugim chuju mówi, że jest szubrawcem. W rzeczy samej jest to niewykluczone; za chwilę się okaże, który z tych dwóch chujów zostanie prezydentem. W takiej postaci poszło to do pana Józefa. Wróciło, jak można się było spodziewać, z poprawkami interpunkcyjnymi i trafiło do szuflady z fiszkami...

Niby pracowałem, ale właściwie nudziłem się jak potępieniec. Chciałem być historykiem, a nie twórcą przez nikogo nieczytanych fiszek. Ukazała się wtedy historia zimnej wojny, książka dotarła do biblioteki PISM-u. Zaproponowali mi napisanie recenzji do „Spraw Międzynarodowych". To był mój pierwszy tekst przeznaczony do publikacji. Bardzo się przyłożyłem, napisałem drobiazgową i chyba nudną recenzję. Minął jakiś czas, w końcu jeden z redaktorów „Spraw Międzynarodowych" wziął mnie na stronę i powiada, że tekst się nie ukaże. On mnie przeprasza, mówi półgłosem, na zasadzie wicie-rozumicie, tłumaczy. Widzę, że mu głupio.

Ostatnie poważne ostrzeżenie przyszło do mnie przed marcem, chyba na początku 1968 roku. Dostałem do domu list z uniwersytetu, z oficjalną odmową przyjęcia na studia doktoranckie – oczywiście z braku miejsc. Ale w administracji był burdel. Nie dość, że do koperty dostało się także, zapewne przez pomyłkę, zawiadomienie dla innej osoby, przyjętej na doktoranturę (rozumiem, że tym razem miejsce się znalazło), to ktoś wrzucił tam jeszcze korespondencję profesora Henryka Jabłońskiego, bodajże z Ministerstwem Szkolnictwa Wyższego. Pan profesor pisał tam wyraźnie, żeby, biorąc pod uwagę aktualną sytuację, nie przyjmować mnie na studia doktoranckie.

Dopiero wtedy zrozumiałem, że jest po ptakach. Wszystko mi się ułożyło w logiczną całość.

A miałeś kiedyś okazję powiedzieć o tym Jabłońskiemu?

Trzymałem to w sobie, nosiłem latami jak zadrę. Spotkałem go po wielu latach, chyba na jakimś pogrzebie, byłem już wtedy wiceministrem przy Bartoszewskim. Jabłoński stał bardzo zniedołężniały, z widocznym reumatyzmem. Zaczął mi opowiadać, z jaką radością śledzi moją karierę i jako historyka, i urzędnika

Z Beatą, 1967 r.

państwowego. Wciskał mi komplementy na temat moich książek, a mnie chciało się rzygać. W końcu poczułem, że mi rośnie gula. On oczywiście nie mógł wiedzieć, że znam jego korespondencję z ministerstwem. Powiedziałem: Panie profesorze, miło mi słyszeć pańskie słowa uznania, minęło tyle lat, ale przecież pamiętam, że byłem pana magistrantem. Wie pan, przez te wszystkie lata myślałem, że się pewnie nie spotkamy i nie będę miał okazji, żeby panu powiedzieć, co mi leży na sercu... Powiedziałem mu, tak w dużym skrócie. Zrobił się biały, a ja już tylko dodałem: Przepraszam, muszę iść! I odszedłem przez ten pogrzebowy tłum.

Co powiedziawszy, muszę jednak dla sprawiedliwości dorzucić, że był bardzo inteligentnym historykiem, a jego seminarium dużo mi dało. Przeczytałem kiedyś znakomitą recenzję Mariana Kukiela z pracy Jabłońskiego o pierwszej wojnie światowej. Mój ówczesny promotor był więc niezłym badaczem i miał dość ciekawe seminarium, ale był wyjątkowo cynicznym oportunistą.

Zanim jeszcze doszła do mnie pocztą jego korespondencja z ministerstwem, miałem taki głupi pomysł, żeby, niezależnie od studium doktoranckiego, pochodzić na jego seminarium. Użył wszelkich wybiegów, żeby mnie zniechęcić. Nie on jeden zresztą: już po marcu usiłowałem dostać się na seminarium doktorskie profesora Rafała Gerbera. Ten przynajmniej odmówił wprost.

Wróćmy do twoich ostatnich miesięcy w PISM-ie.

PISM był dość szczególnym miejscem. Z jednej strony były tam odrzuty z MSZ-u, ludzie nie zasługujący na zaufanie ludowej władzy albo ci, co wyszli z MSZ-u, albo ci, którzy nie mogli się tam dopchać, zresztą z tych samych powodów. Z drugiej strony – spora ilość prawdziwych łajdaków, którzy tkwili tam z innych powodów, ale nie dlatego, żeby nie mogli robić normalnej kariery. Nigdy więcej nie widziałem takiego nagromadzenia kanalii, bo szczęśliwie już nigdy nie pracowałem w takim miejscu. Już było czuć, że idzie ku nowym, wspaniałym czasom. Dyrektorem PISM-u był Adam Kruczkowski, syn Leona. Chyba nie zamieniliśmy słowa. Nic dziwnego, byłem bardzo nisko w hierarchii służbowej. Właściwie w ogóle unikałem rozmów w pracy, oczywiście z wyjątkiem Bogny Modzelewskiej, żony Karola. Już wiedziałem, że muszę uważać.

Jesienią 1967 roku wzięli mnie na trzy miesiące do woja, do Włodawy, wyszedłem dzień przed Wigilią. Była potworna zima, taka straszna, że na noc dawali nam białe kożuchy wopistów, a przez kilka wieczorów dostawaliśmy albo wódę, albo spirytus. Nie było centralnego ogrzewania, ale za to mieliśmy zajęcia polityczne i wszystko to, co się potem w marcu słyszało publicznie – usłyszałem jesienią '67. Niektórzy olewali sprawę kompletnie, ale byli też koledzy naprawdę wstrząśnięci. Po prostu uraczono nas wiadrami pomyj. Jakby się wsłuchać i wyciągnąć wnioski, to można się było domyślać, co się zdarzy za kilka miesięcy. Kiedy wróciłem do Warszawy i zacząłem opowiadać o tym wszystkim, moi przyjaciele patrzyli na mnie jak na wariata albo przynajmniej faceta nawiedzonego, który coś usłyszał i od razu robi z igły widły. Niestety, wyszło na moje – to stało się zaraz potem.

Właściwie byłem już pewny, że idzie ku ostatecznemu rozwiązaniu, nie wiedziałem tylko, kiedy i w jaki sposób to nastąpi. Beata była w ciąży z Marcinkiem. Usłyszałem o tym w Kazimierzu, dokąd wyjechaliśmy na kilka dni. Tam nas zastał 8 marca. Kiedy dowiedzieliśmy się z radia, co się dzieje w Warszawie, to wtedy mi powiedziała, że jest w ciąży; Marcin urodził się w październiku.

Musimy teraz jakoś przejść przez to paskudztwo. Porozmawiajmy o Marcu '68.

Dla mnie Marzec wiązał się dodatkowo ze schizofrenią partyjną. Co tu dużo mówić: z rozpędu przeskoczyłem z uczelnianego ZMS-u do partii, napisałem podanie, zostałem przyjęty. Właściwie do dzisiaj nie potrafię odpowiedzieć na pytanie, dlaczego to zrobiłem. Z jednej strony byli różni ludzie, do których miałem zaufanie – Karol Modzelewski czy Alik Smolar. Twierdzili z pełnym przekonaniem, że łatwiej sprzeciwiać się różnym świństwom od środka, niż będąc na zewnątrz. Pewnie też nie wyzwoliłem się do końca spod wpływów rodzinnego domu, choć wydawało mi się, że jestem bardzo zbuntowany. A może był w tym również wpływ otoczenia rodzinnego Agnieszki?

Gdybym wcześniej poznał Beatę, to na pewno nie zrobiłbym tego głupstwa, już ona znalazłaby sposób, żeby mnie przekonać, że to nie tylko nie ma sensu, ale jest już właściwie niezgodne z tym, co myślę. Ale stało się. Do PISM-u trafiłem więc w 1966 roku jako członek partii. Nie miałem jednak żadnych wątpliwości, myślałem identycznie jak moi koledzy na Uniwersytecie – oceniałem ostatnie wydarzenia jako całkowite odejście od ideałów Października, jako przejaw myślenia czarnosecinnego, związanego z najgorszymi endeckimi wzorcami.

W początku kwietnia zwołano zebranie wszystkich pracowników PISM-u.

Takie zebrania odbywały się wedle identycznego schematu. Zapewne najpierw było przemówienie?

Tak, najpierw mówił dyrektor Adam Kruczkowski (w nagrodę został potem wiceministrem spraw zagranicznych). Oczywiście przemówienie było na bazie i po linii: o zagrożeniach, o elementach antysocjalistycznych, o syjonizmie. A potem wziął się za personalia, bez owijania w bawełnę. Ewidentnie, podręcznikowo czyścił kolektyw z międzynarodowego żydostwa. Na pierwszy ogień poszedł chyba Marek Thee. Wyciągali mu jakieś rzeczy sprzed wojny, nie można się było połapać. Chyba to, że był przed wojną syjonistą. Zresztą nie było to ważne: z każdą kolejną wypowiedzią było coraz bardziej oczywiste, że po prostu chcą go wykończyć. Próbował się bronić. To był taki spokojny, starszy pan w okolicach pięćdziesiątki, wszyscy go lubili.

Następny do rozrobienia był pan Szczucki, bodajże sekretarz naukowy PISM-u. Pamiętam go jako nieprzyjemnego człowieka, pyszałka, ale to nie miało żadnego znaczenia, on też był do odstrzału.

Potem doszło do omawiania słynnego przemówienia Gomułki na kongresie związków zawodowych w Sali Kongresowej w 1967 roku – tego przemówienia, w którym mówił o żydowskiej V kolumnie, działającej w Polsce. Doszło do głosowania w sprawie poparcia tez Gomułki: Kto za? Kto przeciw? Kto się wstrzymał od głosu?

Miałem kłopot, bo pierwszy raz w życiu byłem w takiej sytuacji. Przedtem, na wydziale, kiedy komisja dyscyplinarna wyrzucała Adama ze studiów, to zeznawałem i broniłem Adama. Nie miałem żadnych lęków. Po latach myślę, że wytłumaczenie jest proste: sądziłem, że to Adam był wyrazicielem prawdziwych lewicowych poglądów, nie zaś ówczesna władza. Broniłem więc, w moim przekonaniu, lewicy przed „lewicą". Ale to wszystko pokręcone!

Wracam jednak do sabatu czarownic w PISM-ie. Teraz było trudniej. Po prostu trzeba było podnieść rękę i zagłosować przeciw tezom towarzysza Wiesława. Tę rękę podnosiłem w górę chyba godzinę, była jak z ołowiu, ale jednak podniosłem.

I wtedy się zaczęło. Nagle zabrała głos jedna z pracownic PISM-u, jej mąż był, jak mi się wydaje, jakimś ubeckim pułkownikiem.

Pamiętasz jej nazwisko? Chyba nie ma powodu, żeby ją chronić...

Nazywała się Lidia Buczma. Ona była po historii – moja, pożal się Boże, starsza koleżanka. Zaczęła opowiadać o byłym ambasadorze w Chinach, profesorze historii Witoldzie Rodzińskim, pochodzącym zresztą z rodziny znanego dyrygenta[43]. W czasie wojny służył w armii amerykańskiej, ponieważ wcześniej mieszkał z rodzicami w Stanach. Z jej parszywej i wyjątkowo mętnej przemowy wynikało niezbicie, że Witold Rodziński był agentem, szpiegiem, zrzutkiem, cholera wie, czym jeszcze. I że miał podwójne obywatelstwo, jego mama chyba była Amerykanką. Krótko mówiąc, szambo. Myśmy się dobrze nie znali z Rodzińskim, ale kojarzyłem go chyba przez rodziców. Przede wszystkim jednak pamiętałem dobrze jego wykłady z historii Chin na wydziale. Dałem publicznie wyraz mojej, jak by tu powiedzieć, niechęci do takiej analizy i wtedy usłyszałem, żebym się zamienił w słuch, bo teraz będzie o mnie, a mówiąc dokładniej – o moim ojcu.

Dalej poszło wedle tego samego schematu?

Przecież nie mogło być inaczej. Wykorzystała fragmenty z jego życiorysu: że w młodości był w Palestynie (zresztą wtedy się o tym dowiedziałem), że zataił fakt podwójnego obywatelstwa (to była nieprawda, nigdy nie miał drugiego paszportu), że spędził wiele lat we Francji, co też jest podejrzane... Krótko mówiąc – szpieg z wyjątkowo zapapranym życiorysem. Spytała jeszcze, czy ja o tym wszystkim wiem. Powiedziałem, że to jest obrzydliwe pomówienie. Coś mi próbowała odpowiedzieć, wtedy się do niej zwróciłem bezosobowo, na co mi ktoś zwrócił uwagę, że należy używać odpowiednich form. Więc tylko dodałem, że w rozmowie z tą panią żadnych form nie będę używał i to właściwie wyczerpało tę całą sprawę.

---

[43] Mowa o wybitnym dyrygencie Arturze Rodzińskim.

Wiedziałem już właściwie wszystko, bowiem kilka dni wcześniej taki wielki spęd, przeprowadzony wedle identycznego schematu, odbył się w MSZ. Ojciec mi o tym opowiedział. Wszystko się już gotowało na ogniu piekielnym.

Czy to był koniec zebrania?

Nie, jeszcze były inne krwiste kawałki o MSZ opanowanym przez syjonistyczno-szpiegowską mafię, a potem jeszcze raz przemówił Kruczkowski, w obrzydliwy sposób. Pamiętam, że poszedłem do toalety się odlać (choć zapewne powinienem był się wyrzygać), a za mną z sali wyskoczył pracownik PISM-u, Longin Pastusiak – tylko po to, żeby mi powiedzieć, że się dobrze zachowuję. Oczywiście miałem pełną świadomość, że Longin Pastusiak sam jest zagrożony jako zięć Ochaba. Niemniej pamiętam, że jednak podszedł i coś powiedział, co na pewno nie było łatwe, bo tacy jak ja byli traktowani jak zadżumieni.

Sala milczała. Jedni zabierali głos entuzjastycznie, a inni oglądali sobie buty. Chyba pamiętam, tak przez mgłę, nazwiska kilku entuzjastów, ruszających dziarsko do budowy Nowej Polski: Ludwik Malinowski, Tadeusz Bartkowski, Andrzej Abraszewski. Ale pamiętam też miłe zachowanie Andrzeja Towpika, późniejszego wiceministra, a także ciepłą rozmowę z Jerzym Robertem Nowakiem. Mam nadzieję, że nie będzie mi tego wspomnienia miał dzisiaj za złe. To była sala jak ze złej sztuki, wypełniona po części zwykłymi, przerażonymi ludźmi. Ci zadawali już sobie pytanie: jak tu dalej żyć? Z drugiej strony byli zaś inni, którzy mieli pełną świadomość, że zaczyna się klawe życie. Byle cwanie stanąć przy windzie i wjechać na górę. W oczach mieli blask Wielkiej Nadziei. Jedni tylko udawali, że wierzą w to, co słyszą i co sami mówią, a inni okazywali radość, że nareszcie mogą wykrzyczeć swoją nienawiść i pogardę. Nareszcie kurtyna poszła w górę. Nareszcie proletariusze mózgu mogą przypierdolić mędrcom Syjonu! Co tu dużo gadać, ta spora grupa rozwrzeszczanych wodzirejów zachowywała się jak rozradowany własnym podnieceniem sabat czarownic. Wiedzieli, czuli, że drzwi do szybkiego awansu są otwarte na oścież. Wprawdzie były to drzwi kloaki, ale to był właśnie dzień świadomej przemiany chaty w kloakę. Kiedy ten cały cyrk się skończył, wszyscy zaczęli cichcem wychodzić. Poczułem się bardzo samotny. Widać było, że każdy oblicza centymetry swoich kroków, żeby nie podejść, nie zbliżyć się nawet na pół metra. Miałem pełną świadomość, że od tej chwili jestem zadżumiony.

Wyszedłem z ulgą na świeże powietrze i ruszyłem piechotą przez Nowy Świat i Krakowskie Przedmieście na Żoliborz. Był już środek nocy. Miałem pewność, że zakończyła się jakaś część mojego życia. Wiedziałem, że na pewno nie czeka mnie nic dobrego, choć w najśmielszych snach nie mogłem przewidzieć dalszego ciągu.

W pewnym momencie podjechał samochód i obecny profesor Mieczysław Tomala, podówczas pracownik PISM-u, zaprosił mnie do środka. Zapytał: – Dokąd pan idzie? A ja mówię: – Na Żoliborz. W samochodzie zaczął mi mówić, żebym się nie przejmował. Mówił mi, że ma żonę Niemkę i że miał z tym olbrzymie kłopoty, ale jakoś z tego wybrnął. To był taki ładny gest, podwiózł mnie do domu, a dochodziła chyba druga w nocy.

Wszedłem do domu. Beata tylko na mnie spojrzała i spytała: – Stefku, masz siwe skronie! Co się stało? – Stało się to, co się miało stać.

Już jej nawet dokładnie nie opowiadałem.

Jak szybko zdarzył się dalszy ciąg?

W życiu moim i całego chyba środowiska zaczął się najdziwniejszy etap bytowania. Z jednej strony niekończący się smutek, a z drugiej jakiś nieopisany przypływ energii i chęć życia. Energia przejawiała się pospołu i w aktywności umysłowej, i w niebywałym pędzie do życia towarzyskiego. Nieustanne balangowanie grupy straceńców i ciągłe poznawanie nowych ludzi. Z wielką potęgą dokonywał się jakiś zadziwiający proces doboru naturalnego. Osoby przyzwoite „wypełzały", jeśli można się tak wyrazić, z domowych pieleszy ku wspólnemu świeżemu powietrzu. Ale prawdę mówiąc – tłumów nie było. Niby wszystko jasne, ale do dzisiaj myślę, że czegoś tak zadziwiającego i pokracznego psychologicznie nigdy w życiu nie widziałem. I ciągle jeszcze słyszę wymieszane niemalże zapisy nutowe płaczu i śmiechu na tle niekończących się anegdot. Z pisarskiego punktu widzenia to był chyba czas jednej, wielkiej anegdoty, która – prawdę mówiąc – trwa do dzisiaj.

Następnego dnia pojechałem do Komitetu Dzielnicowego, złożyłem legitymację partyjną. Łudziłem się jeszcze, że będę mógł być na przykład nauczycielem historii czy pracować w archiwum. Beata zachowała się wspaniale – wmawiała mi, że na pewno damy sobie radę, że ona skończy studia, urodzi dziecko i pójdzie do pracy...

Dwa dni później dostałem wezwanie do wojska, do Łodzi. To było Centrum Szkolenia Oficerów Politycznych im. Ludwika Waryńskiego, niedaleko placu Wolności. Każdy absolwent historii po przeszkoleniu w Studium Wojskowym przynależał, teoretycznie, do korpusu oficerów politycznych.

Był już kwiecień. W woju okazało się szybko, że mamy rozmaite ćwiczenia, ale przede wszystkim nieprawdopodobną ilość koszmarnych wykładów, w trakcie których, poza świńsko-faszy-

W wojsku, 1968 r.

stowskimi ogólnikami, przekazywano też szczegóły, żeby udowodnić, jakie bezeceństwa popełnili ci, których teraz wyrzucano. W ten sposób dowiedziałem się, że ojciec w czasie pobytu w Genewie handlował zegarkami. Wstałem i powiedziałem, że to jest o moim ojcu i że to nieprawda.

A reakcja?

– Siadać! Nie byliście pytani! I tak dzień w dzień... Nasz „turnus" składał się z dwóch grup: jedni, tak jak ja, zostali wzięci na reedukację, a innych wezwano, żeby nauczyli się dawać odpór ideologiczny wrogom ustroju. Właściwie dało się rozmawiać tylko z dwiema osobami. Jedna okazała się potem padalcem, kanalią, wywodziła się zresztą z twojej uczelni, z SGPiS-u. Druga – to Wiesław Górnicki, ściągnięty ze Stanów za swój list do Gomułki. Wylądował na reedukacji tak jak ja. Byłem kapralem podchorążym, a on podporucznikiem, więc w innych kompaniach, ale szybko się znaleźliśmy – zwłaszcza że czytywałem jego teksty, wiedziałem, jak wygląda. I to jeszcze od podstawówki, bo Górnicki przychodził do nas w konkury, do dziewczyny z jedenastej klasy, zresztą bardzo ładnej.

To nie był ten oszalały facet ze stanu wojennego, gadający straszne banialuki. W 1968 roku to był naprawdę inny człowiek: przytomny, rozumny, nastawiony zresztą bardzo pesymistycznie. Może po prostu był starszy ode mnie i więcej wiedział? Spotykaliśmy się rzadko, bo okazji nie mieliśmy ku temu, ale pamiętam, jak któregoś dnia strasznie mnie opieprzył.

Za co ci się dostało?

Widzisz, było strasznie nudno i smutno. Miałem większe zmartwienia niż szkolenie wojskowe: Beata w ciąży, sama w domu. W dodatku narastał kryzys czechosłowacki i było bardzo prawdopodobne, że PRL będzie tam interweniować. A ja miałem do odsiedzenia trzy miechy w tej pieprzonej Łodzi.

Ze Stefanem Małeckim, 1968 r.

Z tego wszystkiego zacząłem się zastanawiać, czy posłucham rozkazu, jeśli każą nam iść za południową granicę. Zdecydowałem, że nie. Poszedłem do zastępcy dowódcy do spraw politycznych. Musiał mieć koło pięćdziesiątki. Wiedziałem – bo powiedział to na jakimś wykładzie – że służył na froncie. Czyli nie gryzipiórek, tylko prawdziwy żołnierz.

Kiedy tylko usłyszał słowo „Czechosłowacja", to powiedział: – Dobra, to trzeba załatwić. Idziemy! I wypchnął mnie z gabinetu. Poszliśmy na spacerek za budynek. Wyjaśniłem mu, o co chodzi, a on na mnie z pyskiem: – Czy wiecie, co wam grozi, kapralu podchorąży? Ja mówię: – Na pewno jakaś kara. – Nie kara, tylko sąd wojenny! No i co? Upieracie się przy swoim? Mówię: – No tak, nie widzę innego wyjścia. – Odmaszerować!

Jak powiedziałem o tym Górnickiemu, też na mnie nawrzeszczał. Mówił, że to jest kretyństwo, samobójstwo, że to szaleństwo kiedyś minie, że ludzie będą potrzebować takich jak ja. Takie tam morały. Zdenerwowany był okropnie. Po latach mi wyjaśnił, że zdenerwowany był bardziej sobą niż mną, bo przecież on także nie chciał wchodzić do tej Czechosłowacji. Szkoła pozostała zresztą w Łodzi. Myślałem, że będę wezwany, przesłuchiwany. Jednego byłem pewien: że pułkownik nie zakapował.

Jeszcze w czerwcu zmarła matka Beaty, więc dostałem krótką przepustkę na pogrzeb. Nie pozwoliłem Beatce iść do prosektorium. Pochowaliśmy jej matkę, na stypę przyjechała rodzina Beaty ze wsi. A potem wróciłem do woja. W końcu zostałem podporucznikiem Ludowego Wojska Polskiego. W przeddzień wyjazdu do Warszawy wezwano mnie do zastępcy dowódcy do spraw politycznych. Kawa, rozmawiamy o dupie Maryny: czym się zajmuję jako historyk i tak dalej. Powiedział, że mnie odprowadzi. Już wiedziałem, że nie chce rozmawiać w gabinecie. Wychodzimy, a on zwraca się do mnie per pan i powiada: – Jestem frontowym oficerem, a nie kapusiem, co zdążył pan już zapewne zauważyć. Mam swoje poglądy, ale nie będę panu o nich opowiadał, bo jest pan za młody. A potem jeszcze życzył mi szczęścia i prosił, żebym nie szarżował, bo to teraz na nic i że może jeszcze kiedyś wrócą lepsze czasy.

Wróciłem do Warszawy, poszedłem do PISM-u, bo przecież formalnie byłem dalej pracownikiem. Minęło kilka dni, sierpień się kończy, dostaję nagrodę, taką z automatu, za dobrą pracę. Myślę: dziwne. Odebrałem nagrodę, poszedłem na Rynek Starego Miasta i kupiłem stolik wykładany kafelkami, podobał mi się od niepamiętnych czasów, normalnie nie byłoby mnie na to stać.

Zaraz potem zostałem wezwany na rozmowę do wicedyrektora, który zaproponował mi, żebym za obopólnym porozumieniem wyszedł z PISM-u. Powiedziałem, że za porozumieniem nie wyjdę i czekam na wypowiedzenie. Dostałem więc wypowiedzenie bez obowiązku świadczenia pracy i sprawa była załatwiona.

Nad nami, na pierwszym piętrze, mieszkała przeurocza staruszka, która była korektorką w „Sprawach Międzynarodowych". Zostawialiśmy u niej czasem małego Marcinka, kiedy Beata szła na uniwerek. Mąż starszej pani nosił nazwisko niemieckie, pochodził chyba ze spolonizowanej szlachty kurlandzkiej. To nie był czas na precyzyjne analizy: nazwisko brzmiało obco, to znaczy było żydowskie. Nasza sąsiadka co kilka dni odbierała więc telefony. Życzliwy głos pytał miękkim barytonem: – A ty kiedy wreszcie wyjedziesz? I tu następowała seria wyzwisk.

Kiedy wyrzucili mnie z pracy, sąsiadka zaczęła mi przynosić tajne chałtury, przede wszystkim korekty. Konspiracyjnie kładła je pod wycieraczkę. Początkowo nie wiedziałem, od kogo dostaję pracę, później już się domyśliłem. Byłem jednak fatalnym, niechlujnym korektorem, przepuszczałem masę błędów, więc praca w końcu się urwała, ale pozostała życzliwość.

I właśnie z tej życzliwości sąsiadka zaczęła namawiać Beatkę, żeby się ze mną rozwiodła. Była przekonana, że trzeba nam pomóc, że to będzie lepiej dla dziecka; zresztą – Marcinek blondynek, mamusia katoliczka... Po prostu myślała w realiach okupacji. Beata się strasznie oburzyła, nie na sąsiadkę, tylko na to, że nawet najżyczliwszym ludziom takie rzeczy chodzą po głowie. Powiedziała mi, że muszę z sąsiadką koniecznie porozmawiać. Poszedłem do niej. Do dzisiaj nie wiem, co mnie wtedy podkusiło. Opowiedziałem nieprawdopodobną historię: – Ja mam do pani prośbę, niech pani Beatce nie mówi więcej o rozwodzie, bo ją to rozdrażnia. Jestem jednak winien pani wyjaśnienie, jak naprawdę jest z moim pochodzeniem. Moim prawdziwym ojcem był pułkownik wojska polskiego, w czasie okupacji działał w konspiracji, miał pseudonim, lewe papiery, ale Niemcy go namierzyli, wzięli na gestapo. Mama wpadła w panikę, bała się, że za chwilę zrobią to samo z nią i ze mną, więc w najgłupszym odruchu – rodzice mieszkali koło murów getta, a bramy nie były jeszcze ostro pilnowane – przerzuciła mnie na drugą stronę. Sama rzeczywiście została aresztowana zaraz potem. A mnie – byłem jeszcze maleńki – znaleźli starzy Mellerowie, no i wychowali; później jakoś udało im się wyjść z getta. Skończyła się wojna i wszystko było w porządku aż do ostatnich miesięcy, a teraz, kiedy ludziom wyciąga się pochodzenie, naturalnym porządkiem rzeczy padłem ofiarą kampanii, choć moi rodzice byli rdzennymi Polakami...

Pani Olimpia słuchała tego ze współczuciem, była nieprawdopodobnie poruszona całą historią, w którą, co gorsza, uwierzyła, chociaż wiedziała przecież, że się urodziłem we Francji. Następnego dnia zaczęła chodzić po PISM-ie i opowiadać wszystkim, że w stosunku do mnie popełniono straszny błąd. W kilka dni później zadzwoniła Bogna Modzelewska, która wciąż jeszcze pracowała w PISM-ie, choć Karol już siedział. Umówiliśmy się w „Mazovii" na Ordynackiej, bo przecież do PISM-u pójść nie mogłem. Chciało mi się rzygać, kiedy, nawet z daleka, widziałem ten budynek. Bogna przyszła płacząc ze śmiechu: – Coś ty nagadał, tam jest teraz po prostu pożar w burdelu, oni naprawdę sprawdzają tę historię...

Ale z sąsiadką pozostaliśmy w znakomitej komitywie, bo to była bardzo kochana kobieta. Żyła w przekonaniu, że stała mi się krzywda podwójna: po pierwsze, zrobiono mi świństwo, a po drugie, cierpię za niewinność.

Zacząłem chodzić, szukać roboty. Jeszcze wierzyłem, że mi się uda. Próbowałem w „Globie", istniejącej do dzisiaj firmie od wycinków prasowych z polskich i zagranicznych gazet. W końcu kwalifikacje miałem niezłe, znałem języki. Okazało się, że nie ma mowy. Z kapitalnym uzasadnieniem (przecież wiecie, że nie możecie mieć dostępu do zagranicznych wycinków prasowych...).

Potem próbowałem zatrudnić się na Długiej w technikum samochodowym (bo zdawałem sobie sprawę, że w liceum nie mam czego szukać) w charakterze nauczyciela historii. Ale to też były mrzonki. Chodziłem w różne miejsca i zawsze się okazywało, że odmowa następuje natychmiast albo najdalej po dwóch dniach.

Rodzice już nie pracowali, byli roztrzęsieni sytuacją. Namówiłem ich, żeby wyjechali odpocząć do Zakopanego do ZAiKS-u. Pewnego dnia, pod koniec września, kilkakrotnie próbowałem dodzwonić się do mojej siostry Ireny. Urodziła się za wcześnie, w szóstym miesiącu, potem jej rozwój był dosyć skomplikowany i opóźniony, zwłaszcza kiedy się zaczął okres dojrzewania. Irenka postanowiła zdobyć konkretny zawód i została kosmetyczką. Była zadowolona z życia, wyszła za mąż.

Zadzwoniłem do niej rano, nie przyszła do pracy, a telefon w domu nie odpowiadał. Jej mąż wychodził do pracy wcześniej. W końcu postanowiłem do niej pojechać. Miałem zapasowe klucze. Wszedłem i zobaczyłem ją nieprzytomną, a obok na nocnym stoliku jakieś otwarte słoiki. Do dzisiaj nie wiem, czy postanowiła popełnić samobójstwo, czy przedawkowała. Raczej chyba samobójstwo. Irenka dorastała kompletnie poza polityką, nie wciągaliśmy jej w nic, to przecież nie miało sensu. Zresztą ona żyła innym życiem, innymi sprawami. Nagle dowiedziała się od życzliwych koleżanek (tych nigdy nie brakuje), że ojciec przestał pracować. Jeszcze mogła sądzić, że tata jest zmęczony

– miał wtedy pięćdziesiąt osiem lat – i postanowił przejść na emeryturę. Ale potem dowiedziała się, że ja wyleciałem, i to na pewno nie na emeryturę. Stosunki między nami były takie, że rodzice intensywnie zajmowali się Irenką, bo przecież zdecydowanie bardziej ode mnie potrzebowała opieki. Ja byłem tym zdolniejszym; Irenka ewidentnie miała z tym jakiś problem. Teraz ten zdolniejszy nagle wylatuje i zaczyna dostawać w tyłek. W dodatku chyba nagadano jej jakichś antysemickich koszmarów, a ona nie miała pojęcia, o co chodzi.

Zadzwoniłem na pogotowie. Rodziców jeszcze nie zawiadamiałem, bo w szpitalu powiedzieli, że zrobią płukanie żołądka, że w jej wieku jest szansa na uratowanie. Ale Irenka miała poważne kłopoty ze zdrowiem. W wyniku zaburzeń hormonalnych w wieku dojrzewania przyplątała jej się padaczka z elementami schizofrenii.

W szpitalu była naprawdę biedna. Trzeciego dnia było już naprawdę źle; nie miałem innego wyjścia, zadzwoniłem do rodziców, żeby natychmiast wracali. Nie musiałem nic tłumaczyć, oni chyba żyli z takim podświadomym przekonaniem, że z Irenką nie może się dobrze skończyć, że czeka ich katastrofa. Przyjechali, ale nie pozwoliłem im pójść do szpitala, bo Irenka była cała w różnych przewodach i rurkach. Myślałem: jak będzie źle, to niech zapamiętają Irenkę bez tych drutów.

30 września po południu z jakiejś budki telefonicznej zadzwoniłem do Beatki, że będę później, i pojechałem do szpitala. Poszedłem do Irenki. Była nieprzytomna przez cały czas. Nagle otworzyła oczy. Uśmiechnęła się do mnie, ewidentnie mnie poznała i usiłowała coś powiedzieć, ale nie mogła z powodu tych wszystkich rurek. Tak się ucieszyłem. Poleciałem na korytarz do telefonu, zadzwoniłem do rodziców, że odzyskała przytomność. Ojciec odebrał i słowa nie powiedział, już wtedy w ogóle przestał mówić. Powalił go Marzec, a potem ta historia z Irenką. Usłyszałem tylko głębokie westchnienie ulgi. Kiedy po tym krótkim telefonie wróciłem na salę, Irenka już nie żyła...

Bałem się iść sam do rodziców. Zadzwoniłem do Beaty, powiedziałem, co się stało, poprosiłem, żeby wzięła taksówkę i podjechała pod ich dom. Zapytałem, czy czuje się na siłach, żeby pójść ze mną. Miałem nadzieję, że jak zobaczą brzuch z wnukiem czy wnuczką, to może się opanują. Moja silna Beatka się zgodziła, weszliśmy na górę. Zobaczyli Beatę i właściwie nie musiałem nic mówić, sami natychmiast zrozumieli. Nie odzywali się w ogóle. Potem zająłem się pogrzebem.

Jak się wali, to już na całej linii. Kilka dni później odratowywałem rodziców, którzy się czegoś nałykali.

Beata, chwała Bogu, była zajęta głównie swoim brzuchem. Kiedy urodził się Marcin, to moja mama chyba przez pół roku nie przyszła go zobaczyć. Nie umiała. Bała się, że ten mały wyprze z pamięci Irenkę. Natomiast ojciec pojechał ze mną po Marcina i Beatkę, wziął go na ręce, przyjechaliśmy do domu. Pierwszą kąpiel zrobił ojciec. Beata go spytała: – Ale pamiętasz, tato, jak się kąpie noworodka? Odpowiedział: – Oczywiście, że pamiętam, minęło dopiero dwadzieścia kilka lat od czasu, jak kąpałem Stefana. I rzeczywiście, okazał się świetnym kąpielowym.

A ja nadal szukałem pracy. Poszedłem do bardzo zacnego miejsca, czyli Archiwum Akt Dawnych. Przyjął mnie dyrektor, wypytywał o znajomość języków, obiecywał, że na pewno coś się znajdzie... Następnego dnia spojrzał na mnie zbolałym spojrzeniem – od razu zrozumiałem, że o kant dupy potłuc. Ale jednak, zamiast, jak zwykle, kłamać, że, niestety, nie ma miejsc, zadał mi pytanie... o znajomość węgierskiego czy nawet fińskiego. Było oczywiste, że moja znajomość języków była jednak zbyt uboga, żebym startował do takiej posady. Tego dnia zrozumiałem, że w ogóle nie mam co starać się o pracę w takich miejscach: uczyć nie mogę, o archiwum mowy nie ma. Poszedłem do spółdzielni filmowej, gdzie wgrywało się napisy w językach obcych do polskich reklam. Na przykład podpis po francusku; „Mężczyzno, kup spodnie". Praca była sympatyczna, ale naprawdę fascynujące było to, co się działo po drugiej stronie podwórka, w rozlewni win. Wystarczyło zostać piętnaście minut dłużej w robocie... Kiedy już wszyscy poszli, a robotnicy z rozlewni byli pewni, że nikt ich nie będzie podglądał, zaczynały się prace operacyjne z udziałem szlaucha.

Ta praca skończyła się tak, jak można było przewidywać. Bodajże po dwóch miesiącach wezwał mnie kierownik. Później niż gdzie indziej, bo spółdzielnie były przecież na uboczu i Komitet Dzielnicowy kontrolował je rzadziej. Oczywiście wysłali do KD informację o moim zatrudnieniu, ale musiała się gdzieś trochę przeleżeć. W końcu jednak długa ręka władzy ludowej sięgnęła i tutaj. Kierownik powiedział, że, niestety, szykuje się reorganizacja i nie ma już mojego miejsca pracy, że jest mu bardzo przykro. Reorganizacja, jak się domyślasz, dotyczyła tylko jednego, mojego miejsca pracy.

Właściwie wpadłem w dołek, bo gdziekolwiek szukałem roboty, to się okazywało, że może i jest, ale nie dla mnie. W pewnym momencie, w akcie kompletnej bezradności, poszedłem do sklepu na ulicy Suzina, na którą wychodziły okna mojego mieszkania. Postanowiłem zatrudnić się jako roznosiciel mleka. Dla młodszych czytelników: wcześnie rano, między piątą a szóstą, roznosiło się po klatkach schodowych mleko w szklanych butelkach i stawiało przed drzwiami klientów. To był niezły zarobek, a nie tak znowu dużo roboty, transport odbywał się za pomocą metalowego wózka. Dodam, że gdyby ten wózek był trochę większy, do złudzenia przypominałby pojazd, którym w czasie rewolucji francuskiej wieziono skazańców na gilotynę. Nad ranem, kiedy mleko stało już pod drzwiami, było czasem kradzione, ale służyło zazwyczaj dobrej sprawie, czyli likwidacji kaca przed powrotem do domu.

Długo nie popracowałem przy tym mleku. Ja jestem śpioch, więc kiedy musiałem wstawać o czwartej czy piątej rano i potem przez dwie godziny to mleko roznosić, to po powrocie do domu byłem kompletny denat i kładłem się natychmiast spać, co dezorganizowało domowe życie, a poza tym sprawiało, że do mojej pracy naukowej siadałem dopiero późnym popołudniem. Chyba wytrzymałem nie więcej niż dwa – trzy tygodnie.

Takie poranne doświadczenie przeżyłem jeszcze raz. Kiedy już zacząłem pracować w „Lingwiście", mój przyjaciel Marcin Kula, dbając o moją kondycję fizyczną, zaproponował mi, żebyśmy chodzili na AWF na ćwiczenia dla jajogłowych. Kula jest zdyscyplinowany, więc dla niego wstać o piątej czy o szóstej to małe piwo. Zacząłem się pokazywać z Marcinem na tych zajęciach, były jakieś biegi (jeszcze nie istniało słowo jogging), machanie rękoma, nogami. Krótko mówiąc, czułem się jak drewniany pajacyk na sznurku, który w sposób nieskoordynowany macha wszystkimi kończynami. Jakiś czas to wytrzymałem, ale rezultat był taki sam jak przy roznoszeniu mleka. Wracałem do domu, kładłem się spać, znowu robota zaczynała się dopiero po południu, a ja już się wdałem w doktorat. Zrozumiałem, że jeśli będę roznosił mleko i ćwiczył gimnastykę z przyszłym profesorem Marcinem Kulą, to będę niezwykle zdrowy, opity nabiałem, ale z pewnością nie sprawdzę się zupełnie jako potencjalny pracownik naukowy. Rzuciłem więc to w cholerę, ponieważ, tak prawdę mówiąc, gimnastyka mnie strasznie nudzi. Dopiero potem poznałem słynną formułę pana profesora Bartoszewskiego: kiedy go nakłaniają, żeby coś zrobił rano – spotkał się z kimś czy udzielił wywiadu – to ma na to genialną odpowiedź, że wprawdzie po wojnie był w PSL-u, ale pracował w gazecie, a nie na podorywkach.

I dlatego zawsze podziwiałem Churchilla, który na pytanie: – Jak pan dożył tak leciwego wieku paląc cygara i pijąc whisky? Miał tylko jedną odpowiedź: – Nigdy nie uprawiałem sportu.

Potem trafiłem jeszcze do Archiwum m. st. Warszawy, na Krzywym

Marcin, październik 1969 r.
Fot. Marcin Kula.

Kole. Trwało to jakiś czas. Przeurocza kierowniczka biblioteki, pani Stefania Wójcikowa, żona profesora Zbigniewa Wójcika, była dla mnie wspaniała. Pracowałem na zapleczu bibliotecznym, ale w pewnym momencie okazało się, że już nie mogę. Pani Wójcikowa przyszła i powiedziała mi uczciwie, że dostała wiadomość, że nigdy nie dostanę podwyżki. – No wie pan – powiedziała – niech pan sam zdecyduje.

Profesor Zbigniew Wójcik był potem moim aniołem stróżem, bo dzięki niemu, po kilku latach, przetłumaczyłem pamiętnik Beauplana. Naprawdę zawdzięczam to tylko jemu, bo postawił sprawę na ostrzu noża: albo ja tłumaczę, albo on tego nie wydaje. Okazał się wyjątkowo przyzwoitym człowiekiem.

Wracam do perypetii pomarcowych. W końcu zacząłem nieźle zarabiać na korepetycjach, udzielałem ich naprawdę dużo. Dawałem korki z polskiego, z historii i z francuskiego, na zasadzie pracy taśmowej, w ilościach przemysłowych. Trochę to było męczące, ale niebywale wygodne, w związku z tym, że Beatka pracowała w dziale oświatowym Muzeum Historycznego m.st. Warszawy, a ja zajmowałem się bardzo dużo Marcinkiem, do tego stopnia, że Marcinek nie zasypiał, jeśli nie słyszał stukotu maszyny.

A co to za tekst powstawał na twojej maszynie?

Po Marcu napisałem dwa „tygrysy", oczywiście pod pseudonimem. Młodsi czytelnicy nie wiedzą, że była to szalenie popularna seria, poświęcona historii wojen i wojskowości, publikowana przez wydawnictwo MON. Było tak: mama miała przyjaciółkę, która pracowała w radio, a jej mąż, Jurek Malczewski, był historykiem wojskowości, pułkownikiem w archiwum w Rembertowie. Bardzo go lubiłem. Kiedyś, już po Marcu, zgadało się, zresztą przy wódeczce, że potrzebuję pieniędzy. Jurek mówi: – Słuchaj, jest tylko jedno miejsce, gdzie są pieniądze – to tygrysy. Nakłady gigantyczne, a roboty przy tym niewiele – napiszesz to chyba w dwa tygodnie. Ja na to: – Dobra, mogę spróbować, ale w mojej sytuacji? W wydawnictwie MON?

Jurek sprawdził co trzeba. Przyszedł któregoś dnia i mówi: – To nie jest problem, żeby napisać i wydać pod innym nazwiskiem, problem jest tylko z podjęciem pieniędzy. Ale może nie będzie tak źle, bo tam różni ludzie piszą pod pseudonimami i jakoś te pieniądze potem odbierają.

Ja miałem nienajlepsze wspomnienia z podstawianiem nazwiska, bo przez chwilę chałturzyłem, pisząc felietony dla radia pod nazwiskiem Marcina Kuli. Marcin jeździł odbierać pieniądze. Pewnego dnia ktoś musiał zakapować, bo zrobiła się afera – i felietony się skończyły. Bałem się, że tym razem będzie tak samo. Ale nie doceniłem umiejętności Jurka.

Napisałem te tygrysy jako Stefan Galicki, czyli pod panieńskim nazwiskiem Beaty: jeden o procesie Pétaina[44], a drugi o powstaniu paryskim[45]. Tematy nie były specjalnie „tygrysowe", ale za to robota była dziecinnie łatwa. Jeden tomik pisałem trzy tygodnie, drugi chyba dwa.

Pieniądze spływały nieprawdopodobne, bo tomiki osiągnęły nakład zbliżony do dwustu tysięcy egzemplarzy – takie to były czasy. A Jurkowi jestem wdzięczny, bo, jako pułkownik w służbie czynnej, ryzykował wiele, po prostu wykazał się przyzwoitością i odwagą.

Chciałbym, żebyśmy pogadali jeszcze chwilę o Marcinie, a właściwie o całej trójce. O ile pamiętam, w tym czasie byłeś z dziećmi częściej niż Beata?

Oczywiście – i zawdzięczam to władzy ludowej. Miałem dosyć długi urlop macierzyński. Kiedy urodził się Marcin, to byłem już bezrobotny i rzeczywiście zajmowałem się nim bardzo intensywnie. Do tego stopnia, że kiedy Marcin miał już pięć lat, to znajoma, która przyjechała z Francji, powiedziała Beatce: – Słuchaj, ja wiem, że Stefan ma więcej czasu, ale żeby wam

[44] Stefan Galicki, *Oddaję oskarżonemu głos*, Wydawnictwo Ministerstwa Obrony Narodowej, Seria „Żółty Tygrys", Warszawa 1979.

[45] Stefan Galicki, *Barykady nad Sekwaną*, Wydawnictwo Ministerstwa Obrony Narodowej, Seria „Żółty Tygrys", Warszawa 1977.

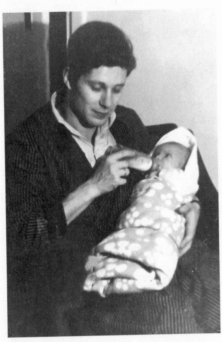

W akcji przy karmieniu Marcina, 27 listopada 1968. Fot. Marcin Kula.

nie wyrósł jakiś kochający inaczej, bo on zamiast trzymać się spódnicy mamy, to się trzyma spodni ojca...

Między mną a Marcinem szybko narodziła się fajna komitywa. Bardzo dużo gadaliśmy, chodziłem z Marcinem na spacery, do kina. Marcin zaczął późno mówić, za to potem mówił bez przerwy, ale też bardzo wcześnie zaczął czytać i pochłaniał olbrzymie ilości stron. Wszystko go ciekawiło, zadawał tysiące pytań. Jednocześnie widać było, że rośnie nam w domu coś, co Francuzi nazywają force de la nature.

Marcin był od maleńkiego nieustannie głodny. Kupowałem mu za waluty jakieś odżywki w Banku Pekao (czyli poprzedniku Pewexu)[46] i chyba go zdrowo przekarmiłem; od początku był kawał chłopa. Chyba jeszcze nie miał roczku, kiedy zauważyliśmy w jego metalowym łóżeczku okruchy chleba. Mieszkaliśmy wtedy na Żoliborzu, na Krasińskiego, na czwartej kolonii, na parterze (potem wyprowadziliśmy się stamtąd, bo zimno było

---

[46] Przypis dla młodszych czytelników: w kioskach Banku PEKAO, a od 1971 r. w sklepach Pewexu można było kupować, za waluty wymienialne lub za drukowane w Polsce bony, wszelkie dobra, których nie było w normalnych sklepach – od odżywek dla dzieci, poprzez markowe dżinsy, artykuły gospodarstwa domowego, aż po samochody (również polskiej produkcji). Waluty wymienialne dostawało się od rodziny mieszkającej zagranicą lub kupowało u cinkciarzy, czyli nielegalnych handlarzy walutowych. Kantory nie istniały, bo oficjalna wymiana złotówek na waluty zachodnie nie była możliwa.

Z trzymiesięcznym Marcinem, styczeń 1969 r.

nie do wytrzymania, pod nami była nieogrzewana piwnica i ciągnęło potwornie od podłogi). Nie było rady – postanowiliśmy przeprowadzić akcję śledczą. Wieczorem Beata wyszła z pokoju, a ja wlazłem do szafy, z której przez niedomknięte drzwi mogłem obserwować, co się dzieje w łóżeczku. I co zobaczyłem? Marcin wyrzucił poduszkę ze swojego łóżka, podciągnął się (a miał niezłą krzepę) i wlazł po tej siatce jak po drabinie, przeszedł na drugą stronę, zrobił kilka kroczków w dół, po czym zawisł na rękach i spadł na poduszkę. Podniósł się, otrzepał i ruszył na czworakach w stronę kuchni, która była na końcu mieszkania. Ja po cichutku ruszyłem za nim. Dotarł do dolnej szafki, gdzie był schowany pojemnik na pieczywo. Usiadł, otworzył drzwiczki, podniósł dwiema rączkami pokrywę, wyjął chleb i zaczął rwać; pchał do buzi, siedział, żuł. Potem urwał większy kawałek i ruszył w drogę powrotną z tym zapasem, który ni to trzymał, ni to pchał przed sobą. Z powrotem poradził sobie znakomicie: najpierw przerzucił chleb, a potem wziął poduszkę i wrzucił do łóżeczka, podciągnął się, wlazł jak po drabinie i wpadł do środka.

Po tym wstrząsającym doświadczeniu z Marcinem zaczęliśmy sznurować na noc łóżeczko od góry. Pewnego dnia przyszedł do nas na kawę profesor Witold Kula, który mieszkał niedaleko, na Stołecznej. Wszedł do sypialni, zobaczył te wszystkie sznurki, zbladł, spojrzał na mnie, potem na Beatę i wygłosił długą filipikę o prawach małego człowieka, o tym, że jest to nieludzkie, żeby Marcin był trzymany jak w więzieniu. Ja, płaszcząc się, opowiedziałem całą historię; pan Witold widział, że nie ma dobrej odpowiedzi z jego strony, spojrzał i zmienił temat.

Z Beatą i trzymiesięcznym Marcinem, styczeń 1969 r.

Z Marcinem ciągle były jakieś dziwne historie. Kiedy poszedł do szkoły, to nudził się w pierwszej klasie, bo był już bardzo sprawny w czytaniu. Wychowawczyni uparła się, żeby go przesunąć do wyższej klasy, na co Marcin nie miał najmniejszej ochoty. Wychowawczyni zwołała nawet jakąś komisję, która miała podjąć taką decyzję, a Marcin zachował się jak dobry aktor – przed komisją strugał głupa i postawił na swoim: został w swojej klasie.

Po dwóch tygodniach ktoś zadzwonił od mnie z prośbą o pojawienie się w szkole. Szedłem z duszą na ramieniu, nie wiedziałem, co mógł zmalować. Usłyszałem: – Mamy wielki problem, nasza woźna ma skomplikowane złamanie nogi, może pan coś pomoże, panie doktorze... Wszystko było jasne. Marcin chodził ze mną bez przerwy do PWST i słyszał, jak się do mnie zwracają studenci. Miałem kłopot z wyjaśnieniem pani dyrektor, że jestem tylko prostym doktorem historii, a nie lekarzem. Poprosiłem, żeby przyszedł Marcin i pytam: – Dlaczego powiedziałeś, że mogę pomóc, przecież nie jestem lekarzem. Na co Marcin, prawie chlipiąc: – Myślałem, że skoro się zajmujesz zmarłymi, to możesz też coś zrobić w sprawie złamanej nogi...

Właściwie ta odpowiedź Marcina bardzo mi pomogła w wiele lat później, kiedy byłem już ambasadorem RP w Paryżu. Stowarzyszenie Lekarzy Pochodzenia Polskiego we Francji chciało urządzić swoje obrady w pomieszczeniach ambasady. Wprawdzie miałem wielu znajomych, zwłaszcza wśród paryskich lekarzy, ale nie wiedziałem, co mam powiedzieć jako ambasador. Mogłem przywitać, powiedzieć gładki tekst o tym, że korporacja medyczna znajduje swoje miejsce w ramach odbudowującej się Polski demokratycznej, ale czułem, że mi się nie chce tak ględzić. Wtedy przypomniałem sobie tę historię z Marcinem i powiedziałem mniej więcej tak: – Właściwie czuję się członkiem jednej korporacji, tylko innej sekcji; dochodzę po latach do przekonania, że my, historycy, bierzemy się do pracy wtedy, kiedy już żaden lekarz nie może pomóc...

Nawiasem mówiąc – jestem przekonany, że o takiej definicji powinni pamiętać szczególnie politolodzy, zanim zaczną wypowiadać się na tematy historyczne.

Wróćmy jeszcze na chwilę do lat 70. Status bezrobotnego tatusia ma jednak, w kontaktach z dziećmi, swoje zalety...

Mogę tylko powiedzieć, że intensywny kontakt z dziećmi – najpierw z Marcinem, a potem z bliźniakami – to było wspaniałe uczucie. Kiedy urodziły się Kasia i Andrzej, pracowałem już na uczelni i miałem znacznie dłuższy urlop niż Beata. Część wakacji spędzaliśmy wspólnie, ale właściwie zaraz po egzaminach wstępnych wyjeżdżałem z dziećmi na wieś, kiedy Beata siedziała jeszcze w Warszawie, w muzeum. Na wsi dużo pracowałem, ale w innym rytmie – tak, aby o jedenastej czy dwunastej skończyć pisanie i zająć się dziećmi. Oczywiście największą atrakcją była Narew. Kupiłem nawet gumowy ponton, którym pływaliśmy po rzece. Andrzejowi wydawało się ciągle, że jest bohaterem jakiejś książki przygodowej, chociaż bał się wtedy pływać. Kaśka odwrotnie: szalała, skakała do wody w najbardziej nieprawdopodobnych miejscach, trzeba jej było naprawdę pilnować.

Beata z dwuletnim Marcinem. Obok Marcin Kula, październik 1970 r.

Cóż to była za przygoda z tymi bliźniakami! Mówiły między sobą jakimś dziwnym językiem. Rozumiał je tylko Marcin, który bardzo długo funkcjonował jak drugi ojciec. Właściwie to on, a nie ja, wprowadzał bliźniaki w życie.

Kiedy się urodziły, byłem trochę ogłupiały. Pamiętam, że spały w łóżeczkach po dzieciach Andrzeja Zaorskiego, który z kolei odziedziczył łóżeczka po dzieciach Janka Englerta. Zresztą od Andrzeja i Ewy Zaorskich dostaliśmy mnóstwo rzeczy po ich bliźniakach. Pamiętam też skomplikowana wyprawę po wózek. To nie było takie proste – dostać w PRL wózek dla bliźniaków... Polowałem dosyć długo, w końcu dopadłem w jakiejś wsi pod Łodzią, w sklepie GS. Ten wózek był jak czołg, trzeba było siły, żeby nim manewrować.

Z Beatą i trzymiesięcznymi bliźniakami, 1976 r.

Bliźniaki, dopóki były malutkie, spały w sypialni z nami; zazwyczaj wstawałem do nich ja, bo Beata nie potrafiła potem zasnąć, a mnie przychodziło to z łatwością. Andrzej popłakiwał trochę, bo, kiedy się urodził, miał kłopoty z trzustką, był słabiutki, malutki; popłakiwał z takiej niemocy życia. Naprawdę nie płakał, tylko tak pojękiwał do nieba, żalił się.

Pewnego dnia podchodzę do dzieci, a Kaśka, która jeszcze nie mówiła, patrzy na mnie i nagle się odzywa: – Tata. Beatka się żachnęła, mówi: – Kaśka, chyba chciałaś powiedzieć: – Mama. Kaśka spojrzała na Beatkę, potem na mnie i powtórzyła: – Tata! Ona zawsze wiedziała, jak owinąć mnie wokół palca, była moim oczkiem w głowie. Zresztą ten status córeczki tatusia wykorzystywała bez skrupułów. Zaczynała z Andrzejem jakieś swoje gry i podpuszczała go, ewidentnie prowokowała, a potem wszystko się na nim skupiało...

Szalenie kochałem moje małe dzieci, uwielbiałem się nimi zajmować, dawało mi to dużo więcej radości niż cokolwiek innego w życiu. Kiedy miałem do wyboru spotkanie ze znajomymi, teatr czy kino albo pozostanie w domu z dziećmi, to bez żadne-

Z ośmiomiesięcznym Marcinem,
1969 r.

Z dwuletnim Marcinem,
październik 1970 r. Fot. Marcin Kula.

go wahania wybierałem to drugie. I mały Marcin, i Andrzej, i Kaśka dawali mi niezwykle dużo: pełnię miłości i pełnię życia. Byłem z dziećmi bardzo dużo, zwłaszcza kiedy Beata była w szpitalu.

Ożeniłem się bardzo wcześnie, miałem dopiero dwadzieścia cztery lata. Byłem młody, ale wiedziałem, że strasznie chcę już mieć własną rodzinę. Może dlatego, że miałem nadopiekuńczą mamę. Nadzwyczajną, strasznie kochaną, ale nadopiekuńczą. Całe życie była taka sama – nawet, kiedy miałem pięćdziesiąt lat, dzwoniła do mnie zimą, żebym włożył ciepłe gacie, których zresztą nienawidziłem. Z kolei ojciec nie umiał się otworzyć, nie potrafił objawiać swoich uczuć. Miał z tym kłopot również wobec mamy, którą kochał, ale nie był w stanie tego okazać. Może dlatego marzyłem o tym, żeby założyć własną rodzinę i żeby w tej rodzinie funkcjonował zupełnie inny model relacji z żoną i z dziećmi.

Pozostawiliśmy na chwilę twoje perypetie związane z szukaniem pracy w czasach pomarcowych. Rozumiem, że opowiesz teraz o tym, jak byłeś wykwalifikowaną kosmetyczką...

Aż tak daleko moja hucpa nie sięgała, choć chyba wszystkiego w życiu warto spróbować. Po Marcu, kiedy już byłem bez pracy, moja mama poleciła mnie szefowej spółdzielni „Izis", pani Witkowskiej, wspaniałej kobiecie, zresztą łączniczce AK w czasie wojny, a ona bez wahania mnie zaangażowała. Powiedziałem, żeby się zastanowiła, bo jakoś nigdzie nie mogę zagrzać miejsca. Na co usłyszałem, że była w czasie wojny łączniczką, wtedy się nie bała Niemców, to i teraz się nie boi władzy ludowej (tu rzuciła, w sposób kunsztowny, mięsem – tę sztukę opanowała po mistrzowsku). W ten sposób zostałem kulturalno-oświatowym na etacie starszej kosmetyczki, miałem legitymację służbową i zajmowałem się wyrabianiem biletów miesięcznych i organizowaniem wejściówek do teatru. Roboty nie miałem za wiele, byłem zresztą demoralizowany – tylko proszę bez żadnych świńskich komentarzy! – przez kosmetyczki. Lubiły mnie, wiedziały, że dostałem w dupę. Żyło mi się rozkosznie; pani Witkowska powiedziała, żebym sobie tak ustawił godziny pracy, abym mógł wyskakiwać do archiwum. Pisałem oczywiście w nocy, w domu.

Skończyło się jednak niedobrze. Dostałem polecenie, żeby rozdysponować wczasy FWP w socjalistycznym raju, czyli w domkach letniskowych z dykty. Rozdzieliłem to już wiosną, przede wszystkim wśród najbiedniejszych, którzy najwcześniej złożyli podania. Tuż przed wakacjami zostałem poproszony, żeby przydzielić najlepsze cztery domki wybranym osobom... Mówię: – To niemożliwe, bo już rozdysponowałem. – To mnie w ogóle nie obchodzi – odpowiedziała pani Witkowska, te domki mają się znaleźć.

To była wspaniała pani, ale jednocześnie czuła się władczynią instytucji o bizantyjskiej strukturze. Natychmiast objechałem wszystkich, którym przydzieliłem domki. I zrobiłem tak, jak Mark Twain. Pamiętasz, jak wysłał telegramy do kilku milionerów, że wszystko się wydało? Każdy miał coś na sumieniu, więc uciekali na wszelki wypadek.

Ja zrobiłem na odwrót. Ostrzegłem, że jeśli nie wyjadą natychmiast, to wczasy się wściekną. Wróciłem do pani prezes i powiedziałem, że jej protegowani nie mogą dostać wczasów, bo ci z wcześniejszymi przydziałami już wyjechali. W ten sposób jej podpadłem. Zostałem przeniesiony karnie na stanowisko kasjerki w punkcie „Izis" na MDM-ie. Gorszej ofiary do tej roboty nie można było wykombinować, bo ja po prostu nie umiem liczyć. Ojciec mojego przyjaciela Marcina Kuli, pan profesor Witold Kula, miał już wtedy kalkulator, chyba jeden z nielicznych w PRL-u, takie niewiarygodnie duże bydlę. Wieczorem dyktowałem te wszystkie słupki Marcinowi przez telefon, on to dodawał i dzwonił z wynikiem. Niestety, nawet Marcin musiał coś popieprzyć, ponieważ po roku, kiedy już od dawna nie pracowałem w „Izisie", do domu zadzwonił komornik – okazało się, że zrobiłem manko na ponad dwieście złotych. Beata dała mu jakieś stare rzeczy, na przykład przepaloną żarówkę, i opowiedziała, jakiego ma męża niedorajdę. Komornik się uśmiał i tak to wszystko wycenił, że skończyło się bezboleśnie.

Z Marcinem na spacerze, kwiecień 1971 r. Fot. Marcin Kula.

Moja kariera kasjerki urwała się nagle i niespodziewanie. Siedziałem i wypisywałem kwity: depilacja nóg – 5,50, depilacja pipki – 7,80... Jak wiesz, kiedy się płaci kasjerce, to się jej zwykle nie zauważa. Na mnie też nikt nie patrzył. Pewnego dnia przyszła jakaś pani. Kiedy już wypisałem kwit, a ona się odwracała od kasy, zobaczyłem, że to znajoma mamy. Na moje nieszczęście zawołałem: – Pani Zosiu! Pani Zosia się odwróciła. A na MDM-ie od tej kasy szło się do gabinetów wielkimi socrealistycznymi schodami w dół. Więc pani Zosia się odwróciła, poznała moją gębę, potknęła się i zwaliła się ze schodów... No i to był koniec mojej kariery starszej kosmetyczki w spółdzielni „Izis".

Byłeś również, jak pamiętam, lektorem języka francuskiego.

Ktoś mi powiedział, że jeśli chcę uciec Komitetowi Dzielnicowemu, to najlepiej pracować nie na etacie, tylko na podstawie umowy o dzieło, takiej na czas określony. Poszedłem do „Lingwisty", centrala była chyba na Kopernika, przyjęła mnie bardzo elegancka pani w średnim wieku, ubrana schludnie, z gustem, miała ładną siwiejącą fryzurę. O ile pamiętam, to była żona generała Abrahama.

Po dwóch minutach mojej opowieści zrozumiała doskonale, w czym rzecz, i powiedziała: – Dokumentu żadnego pan nie może nam przedłożyć, więc zróbmy w ten sposób: mówi pan świetnie, ale niech pan powtórzy sobie całą gramatykę, podpiszemy umowę na dziewięć miesięcy. No i niech pan na głowie stanie, żeby było dobrze.

Zacząłem uczyć, strasznie mi się to podobało. Po pierwsze, byłem wśród ludzi, po wtóre, włożyłem w to cały zapał, jaki miałem. Byłem już po pierwszej rozmowie z profesorem Zahorskim, opowiedziałem mu wszystko, co mi się przydarzyło; profesor wysłuchał, a był bardzo wrażliwy na takie sytuacje, bo jego córka Marta wyleciała w marcu ze studiów, wróciła dopiero wtedy, gdy reaktywowali wydział, skończyła socjologię.

A czy znałeś go wcześniej?

Tak. Chodziłem do niego na drugie seminarium. Mówca porównywalny chyba tylko z Piotrem Skargą: jak się rozpędzał, to już po prostu leciał taką retoryką, że wszyscy gęby otwierali i nie bardzo wiedzieli, czego słuchają. Był niezwykle popularny na wydziale. Studenci go kochali i tłumnie przychodzili na jego wykłady. Był człowiekiem niezwykłej dobroci i uczciwości.

Kiedy mu wytłumaczyłem, z czym przychodzę, że chcę u niego pisać doktorat, spojrzał na mnie bardzo poważnie, otworzył szufladę, wyjął coś, schował do kieszeni i powiedział: – Teraz zabieram pana na spacer, a potem porozmawiamy o doktoracie. Poszliśmy na pocztę na Krakowskim Przedmieściu, gdzie powiedział: – Pan chyba nie wie, po cośmy tu przyszli. Rzecz w tym, że nie mam wielkich potrzeb, dobrze zarabiam, mam olbrzymią ilość rozmaitych recenzji i te wszystkie pieniądze z recenzji, doktoratów czy habilitacji składam na tę książeczkę PKO. Nie używam jej, bo nie

W trakcie pracy nad doktoratem, marzec 1970 r. Fot. Marcin Kula.

jest mi do niczego potrzebna. Napiszemy teraz pełnomocnictwo na pana, a potem będziemy gadali o tym, jak robić doktorat, bo nie da się robić doktoratu, jak się nie ma zaplecza finansowego. Ja mówię (nie do końca zgodnie z prawdą, ale chciałem być ambitny): – Panie profesorze, ale ja nie mam problemów finansowych, w razie czego rodzice trochę pomagają. – Rodzice to jest pana prywatna sprawa, a pański doktorat to również mój problem – powiedział i wypisał pełnomocnictwo.

Książeczkę trzymałem w domu przez lata; dopiero w 1985 roku, po kolokwium habilitacyjnym powiedział: – No, dobrze, a teraz trzeba zrobić przyjęcie! Byliśmy już bardzo blisko przez te lata, i z nim, i z rodziną. Ja powiadam: – Dobrze. On mówi: – A wie pan, ile to kosztuje? Przecież ma pan książeczkę, może pan podjąć pieniądze i zapłacić.

Oczywiście nie wykonałem polecenia mojego promotora i wieczorem oddałem mu tę książeczkę. Podczas przyjęcia powiedział, że po tych wszystkich latach jest okropnie zmęczony tym, że mnie musi widzieć prawie codziennie i cały czas mówić do mnie per pan. Przeszliśmy na ty i zdrowo wypiliśmy. Byłem okropnie dumny z tego bruderszaftu.

Trochę się zapędziliśmy, wróćmy do pracy w „Lingwiście".

W „Lingwiście" było tak, że płacili przez dziewięć miesięcy, i to całkiem nieźle. Jeśli dodać do tego korepetycje, to żyłem przyzwoicie, bez poważniejszych problemów finansowych. Kiedy uczyłem siostry zakonne z Powiśla, to obdarowywały mnie olbrzymią ilością malutkich zabaweczek z filcu, słoników, żyrafek, tygrysów, kotków, piesków i myszek.

Z tymi myszkami miałem kiedyś okropną przygodę. Byłem już zaprzyjaźniony z Irkiem Iredyńskim. Kiedyś miałem go odwieźć do domu z jakiegoś bankietu, Iruchna był oczywiście kompletnie nawalony. Miałem wtedy pierwszy samochód, kilkuletniego garbusa. Przy hamowaniu ze schowka wysypały mi się zwierzątka. Ale żeby wysypały się żyrafy... Nie, wysypały się białe myszki. Irek się śmiertelnie obraził. Najpierw się przestraszył: uznał, że naprawdę widzi myszki, czyli wpada w delirkę. Potem jednak trochę ochłonął i doszedł do wniosku, że ja tam specjalnie te myszki wsadziłem, umyślnie ostro przyhamowałem i w ogóle wszystko perfekcyjnie przygotowałem tylko po to, żeby Irka upokorzyć. Dwa tygodnie się nie odzywał, nie można było go przebłagać. Próbowałem mu wytłumaczyć, że mam jeszcze pieski, żyrafki, osiołki – wszystko na nic. Tylko mnie pytał:
– A dlaczego, kurchwa, osiołki zostały w skrytce?

Te pomarcowe lata – to był okres paskudny, ale, z drugiej strony, sprawdziły się niektóre przyjaźnie. Z tymi najbliższymi trzymaliśmy się razem. To jednak nie to samo, co dziesięciomilionowa „Solidarność" w czasach pierwszego karnawału. Wtedy zostało nas w Warszawie zaledwie kilkadziesiąt osób. Masa ludzi wyjechała, ale, z drugiej strony, poznawało się nowych, którzy też dostali w tyłek. Poznawaliśmy się na odległość, mieliśmy świadomość, że obracamy się w naprawdę przyzwoitym towarzystwie.

Dwuletni Marcin,
październik 1970 r.
Fot. Marcin Kula.

Z moim przyjacielem Jankiem Kofmanem szliśmy łeb w łeb; razem wylatywaliśmy z pracy, razem umówiliśmy się, że robimy doktoraty. Po latach nasze obrony odbyły się w odstępie dwóch miesięcy...

Dopiero teraz doceniam nasze decyzje: mądrze zrobiliśmy, że nie zrezygnowaliśmy z uprawiania nauki, chociaż naprawdę nie było to proste. Cały czas myśleliśmy, że kiedyś, jeśli skończy się ten okres wielkiej smuty, to będzie z czym wrócić do normalnej roboty. Chociaż momentami, siedząc w kasie spółdzielni „Izis", miałem poczucie absurdu, kiedy myślałem o kolejnym rozdziale doktoratu...

Był też niespodziewany efekt mojej pracy i w „Izis", i w „Lingwiście". Kiedy chodziłem po Warszawie, kłaniały mi się, a czasem nawet pozdrawiały radośnie, zarówno panie z „Izis", które mnie pamiętały, jak i uczennice ze spółdzielni „Lingwista".

Często miałem zajęcia w punkcie „Lingwisty" na Hożej, nieopodal Grand Hotelu, na które przychodziła pokaźna grupa zapracowanych dam, urzędujących w Grandzie, którym zależało na słownictwie podstawowym, a zwłaszcza na liczebnikach. To były w sumie fajne dziewczyny, tylko oczywiście miałem potem problem za każdym razem, kiedy chodziłem do kawiarni w Grandzie, bo wszystkie wstawały i mówiły: – Dzień dobry, panie profesorze! Zresztą nie tylko w Grandzie. Kiedy po latach przygotowywałem się do obrony doktoratu, umówiłem się lekkomyślnie z recenzentką pracy – przeuroczą, elegancką panią profesor Zofią Libiszowską, która przyjechała do mnie z Łodzi – w barze hotelu „Forum". Wchodzę, a od baru odrywają się różne panie i biegną, żeby się przywitać. Słychać chóralne: – Dzień dobry, panie profesorze! Pani Zofia przyszła kilka minut później i mówi: – Mój Boże, jakie piękne miejsce pan znalazł, panie magistrze, jakie miłe, sympatyczne, ładne panienki. A ja już nie wiedziałem, gdzie oczy podziać...

Ale nie powinniśmy chyba sprowadzać rzeczywistości pomarcowej do barwnych anegdot...

Oczywiście. Prowadziliśmy z przyjaciółmi niekończące się rozmowy, raczej przygnębiające, czasem beznadziejne. Doktorat robiłem dla siebie, ale też z wściekłości. Byłem absolutnie przeciwny jakimkolwiek pomysłom na wyjazd z Polski, więc przy pomocy doktoratu chciałem wkurwić tych, którzy mnie na to namawiali. Andrzej Zahorski znalazł mi temat zupełnie niepolityczny: „Stosunki polsko-holenderskie w okresie Sejmu Czteroletniego". Trzeba się było naczytać, ale też pogrzebać w archiwach. Wystąpiłem o paszport, żeby pojechać do archiwów holenderskich; czekałem, czekałem, czekałem – aż w końcu, ku mojemu zdumieniu, przyszła zgoda i wyjechałem do archiwum do Hagi. Był już rok 1970.

Archiwum Akt Dawnych w Hadze. Rozkoszne, śliczne miejsce. Mieszkałem w schronisku młodzieżowym w Scheveningen. W tym schronisku miałem też fantastyczną fuchę nocnego ciecia. Dostawałem dwa posiłki dziennie, jeszcze jakieś pieniądze... A za dnia siedziałem w archiwum, gdzie pracownicy byli przemili, zrobili mi za darmo mnóstwo fotokopii, które przywiozłem potem do Warszawy (kserokopii jeszcze nie było).

Nawet tam, w dalekiej Hadze, nie mogłem jednak oderwać się od polskich spraw. Chodziłem na dworzec, gdzie w kiosku można było dostać „Życie Warszawy", tylko kosztowało krocie. Zazwyczaj podczytywałem więc na miejscu. Pewnego dnia ktoś za moimi plecami – sprzedawca z kiosku – zapytał głośno po polsku

Beata z dwuletnim Marcinem, październik 1970 r. Fot. Marcin Kula.

z nieomylnym akcentem: – Czy pan jesteś Żyd? Odpowiedziałem mu niegrzecznie, a on na to: – Pan się nie gniewa, pan się uspokoi. Proszę pana, tutaj często przychodzą Polacy. Jak przychodzi Polak z Polski, to co on czyta? „Playboya". Proszę pana, jego naprawdę nie obchodzi, co się dzieje w kraju. A ci, co przychodzą i patrzą, proszę pana, kto będzie szefem ZBOWiD-u, to ja już wiem, ja nie muszę pytać... Potem dawał mi codziennie gazety do przeczytania, tylko nie pozwalał przy tym pić kawy, żeby nie było plamek. Oczywiście nigdy nikomu nie sprzedał ani jednego egzemplarza. Potem zapraszał na kawę z kanapkami...

Wróciłem do Warszawy chyba po blisko trzech miesiącach. Zacząłem pisać doktorat. Potem, kiedy już miałem gotową pracę, to Andrzej – wtedy jeszcze profesor Zahorski – wyjechał do Francji, więc obrona trochę się opóźniła.

A jednocześnie, żebyś nie miał wątpliwości, życie toczyło się normalne. Mnóstwo spotkań towarzyskich, prywatki, teatr i czasami wakacje. I taki moment, absolutnie rozkoszny, właśnie między innymi za sprawą profesora Wójcika, kiedy mogłem przetłumaczyć Beauplana[47].

Przed doktoratem czy już po?

Przed. Wydałem też tomik wierszy *Wszystko na chwilę*[48]. Dzięki Puchatkowi Zawadzkiemu, który zachował się wspaniale, tak jak profesor Wójcik, przetłumaczyłem pamiętniki Lauzuna[49] i napisałem do nich wstęp – opowiem ci o tym później. Wreszcie coś się zaczęło ruszać. Jeszcze nie miałem etatu, ale szło w dobrą stronę.

Powiedziałeś, że wydałeś tomik wierszy. A tomik ma, zdaje się, swoją historię?

Ale musisz uzbroić się w cierpliwość, bo opowieść będzie wielopiętrowa. Wiersze pisałem w trakcie pracy nad doktoratem. Mniej więcej w tym samym czasie zaprzyjaźniłem się z Irkiem Iredyńskim. Było tak: miałem już pierwszy samochód, jeździłem starym garbusem.

Ty? Prawie bezrobotny?

To zabawna historia. Kiedy byłem w Holandii, to na kolacji u znajomych spotkałem przedstawiciela firmy produkującej telefony. Właśnie wypuścili na rynek nowy aparat do rozmów konferencyjnych i szukali chwytliwego hasła reklamowego. Zapytałem, czy ja też mogę coś kombinować. Wymyśliłem coś, co nie mogłoby funkcjonować w na przykład w Polsce, ale tam, gdzie pamięć drugiej wojny nie jest bolesna... Poleciałem schodkami Majakowskiego. Pomysł był (cytuję z pamięci) taki:

---

[47] *Eryka Lassoty i Wilhelma Beauplana opis Ukrainy*, w przekładzie Zofii Stasiewskiej i Stefana Mellera, pod red., ze wstępami i komentarzami Zbigniewa Wójcika, PIW, Warszawa 1972.

[48] Stefan Meller, *Wszystko na chwilę*, Czytelnik, Warszawa 1973.

[49] Armand-Louis de Gontaut (duc de Lauzun), *Pamiętniki*, wstęp i przypisy Stefan Meller, PIW, Warszawa 1976.

jeżeli nie masz jednej ręki,
   jeżeli nie masz dwóch rąk,
      jeżeli nie masz jednej nogi,
         jeżeli nie masz dwóch nóg,
            jeżeli zostały ci tylko usta i głos
               – kup telefon firmy x
                  teraz będziesz mógł pogadać.

Oni pomysł kupili, coś tam poprzerabiali i dostałem jakieś pieniądze, za które kupiłem volkswagena.

Zresztą to hasło reklamowe było parafrazą starego głupiego dowcipu, kiedy facet dzwoni do domu publicznego i opowiada, że ma szczególny kłopot, bo jest bez ręki. Odpowiadają mu, że nic nie szkodzi, mamy tutaj specjalnie wyszkolone panie. – Ale ja nie mam też drugiej ręki. – Nic nie szkodzi, mamy wyszkolone panie. – Ale ja nie mam też nogi. – Nie szkodzi, mamy wykwalifikowaną obsługę. – Ale ja nie mam też drugiej nogi. – Ależ nic nie szkodzi, przecież ma pan to, co trzeba. – No pewnie, inaczej nie mógłbym wykręcić tego numeru...

Ten stary dowcip był tak niepoprawny politycznie, że się ograniczyłem do samych kończyn i telefonu.

A teraz drugie piętro tej historii. Co jakiś czas dostawałem paczki z zagranicy. Wuj – brat mojej mamy – przysyłał zwykle kawę, odżywki dla Marcina i używane ciuchy w bardzo dobrym stanie. Kiedy ciuchów było za dużo albo nie pasowały na nas, to czasami sprzedawałem na bazarze.

No i wreszcie dochodzimy do trzeciego piętra, czyli historii o Irku. Byliśmy na kolacji u znajomych, spotkaliśmy tam dziwnego faceta: mówił agresywnie, a zachowywał się spokojnie. Wiedziałem, kto to Iredyński, czytałem trochę jego rzeczy, znałem jego słuchowiska, ktoś mi opowiadał o jego odsiadce[50].

---

[50] Iredyński został aresztowany w grudniu 1965 r. pod zarzutem usiłowania gwałtu. Wszystko wskazuje na to, że sprawa była sfingowana przez SB, przez wiele lat był bowiem atakowany przez władzę, w tym personalnie przez Władysława Gomułkę, za swoją twórczość i tryb życia. Był objęty stałą inwigilacją. Wyrok zapadł w styczniu 1965 r., Iredyńskiego skazano na trzy lata więzienia. Karę odsiedział w całości w więzieniu w Sztumie.

Wychodzimy z kolacji, jest środek zimy, a Iredyński w samej marynarce. To ja powiadam: – Ale płaszcza pan nie wziął. – Nie wziąłem płaszcza, kurchwa, bo nie mam, przegrałem w pokera, a miałem bardzo ładny płaszcz. – To niech pan weźmie ode mnie, bo ja mam drugi w domu, właśnie przyszła paczka od wujka. Spojrzał na mnie i pyta, już na „ty": – Ty poważnie mówisz, kurchwa? – Poważnie, mam tam jakieś inne płaszcze w tej paczce, jadę z nimi na bazar, żeby sprzedać. Jeszcze popatrzył na mnie i mówi: – Ty, a ty masz po kolei w głowie? – Jak najbardziej, po prostu mam inne płaszcze, to weź ten, tylko nie przegraj znowu w pokera, bo zima długo trwa. Mówi: – Tak? To dawaj.

Wziął płaszcz. Wyszedł. Następnego dnia telefon, dzwoni Irek. Mówi: – To jak ci ten płaszcz oddać? Odpowiadam: – Nie trzeba, mam dwa inne. No i tak się zaczęła znajomość, która się błyskawicznie przerodziła w przyjaźń, ale tak intensywną, że właściwie nie było dnia, żebyśmy się nie widzieli. Potem to trochę ograniczyłem, bo trzeba było mieć końskie zdrowie, żeby kultywować codzienną przyjaźń z Irkiem, który był zupełnie innym człowiekiem, niż te legendy, jakie o nim krążą. Bywał agresywny, chamski, ale wiedział, z kim chce być chamski, a z kim – nie. Ze mną był czuły i opiekuńczy. Szalenie lubił Beatkę. Kiedy byłem bez pracy, Irek mówił, żebym wytrzymał, że to się musi kiedyś zmienić.

Iruś, kiedy się spłukał, kiedy mu poker szkodził, kiedy już mu się nie chciało pić, to lubił pojechać do Obór. Kiedyś w swojej dobroci wziął mnie ze sobą. Spotkaliśmy tam Andrzeja Brychta. Zachowywał się jeszcze normalnie, to był fajny, miły, dynamiczny chłopak. Był też Maciek Zembaty. A poza tym głównie starsi ludzie, pisarze albo byli pisarze. Co tu dużo mówić... Irek przyjechał skacowany, więc chyba napiliśmy się trochę. A potem poszliśmy do kierowniczki, żeby się dowiedzieć, czy jest ktoś znajomy wśród gości. Kiedy Irek dowiedział się, że jest pułkownik Załuski, zaczął kombinować; w końcu spytał, przy którym stoliku siedzi pułkownik. I nagle go olśniło: – Wiesz, tu jest taki obyczaj, że jak na śniadanie schodzą ludzie, powiedzmy na godzinę ósmą, to zupę mleczną przynoszą za dziesięć ósma.

Z Beatą na wakacjach w Jugosławii, 1972 r. Fot. Marcin Kula.

Z Beatą na wakacjach w Jugosławii, 1972 r. Fot. Marcin Kula.

A co ty myślisz o twórczości pułkownika Załuskiego?

Zaczęliśmy rozmawiać o Załuskim; obydwaj udawaliśmy, że to na serio. Mieliśmy trochę inne poglądy: ja byłem trochę bardziej przejęty rolą, jaką Załuski zaczynał odgrywać w życiu ideologicznym kraju, a Irek był raczej zwolennikiem definicji prostej jak konstrukcja cepa: – On kombinuje, żeby swoje świństwa sprzedawać tak, żeby to było bliżej tego, co ludzie normalnie myślą. Kombinuje, ale dalej kłamie, a to jest jeszcze większe kurewstwo. Czemu on to robi? Może talentu ma za mało, może trzeba mu trochę talentu dodać? Skończyło się na tym, że nazajutrz Irek, który nie umiał w ogóle wstawać rano, zerwał się jak skowronek. Przed ósmą byliśmy już w jadalni, Irek podszedł do stolika Załuskiego i napluł do wazy z zupą. Po czym poszliśmy z powrotem spać. Jakoś nie zauważyłem, żeby pułkownik Załuski przeżył po tym erupcję talentu...

W grudniu 1970 roku, Irek, nawalony, ale przytomny, zadzwonił o piątej rano: – Mam dla ciebie, kurchwa, dobrą wiadomość: Gomułki już nie ma. – Co to znaczy, Gomułki nie ma? – Nie ma, wypierdolili go, a wydział kultury uciekł z KC i siedzi u mnie w mieszkaniu pijany. Przyjeżdżaj, kurchwa. No, to pojechałem i zobaczyłem ten wydział kultury – dwie, trzy osoby, rozdygotane ze strachu.

A pamiętasz tych ludzi?

Na pewno był wśród nich Aleksander Syczewski, ówczesny szef wydziału kultury.

W moim środowisku jeszcze nikt nie wiedział o upadku Gomułki, to było przed dostarczeniem gazet do kiosków. Kiedy wróciłem od Irka i zacząłem dzwonić po znajomych, to wszyscy myśleli, że ja jestem nawalony. Trochę wypiłem u Irka i to było chyba słychać. W każdym razie nikt mi nie wierzył. A potem ukazały się gazety i wszyscy pytali, skąd wiedziałem. Tego nie zdradziłem, zawsze lepiej uchodzić za człowieka tajemniczego, ale dobrze poinformowanego.

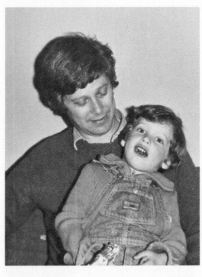

Z pięcioletnim Andrzejem, 1981 r.

Irek był przekonany, że jeśli już nie ma Gomułki, to następnego dnia mogę gdzieś iść i zacząć się starać o pracę. Miał trochę racji – z tym że to potrwało jeszcze cztery lata; ale na pewno zapaliło się światełko w tunelu.

Kiedyś Irek był u nas w domu, wszedł na górę do mojego pokoju, a ja akurat majstrowałem przy wierszach, maszynopisy leżały na biurku. Podszedł, wziął do ręki, zaczął przeglądać, zatrzymał się przy dwóch i mówi: – Dobre, kurchwa, czyje to? Ja mu nigdy wcześniej nie mówiłem, że piszę... Mówię: – Moje. – I co, grafomanie, gromadzisz to, kurchwa, w szufladzie i nie wysyłasz nigdzie? Na tego grafomana trochę się żachnąłem. Mówię: – Tylko nie grafomanie! Irek: – Grafoman to taki, kurchwa, co pisze i nie zarabia na tym.

Wziął te wiersze. Mijają dwa lub trzy miesiące, dostaję z „Czytelnika" list, podpisany przez Michała Sprusińskiego, z prośbą o kontakt. Michał, jak ci mówiłem, był moim przyjacielem już w Krakowie, potem przeniósł się do Warszawy i został zastępca naczelnego redaktora w „Czytelniku". Oczywiście spotykaliśmy się czasem, ale raczej towarzysko. Dzwonię do Michała: – Michał, o co chodzi? Ja do was nie składałem żadnego tekstu. A on na to: – Mam twoje wiersze, już je przeczytaliśmy w wydawnictwie i chcemy wydać tomik. Dopiero wtedy skojarzyłem, że to są te wiersze, które Irek zabrał mi z biurka.

Z Beatą, Zagórskimi i Marcinem Kulą na spacerze w ZOO, maj 1971 r.

Ale była jeszcze jedna przeszkoda do pokonania. Przed tomikiem musiałem mieć jakąś publikację w prasie kulturalnej. Irek umówił mnie ze Zbigniewem Bieńkowskim z redakcji warszawskiej „Kultury". Na spotkanie poszedłem onieśmielony. Coś mu tam daję, on czyta, czyta, wybrał trzy czy cztery wiersze i mówi: – No dobrze, damy panu znać, proszę zadzwonić za jakiś czas. Schodzę na dół, do Irka, zamawiam kawę, on nagle pyta: – A pieniądze masz? Ja mówię: – No pewnie, stać mnie na zapłacenie za kawę. – Kurchwa, nie mówię o tym. Czy Bieńkowski dał ci zaliczkę? – Irek – odpowiadam – ale przecież honorarium się dostaje po publikacji. – Jednym, jak się wydrukuje, a innym trzeba płacić od razu. A ty w ogóle mówiłeś o pieniądzach? – Nie, chyba nie. – Tylko grafoman, kurchwa, nie mówi o pieniądzach. I wypycha mnie na górę, z powrotem do Bieńkowskiego. Ja stawiam opór, nie chcę tam wracać za żadne skarby świata. W końcu idzie sam i schodzi z pieniędzmi. Moim zdaniem, z Bieńkowskim w ogóle o pieniądzach nie mówił, tylko wyjął z kieszeni swoje. Oczywiście nie odmówił sobie komentarza: – Widzisz, tak się załatwia, kurchwa.

Kiedy w końcu, w 1973 roku, wyszedł tomik, byłem szczęśliwy, kiedy we „Współczesności" pojawiła się recenzja Juliana Rogozińskiego. To już nie chodziło o tomik wierszy; nagle poczułem, że skrzydła rosną. Że coś się odblokowuje, że normalnie żyję, jestem w biegu, coś się dzieje.

Przyjaźniliście się z Rogozińskim?

Z Julkiem? Tak, choć Julek był ode mnie starszy. Ale znał moich rodziców, chyba z okresu powojennego, z Brukseli. Dla mnie był przede wszystkim olśniewającym tłumaczem; zanim go poznałem, wyobrażałem go sobie zupełnie inaczej. Na pewno nie podejrzewałem, że – mówię z czułością – to skończona fajtłapa, nieustannie zadurzona w jakiejś pani. On tego zadurzenia potrzebował jak tlenu. Przychodził do rodziców chyba przede wszystkim po to, aby opowiadać o kolejnych stanach miłosnego otępienia. Zaprzyjaźniłem się z nim na własny rachunek, niezależnie od rodziców. Uwielbiałem chodzić do niego na Żoliborz, gadać z nim, przede wszystkim o literaturze. Był nadzwyczajnym erudytą. Mnóstwo ludzi starało się mu pomóc, żeby mógł mówić o literaturze w telewizji. A Julek, kiedy widział kamerę, po prostu drętwiał, przestawał mówić. Nie było go.

Był nałogowym palaczem. W życiu nie widziałem, żeby ktoś tyle palił, poza może Giedroyciem. Czasami Julek jeździł po papierosy na Dworzec Gdański, bo w Warszawie trudno było wieczorem dostać fajki. Kiedyś wybrał się tam nocą ze swoim psem

Tolkiem, kundelkiem znalezionym gdzieś na ulicy. Pewnie wypił trochę, może sobie strzelił jakieś piwo. Akurat przejeżdżał jakiś pociąg z Sowietami. Tolek urwał się ze smyczy, rzucił się na jakiegoś sowieckiego oficera i dobrał mu się do nogawek. Zaczęła się dzika awantura, przyszła milicja, ludzie zaczęli się zbiegać. Jednym słowem – afera na całego.

Julek musiał być na lekkiej bani, bo na trzeźwo nie wykombinowałby tej opowieści. Spokojnie, ale jednak z uczuciem, zaczął tłumaczyć milicjantowi, dowódcy patrolu, że dziad czy pradziad Tolka był psem zesłańców syberyjskich po Powstaniu Styczniowym i że alergię na Ruskich odziedziczył w genach. Ludzie wyli ze śmiechu, łącznie z milicjantami, którzy wytłumaczyli temu sowieckiemu oficerowi, żeby się uspokoił. Ruski nic nie kapował, ale w końcu dał się wsadzić do pociągu.

Wspominałeś wcześniej o Wacławie „Puchatku" Zawadzkim.

Kiedyś Andrzej Zahorski powiedział mi, że jest możliwość, żebym tłumaczył coś dla PIW-u i żebym spotkał się z Zawadzkim, szefem redakcji pamiętników obcych w PIW-ie.

Umówiliśmy się w kawiarni u Architektów na końcu Foksal. Ja wtedy miałem jeszcze sporo wolnego czasu, bo nie pracowałem na etacie, chodziłem więc często na spacery z Marcinkiem. Wkroczyliśmy do Architektów. Marcin trochę rozrabiał, ale dostał ciastko i się uspokoił.

Puchatek powiedział mi, że jest Lauzun do tłumaczenia, trzeba też napisać wstęp, całość opracować naukowo, z przypisami. Uświadomiłem mu, jaką mam sytuację. – No dobrze – powiedział Puchatek – to zawalczymy o to. Trochę miałem pietra, ale pomyślałem, że raz kozie śmierć. On nigdy nie chciał mi zdradzić, ile go to kosztowało wysiłku. O wszystkim dowiedziałem się od pań z redakcji: Puchatek postawił sprawę na ostrzu noża, bronił mnie. Powiedział mi wtedy: – Tłumaczenie może pan zrobić pod pseudonimem, ale przedmowę musi pan podpisać własnym nazwiskiem, bo to jest pański, autorski tekst. W końcu dostałem umowę na całość.

A z kim walczył Puchatek w tej sprawie?

Nie mam pojęcia. To mogło być na poziomie szefa wydawnictwa, ale zapewne były też jakieś rozmowy na zewnątrz. Tłumaczyłem jak w transie. Do dzisiaj lubię tę edycję, bo to jest dobre tłumaczenie, zrobione z polotem, ale wierne w stosunku do oryginału. Lauzun pisał słabo, więc mam wrażenie, że moją wersję chyba lepiej się czyta. Już przy wstępie wiedziałem, że raz kozie śmierć: jeżeli to spieprzę, to uniemożliwię sobie powrót do właściwie nie rozpoczętej kariery zawodowej. A miałem już trzydzieści lat...

Rzeczywiście więc, jak widzę po latach, przyłożyłem się do tej edycji. Miałem pomysł, jak to napisać; chciałem, żeby to było takie osiemnastowieczne, lekkie, z polotem i finezją, łącznie z tłumaczeniem wierszyków, które krążyły na temat rozmaitych osób w XVIII wieku. Byłem szczęśliwy – czytałem, czytałem, czytałem... O XVIII wieku co nieco już przecież wiedziałem, ale musiałem poznać masę biografii, całą literaturę dotyczącą Lauzuna. Ponieważ on się kochał w Izabelli Czartoryskiej, na głowie stanąłem, żeby zobaczyć wszystkie dostępne portrety tej damy, zrozumieć, na czym polegała ta fascynacja. Do końca tego pojąć nie mogłem, bo nie była to, moim zdaniem, urodziwa białogłowa, miała ospowatą buzię.

Ten fenomen zrozumiałem później, kiedy przygotowywałem polską edycję pamiętnika pani Roland[51], która też nie była zbyt piękna. Usiłowałem wtedy zobaczyć we Francji wszystkie jej podobizny – na kolana mnie nie rzucały. Natomiast wszystkie przekazy pamiętnikarskie były jednoznaczne: kiedy pani Roland zaczynała mówić, zmieniała się w inną kobietę, faceci po prostu wariowali.

Być może identycznie było z Izabellą Czartoryską. Kobiecość to nie tylko uroda twarzy, ale także sposób chodzenia, poruszania się, sposób mówienia, cały wdzięk – to bardzo trudno ocenić;

---

[51] Marie-Jeanne Roland, *Pamiętniki*, tłum. z franc. Irena Wachlowska, wstęp Stefan Meller, Czytelnik, Warszawa 1976.

klasyczne pytanie, „czy pan woli brunetki, czy blondynki" jest pytaniem idiotów do idiotów, bo to nie na tym polega.

Krótko mówiąc, pamiętniki Lauzuna wyszły drukiem w 1976, a ja miałem potem dzień szczęścia, kiedy – chyba w „Życiu Warszawy" – ukazała się duża recenzja Beaty Sowińskiej, która w pierwszych zdaniach gorąco wychwalała nie tyle pamiętnik, ile mój wstęp. Słuchaj, aż głupio się przyznać: wyciąłem to i nosiłem przy sobie. Po prostu mnie rozsadzało. Czułem, że coś się zmieniło, że już nie będzie tak jak dotąd, że ten straszny okres pomarcowy ma się ku końcowi.

W tym czasie był jeszcze epizod z wyjazdem do Besançon?

Tak, bliźniąt jeszcze nie było na świecie, Marcinek miał chyba sześć lat. Uczyłem w „Lingwiście", dostałem stypendium do Besançon dla nauczycieli języka francuskiego w Europie. O paszport wystąpił „Lingwista". Stypendium miałem bardzo skromne. W Besançon było wspaniale: zajęcia miłe, życie kulturalno-towarzyskie po zajęciach świetnie zorganizowane. Przyszło mi do głowy, że jeśli mnie wypuszczono, to wypuszczą Beatkę z Marcinkiem. Udało się. Trochę byli ze mną w Besançon, w tym moim malutkim pokoju, jakoś mieściliśmy się na podłodze, na materacach, które udało mi się zdobyć. Potem pojechaliśmy do Paryża – zabraliśmy się z kimś samochodem, bo pociąg był za drogi. Pieniędzy miałem tyle, co kot napłakał, zamieszkaliśmy w mieszkaniu mamy mojej bardzo bliskiej przyjaciółki. Nasza gospodyni miała swoje wydawnictwo – niewielkie, bardzo elitarne, wydawała tylko wspaniałych, głośnych poetów, tomiki z pięknymi ilustracjami. Nie miała wprawdzie obrazów Picassa w swoim mieszkaniu – zostały w mieszkaniu jej byłego męża – ale w naszym były za to wazy Picassa. Kiedy zostawiała nam klucze do mieszkania, prosiła tylko, żeby na nie uważać. Najpierw wytyczyliśmy szlaki, po których wolno było chodzić Marcinkowi, a potem po prostu schowaliśmy te skorupy. Wszystko mieliśmy wyliczone co do centyma: pomarańcza, pudełko sardynek, ravioli, parówka. Mieszkanie było na trzecim piętrze bez windy, w dzielnicy Marais, która wtedy zaczynała być znowu modnym miejscem, gdzie kłębiło się towarzystwo artystyczne, było trochę arystokracji. Mieszkaliśmy nieopodal początków tej dzielnicy żydowskiej, na ulicy Sainte-Croix de la Bretonnerie. Pewnego dnia Marcin zaczął płakać. Powiedział, że on już dłużej nie wytrzyma, że jest głodny i że nie chce jeść tych pomarańczy, sardynek, ravioli i parówek. Pytam: – A co byś, synku, zjadł? – Schabowego z ziemniakami! Idę do Beatki: – Coś trzeba z tym zrobić, przerób jakoś ten budżet.

Kilka dni później moja przyjaciółka Anne, córka naszej gospodyni, kompletna wariatka, dziewczyna cudownego serca, przyszła z czekiem na dwieście franków i powiada: – Słuchajcie, tylko tyle wam mogę dać, bo przecież wiem, że nie macie ani grosza. Więcej po prostu nie mam.

To była suma dla nas gigantyczna. Całe moje stypendium, za które byliśmy w Besançon i w Paryżu, wynosiło raptem 700 franków. Zaczęliśmy obliczać: Marcinowi kupujemy schabowego, to mniej więcej kosztuje tyle i tyle, za to potem przez kilka dni nie kombinujemy takiego urozmaiconego menu, tylko rezygnujemy – z sera na pewno, z parówek na jakiś czas, zostajemy przy sardynkach i jabłkach. Potem wykorzystałem tę wiedzę o biednym żywieniu, kiedy jeździłem do Białegostoku i nie miałem czasu na żarcie. Wiedziałem, że jak kupię sobie dwie bułki i dwa serki topione, to tak się napcham, że wytrzymam do powrotu do Warszawy.

Poszliśmy więc z Marcinkiem, w bardzo radosnym nastroju, kupić schabowego. Schodzimy na dół. Dochodzimy do miejsca, gdzie widzę na wystawie mięso, wchodzimy i pytam go, oczywiście po polsku: – No, Marcinku, to teraz powiedz, co byś chciał? Marcin odpowiada: – Tato, przecież mówiłem, że schabowy! Nagle słyszymy kwestię, wypowiedzianą po polsku z nieomylnym akcentem: Cz'y pan nie moż'e wytLumacz'yć dziecku, że to nie jest dokLadnie ten skLep, o który panu chodzi? Zdrętwiałem. Nie zauważyłem gwiazdy Dawida przy wejściu, weszliśmy do koszernego sklepu żydowskiego. Przeszedłem na francuski, żeby Marcin nie rozumiał. Przeprosiłem, powiedziałem, że nie zauważyłem napisu przy wejściu... – A czy pan z Polski? – usłyszałem. Opowiadam wszystko, mówię, że sardynki, pomarańcze, bagietka, a tu dziecko już marzy o mięsie. Na to właściciel: – Proszę pana, ja panu opowiem taki anegdot. Przed wojną to się działo tak, że Żyd też czasami miał ochotę na schabowy, bo to bardzo smaczne jedzenie. On wchodził i on mówił, pokazywał na tego schabowego, którego nie wolno mu było normalnie jeść i mówił: Ja poproszę o dziesięć deka tego twarożku. Sprzedawca, chrześcijanin, odpowiadał (jeśli nie był pojętny): – Panie, ale to jest schabowy, a nie twarożek! – Proszę pana (słyszał w odpowiedzi), ja panu coś powiem: jak ja go nazywam twarożek, dla mnie to będzie twarożek.

Opowiedziawszy tę anegdotę po polsku, właściciel mówi już po francusku, żeby Marcin nie rozumiał: – Ja tu mam takie kotlety z indyka, mogą świetnie udawać schabowe. Mówię: – To dawaj pan, przecież on i tak nie zauważy różnicy. – To ja panu dam tego nawet trochę więcej, żeby dziecko miało przez dwa dni...

Potem wziąłem Marcinka na oranżadę do kawiarni, ponieważ uznałem, że gdybym oszalał i kupił trzy porcje, to bym wydał więcej, więc mam na kawiarnię (zawsze byłem zachwycony definicją ekonomiczną mojego przyjaciela Włodka Zagórskiego, wedle której towar jest wart tyle, ile mi na nim zależy). Uznałem więc, że teraz zależy mi na tym, żeby kupić na luzie oranżadę dla Marcinka i espresso dla siebie.

Wtedy się zaczęło. Pierwsze pytanie Marcina dotyczyło sprzedawcy w sklepie mięsnym: – Czy ten pan jest Polakiem? Odpowiadam, że w pewnym sensie tak. – A dlaczego ten pan tak dziwnie mówi? – No bo ten pan jest Polakiem tylko w pewnym sensie. – Ale przecież ten pan mówi bardzo śmiesznie. – Śmiesznie też tylko w pewnym sensie.

Pomyślałem, że nie ucieknę od tego, bo Marcin był natarczywy. W ogóle chłopak był dociekliwy, wszystko musiał wiedzieć. W końcu zacząłem opowiadać o Żydach. Marcin na to: – Przecież Żydzi mieszkają w getcie i mają stare zabawki. Okazało się, że w przedszkolu dzieci tak reagowały na stare zabawki: – Do getta z nimi. Marcin coś tam kapował, bo miał podstawową, aczkolwiek fragmentaryczną wiedzę z Pisma Świętego.

Wróciliśmy do domu. Byłem wyczerpany tą rozmową i mówię do mojej katolickiej żony: – Beatko, pomóż! Opowiedziałem o kupowaniu „schabowego", o rozmowie z Marcinkiem. – Doszedłem do momentu, jak ukrzyżowałem pana Jezusa, a resztę weź na siebie.

Marcin, sześć lat, 1974 r.

Okazało się, że to było dosyć skomplikowane, bo Marcin zaczął intuicyjnie wyczuwać, że coś jest nie tak z naszymi opowieściami. Wypytywał w taki sposób, że się zaczął niebezpiecznie zbliżać do środowiska rodzinnego. W końcu zrezygnowałem z kluczenia i zacząłem odpowiadać wprost na pytania. Powiedziałem w końcu, że mój dziadek, czyli jego pradziadek, był Żydem i słabo mówił po polsku, zupełnie jak ten pan w sklepie mięsnym. Marcin zaczął strasznie żałować, że nie poznał pradziadka. O babcię też pytał, ale pamiętał z rodzinnych zdjęć, że była bardzo brzydka, więc tu nie wykazał entuzjazmu. Potem zaczął się interesować rodzicami mojej mamy, czyli pradziadkami po kądzieli. Tu byłem w lepszej sytuacji psychologicznej, bo oni mówili wspaniałą polszczyzną; pokazałem zdjęcia – dziadzio był bardzo sarmacki, babcia – piękna, dobrze ubrana kobieta. Minęły trzy dni, Marcin zaczął pytać o swoich dziadków. Oczywiście kręciłem. Sprawa niby prosta, ale skomplikowana. Po kolei oddawałem pola. Minęły kolejne trzy dni i Marcin przestał pytać. To mnie zaniepokoiło, powinien był w naturalnym porządku rzeczy dojść do mnie i do swojej mamy. W końcu pytam: – Marcinku, nie masz już żadnych pytań? Już wszystko wiesz? – Tak, przecież wszystko powiedziałeś. Mówię: – A mnie się wydaje, że jeszcze nie wszystko. – Tata, już wszystko powiedziałeś, a potem poszedłem do mamy, bo pomyślałem, że mamie będzie łatwiej. – Dlaczego mamie będzie łatwiej? – Tata, nie wygłupiaj się, już wszystko wiem. Zgłupiałam. A potem zapytałem Beatkę, z czym on do niej przyszedł. Okazało się, że z absolutną świadomością, wszystko sobie wydedukował, poszedł tylko po potwierdzenie i na tym zakończyły się deliberacje. Dużo później, kiedy temat żydowski wypełzł z różnych jaskiń po '89, był już dorosłym człowiekiem. Myślę, że cała trójka dzieci jest pod tym względem zupełnie normalna i zdrowa; to jest wielka zasługa Beatki i trochę moja.

Wróćmy do czasów pomarcowych. Mówiłeś, że miałeś poczucie powrotu do normalności. Właściwie zanosiło się na to już po obronie pracy doktorskiej, w 1974 roku?

W trakcie pisania wiele osób mi mówiło: idź gdzieś, zrób coś, żeby mieć pracę w zawodzie. Uważałem jednak, że najpierw muszę mieć doktorat w ręku.

Kiedy się obroniłem, poszedłem do Instytutu Historycznego UW do profesora Jaremy Maciszewskiego, który jednocześnie był kierownikiem wydziału nauki KC PZPR. Powiedziałem mu, że od lat nie mogę pracować w zawodzie, że właściwie nigdy nie zacząłem, a chciałbym, po to też zrobiłem doktorat.

Maciszewski był szczery aż do bólu. Nie pozostawił mi złudzeń: w Warszawie na uniwersytecie pracy nie dostanę, bo partia chroni młodzież przed złymi wpływami. Pytam: – To może Instytut Historii PAN? – Nie, to w ogóle wykluczone, bo wiecie, tam już jest taka silna grupa, z którą mamy kłopoty: Bronisław Geremek, Jerzy Jedlicki. Nie widzę powodu, żebyście ich wzmacniali.

Na szczęście dla siebie usłyszałem wcześniej od Geremka o filii Uniwersytetu Warszawskiego w Białymstoku. Geremek dał mi telefon do Elki Kaczyńskiej, która była wtedy dziekanem – ona też miała kłopoty w Warszawie, bo oddała legitymację po najeżdzie na Czechosłowację. Pomysł z Białymstokiem zaczął mi się podobać, bo wiedziałem, że tam zjeżdża się fajne towarzystwo. Mówię więc Maciszewskiemu: – A może Białystok. Zaczął się zastanawiać: – Białystok to jest sensowna propozycja; rozumiem, że się tam przeprowadzicie, a tu będzie spokój. – Nie, nie przeprowadzimy się, bo mamy rodziców na emeryturze, o których musimy dbać. – O, to sprawa się komplikuje. Zresztą, wiecie, ja muszę sprawdzić rozmaite rzeczy, proszę mi dać trochę czasu.

Wkrótce potem Maciszewski kazał mi przyjść na wydział i, wpadając w ton patetyczny, powiedział: – Wszystko posprawdzałem, możecie. – Ale z dojeżdżaniem? – Tak.

Powiedziałem Elżbiecie Kaczyńskiej, że mam zgodę. Do Białegostoku zacząłem dojeżdżać już w semestrze letnim, na razie na zasadzie prac zleconych. Od jesieni dali mi etat adiunkta.

Ale przedtem znów upomniało się o ciebie wojsko...

Tak się dziwnie złożyło, że wojsko mnie polubiło. Ćwiczenia wojskowe – jedno-, dwu-, a nawet trzymiesięczne zaliczałem parokrotnie. Miało to swój zabawny finał już w niepodległej Polsce, ale o tym opowiem później. W 1974 roku wezwano mnie na ćwiczenia do Białobrzegów pod Warszawą. To był rok Mistrzostw Świata, myśmy grali wtedy z Haiti, rozgromiliśmy ich 7: 0[52]. Pamiętam telewizor powieszony między świerkami w lesie – siedzieliśmy sobie, jedliśmy tuszonkę i oglądaliśmy mecz. Byłem objęty dyskretną kuratelą jako element potencjalnie wywrotowy. Pewnego dnia jeden z moich „opiekunów" podszedł do mnie, był już trochę nawalony, chyba przy okazji jakiegoś meczu, i zaczął rozmowę – jak to między oficerami (byłem już wtedy podporucznikiem). I co usłyszałem? Po pierwsze, ostrzeżenie, że jestem na celowniku, ale (szczęśliwie dla mnie) to właśnie on i zaufany kolega otrzymali to zadanie, powinienem jednak uważać. Po drugie, zaczął pomstować na Ruskich. Dal-

---

[52] X Mistrzostwa Świata w Piłce Nożnej w 1974 r. odbyły się w RFN i Berlinie Zachodnim. 19 czerwca w Monachium Polska wygrała z Haiti 7: 0 (5: 0). Królem strzelców tych Mistrzostw Świata był Grzegorz Lato (siedem bramek).

sza gadka była już bardzo moczarowska w duchu, szukał jednak punktów stycznych w naszych poglądach.

Starałem się uważać i nie gadać za dużo. Ale i tak podpadłem, choć zupełnie nie za politykę. Byłem dowódcą kompanii kierowców ciężarówek. Szliśmy na strzelnicę. Faceci wszyscy starsi ode mnie, byki straszne. Podeszli do mnie i mówią: – Panie poruczniku, może skoczymy na oranżadkę? Mówię: – Proszę bardzo. Poszedłem z nimi, kupiłem oranżadę i wyszedłem, bo wolałem nie widzieć, co moi podopieczni jeszcze kupują. Krótko mówiąc, wojsko się urąbało i w tym stanie wracaliśmy do koszar. Ja, na szczęście, byłem trzeźwy jak ostryga. Widziałem, że mój oddział idzie z trudem i ryje ze śmiechu z byle powodu. Niestety, zachowałem się jak głupek: zamiast wracać do naszego baraku bocznymi alejkami, postanowiłem przejść przed budynkiem dowództwa pułku. Kiedy sobie uświadomiłem, że w oknach może stać wyższa szarża, to, głupi oficerski nadgorliwiec, wrzasnąłem: – Kompania! Baczność! Co tu dużo mówić: jak zaczęli iść krokiem defiladowym, to się kilku wypierdoliło. Potem już poszło domino – po chwili leżała połowa kompanii. Dla nich skończyło się paką, dla mnie – aresztem domowym, miałem zakaz opuszczania pokoju.

Zaczęło się śledztwo. Najpierw chcieli się przekonać, czy cokolwiek piłem. Na szczęście dla siebie byłem tylko po oranżadzie. Ale mieli mnie w szachu, więc zaczęły się rozmowy – nie takie zwykłe, ubeckie, tylko pełne troski obywatelskie gadki – że trzeba pilnować żołnierzy, bo im przecież nic nie zrobią, a do mnie mogą się dobrać... Skończyło się na strasznym pomstowaniu na Jaruzelskiego. Myślałem, że z powodów politycznych, ale nie: on rzeczywiście próbował trochę otrzeźwić wojsko, wprowadził ograniczenia w kupowaniu alkoholu – i właśnie tego moi rozmówcy nie mogli mu wybaczyć...

A teraz czas na puentę: kiedy w Białobrzegach dostawałem przepustkę na sobotnie popołudnie, szliśmy z kolegami do knajpy na zakotwiczonym statku, gdzie nie tylko można było zjeść, ale i obejrzeć striptiz. Kiedyś dostałem przepustkę na nieco dłużej, pojechałem do domu. W lodówce nie było nic do jedzenia, poszliśmy więc z Beatą do knajpy naprzeciwko KC, czyli Białego Domu, w ohydnym pawilonie; nazywało się to bodajże „Melodia". No i trzeba trafu – też striptiz i występuje ta sama panienka z Białobrzegów, która rozjarza się na mój widok i woła przez całą salę: – Dobry wieczór, panie poruczniku! Beata była pod wrażeniem...

Może jeszcze kilka zdań o wojsku. Odejdźmy na chwilę od chronologii. Kiedy byłem już ambasadorem w Paryżu, dostałem informację z Ministerstwa Obrony Narodowej, że dokonano przeglądu kadry kierowniczej pod kątem ilości czasu spędzonego w woju i moja kartoteka jest wyjątkowo bogata, zupełnie jakbym był zawodowym oficerem. W związku z tym należy mi się automatyczny awans na porucznika.

Przy najbliższym przyjeździe do Warszawy zadzwoniłem do Janusza Onyszkiewicza, zaprosił mnie do swego gabinetu. Wchodzę, jest Janusz i jeszcze jakiś generał, który wygłasza uroczystą formułkę nominacji, a w ręku trzyma dyplom. Postanowiłem się trochę zabawić. Powiadam więc zupełnie poważnie i oficjalnie: – Panie ministrze, ja nie mogę przyjąć tego dyplomu, ponieważ, jak pan pamięta, w stanie wojennym kierownictwo każdej instytucji państwowej zostało zamienione w zarząd wojskowy, no i w Szkole Teatralnej, gdzie byłem, komendantem wojskowym został rektor Łapicki, szeregowy wprawdzie, ale z powstania, a jego zastępcą został podporucznik nie z powstania, czyli ja. Po kilku dniach – to był sam początek 1982 roku – wezwano mnie do Wojskowej Komendy Uzupełnień, gdzie wyrwano mi z książeczki dwie wklejki – kartę mobilizacyjną i kartę zaopatrzenia na wypadek wojny. Oświadczono mi, że nie gwarantuję lojalności wobec Polskiej Rzeczypospolitej Ludowej, w związku z tym przenoszą mnie definitywnie do rezerwy. Nie mogę więc przyjąć awansu na porucznika w czasach pokoju jako rezerwista, dopóki nie odzyskam mojej karty mobilizacyjnej. Ale już na pewno nie popuszczę, jeśli chodzi o kartę zaopatrzenia, czyli mąkę i cukier.

Powiedziałem to wszystko ze śmiertelną powagą, nawet mi powieka nie drgnęła. Generał był na granicy omdlenia, bo nie wiedział, jak się zachować. Wydukał tylko, że ci w 1982 roku – to chyba nie było wojsko. Mówię mu: – Ja nie wiem, czy wojsko, czy nie, ale cała rozmowa odbyła się przecież w Wojskowej Komendzie Uzupełnień.

Minister Onyszkiewicz, który też, choć z trudem, zachował powagę, powiedział: – Panie poruczniku, panie ambasadorze, bardzo proszę o przyjęcie awansu. Tę sprawę jakoś załatwimy. Uścisnęliśmy sobie uroczyście łapy, generalicja wyszła, a my z Januszem dostaliśmy histerycznego ataku śmiechu. I w ten sposób awansowałem.

Wracam do połowy lat 70. Po powrocie z wojska po raz pierwszy od dawna pojechaliśmy na wakacje – do Wałcza, do ośrodka olimpijskiego; załatwił to mój przyjaciel, Jurek Ponarski, warszawski działacz sportowy. Kiedy dostałem etat w Białymstoku, to założyłem książeczkę czekową. Chryste Panie, pierwsze trzy czeki spieprzyłem kompletnie, nie wiedziałem, jak to się wypełnia. No, ale miałem książeczkę czekową i już wpływały pieniądze. Siedzę sobie na wakacjach, ojciec przysyła wyciąg z mojego konta, mam etat w Białymstoku i ryczałt w redakcji „Forum". Leżę nad brzegiem jeziora, nic nie robię, czytam kryminały, które uwielbiam – i jestem panisko! Wreszcie przestaję mieć manię prześladowczą, że nie utrzymam domu, że w jakimś momencie wszystko się zawali. Mam poczucie, że wracam do społeczeństwa, do normalnego życia...

Powiedziałeś o swojej pasji do kryminałów...

Kryminałów miałem naprawdę dużo. Kiedy przychodziły paczki od wujka, jeździłem „na Pradze" sprzedawać te ciuchy. Pewnego dnia zobaczyłem chłopaka, na oko czternastoletniego. Widzę otwarte wieko walizki, a tam przedwojenne książki, głównie z „Roju"[53]. Ale jest i rarytas. Chryste Panie! Pergamin! Biorę do ręki. Część III *Dziadów* przepisana ręcznie na pergaminie i opra-

---

[53] Towarzystwo Wydawnicze „Rój", stworzone w 1924 r. przez Melchiora Wańkowicza, szczególnie zasłużone w publikowaniu polskiej prozy, publicystyki i reportażu. Zamknięte przez Niemców w 1940 r.

wiona w skórę. Pytam: – Skąd ty to masz? Coś kręci, opowiada
o chorej babci, o lekarstwach... Ewidentnie podpieprzył to babci
albo komuś innemu. Ale z domu, bo było w świetnym stanie! – Ile
chcesz? Mówi: – Dychę. Czyli nic. Jak mam się zachować? Bo jak
ja tego nie wezmę, to przyjdzie ktoś inny i nie wiadomo, co się
z tym stanie, w jakie ręce trafi. Więc kupiłem, miałem poczucie,
że zgrzeszyłem, bo dać za ręcznie przepisywanego Mickiewicza
dychę – złodziejstwo. Ale może byłoby gorzej, gdyby to wpadło
w inne ręce. Przyjechałem do domu. Mieszkałem wtedy na czwartej kolonii na WSM; poszedłem pochwalić się nabytkiem do mojego sąsiada, Wiktora Gomulickiego. Gomulicki zbladł. Zaproponowa-
wał mi ni mniej, ni więcej, tylko równowartość samochodu syrena.

Powiedziałem, że się zastanowię. Uznałem, że jednak nie:
Mickiewicz nie jest mój, ani syreny, ani Gomulickiego. Jakby to
powiedzieć: jest polski. Zadzwoniłem do niego z tą wiadomo-
ścią. Ale – powiedział Gomulicki – niech mi pan to zostawi chociaż na kilka dni. Niech pan wybiera, co pan sobie tylko życzy.
Wyszedłem od niego z walizką dobrych kryminałów: Chandlery,
nie do kupienia w księgarniach, Agatha Christie, jakieś Sime-
nony... Po polsku, po francusku, po angielsku.

Po tygodniu oddał mi Mickiewicza, a ja już podjąłem decyzję, że powinienem pójść do Muzeum Literatury. Zadzwoniłem,
połączono mnie z dyrektorem Adamem Mauersbergerem, czyli
Mauziem.

Przyszedłem, powiedziałem, o co chodzi. Wziął tomik do ręki, był ogromnie przejęty, bo to robiło niesamowite wrażenie.
Wszystko przepisywane przy świecy, w tajemnicy, chyba między
1832 a 1834 rokiem, oczywiście bez nazwiska kopisty. Mauzio
mówi: – No dobrze, a co pan za to chce. – Nic. – To dobrze, bo
i tak bym nie miał czym zapłacić. – Ale co ja mogę dla pana zrobić? Było południe. Krótko mówiąc, z otchłani swojego biurka
wyjął koniak... Do domu przyszedłem w stanie wskazującym.

Potem dostałem list z podziękowaniem z Muzeum Literatury. Byłem niezwykle dumny, że tak się zachowałem. Natomiast
Gomulicki się do mnie przez dłuższy czas nie odzywał; był
strasznie zachłanny na takie rarytasy.

A potem, kiedy pojechaliśmy na wakacje do Krynicy Morskiej, w walizce połowę miejsca zajmowały ubrania, a drugą połowę – kryminały od Gomulickiego. Spędziłem fantastyczny miesiąc, dziennie czytałem chyba po dwa tomiki, opowiadałem je potem, na jego wyraźne żądanie, małemu Marcinowi. Nic z tego nie rozumiał, ale słuchał zachwycony. Marcinek miał wtedy jakieś trzy latka i nie mówił. Moja mama była okropnie zaniepokojona, kazała mi chodzić do lekarzy. Uważałem, że przesadza, jak to się zdarza nadopiekuńczym mamom, a wtedy synowie reagują buntem; poza tym sam bałem się tej rozmowy z lekarzem.

Wracam do wakacji. Jadaliśmy z ZAiKS-ie, a mieszkaliśmy obok, w wynajętym pokoju. Kiedyś, w czasie kolacji, podchodzi ktoś z gości ZAiKS-u i mówi: – To jak, panie Stefku? Małego lu-lu? A potem wrócicie państwo na wódeczkę? Odpowiadam: – Z przyjemnością. I nagle Marcin, który siedział w wysokim, specjalnym krzesełku, powiedział pierwsze w życiu zdanie. On o sobie mówił „Cina". Powiedział tak: Tata – Cina, wóda – nie. W ZAiKS-ie zrobiło się cicho. Pan, który mnie namawiał, klęknął przed nim i powiedział: – Święte dziecko. Kiedy czasami spotykam ludzi, którzy tam wtedy byli, wszyscy pamiętają.

Potem, jak Marcin dorósł, to nie był taki święty. Kiedy dzieci były już duże, to Misiek, wujek Beatki, powiedział mi kiedyś: – Wiesz, Andrzejek to bardzo miły chłopiec, jak przyjedzie, taki układny, zawsze się ćwiarteczkę wypije. Kaśka też pociągnie jak chłopak. Ale ten Marcin to cudo!

Potem dzwonię, mówię: Synku, ile ty wypiłeś? I słyszę: – Tata, nie będę ci opowiadał, pojechałem do wujka tylko na kilka godzin, a zostałem dwa dni, bo o samochodzie mowy nie było. Do dziś nie wiem, ile wypili. Ale sam wiem, ile Misiek mógł wypić, bo mój rekord pobiłem u niego. Tak naprawdę to właśnie on mnie nauczył pić. Kiedy siedzieliśmy przy stole pierwszego wieczoru, to ja dużo nie wyciągnąłem, chyba niecałe pół litra, co dla niego było po prostu ilością, powiedziałbym, poniżającą. Wtedy zszedł ze mną do piwnicy i powiedział: – Stefku, zobacz, tu jest śmietana. Kiedy będziesz wiedział, że wypić wieczorem przyjdzie, to ty już nie pytaj, tylko zejdź tu na dół i sobie chlapnij. A w mieście, jak takiej śmietany nie macie, to kup rybę w puszce. Jest taka ryba, saira, ty sobie kup puszkę albo dwie, rybę wyrzuć i wypij ten olej, a potem sam zobaczysz.

Tę wiedzę tajemną wykorzystywałem kilka razy w życiu, zwłaszcza w Moskwie. Kiedyś Marcin zadzwonił do mnie do Paryża i zadał mi najdziwniejsze pytanie, jakie syn może zadać ojcu. Mówi: – Tata, pomóż! Ty masz jakiś numer na picie. Ja dziś mam wieczór kawalerski i tego normalnie nie da się przeżyć. Jak ty to robisz, że jesteś trzeźwy? Zdradziłem Miśkowy sekret synkowi i dzięki temu żyje do dzisiaj...

Opowiedz mi teraz trochę o Białymstoku. To kawał twojego życia...

Kiedy po raz pierwszy umówiłem się z Elżbietą Kaczyńską, byłem bardzo spłoszony, wystraszony; ta pierwsza rozmowa była taka sobie. Dopiero potem naprawdę się zaprzyjaźniliśmy. Elżbieta była świetnym historykiem gospodarczym, już w latach 90. napisała znakomitą książkę o Syberii[54]. Dusza człowiek; była trochę naszą starszą siostrą, czasem nawet mamą. Zresztą sama wylądowała w Białymstoku za karę.

Odbyłem z nią kilka rozmów; chyba się zastanawiała, czy mnie przyjąć, a dużo od niej zależało. Oczywiście nie wszystko, bo decyzja polityczna należała do prorektora UW do spraw filii w Białymstoku, Andrzeja Jezierskiego, zresztą również historyka gospodarczego, z tego samego wydziału co Elżbieta. Był człowiekiem z pewnością bardzo inteligentnym, cynicznym do szpiku kości. Na szczęście rozumiał dobrze, że jeśli chce zrobić z Białegostoku prawdziwą uczelnię, to nie może opierać się na pracownikach dawnego Studium Nauczycielskiego czy Wyższej Szkoły Pedagogicznej, tylko musi znaleźć młodych naukowców z prawdziwego zdarzenia. Do wzięcia byli tylko ci, którzy z po-

---

[54] Elżbieta Kaczyńska, *Syberia: największe więzienie świata (1815–1914)*, Gryf, Warszawa 1991.

wodów politycznych nie mogli znaleźć miejsca pracy gdzie indziej. I tak oto filia w Białymstoku stała się miejscem absolutnie wyjątkowym na mapie ówczesnych polskich uczelni, ponieważ w znacznej mierze pracowali tam ludzie po przejściach, do niedawna objęci zakazami zatrudnienia, i tacy, którzy z różnych powodów podpadli władzy ludowej. Podobno była w tej sprawie jakaś korespondencja między KW w Białymstoku i KC. Tak czy inaczej, w imię regionalnych ambicji, partyjne władze Białegostoku stworzyły w filii UW, zwłaszcza w Instytucie Historii, potężny ośrodek intelektualnej opozycji.

W Białymstoku wylądowałem razem z moim przyjacielem Jankiem Kofmanem. W okresie wielkiej smuty po Marcu Janek pracował najpierw jako goniec, a potem – jako najniższy rangą facet w Centrali Kolportażu Prasy i Wydawnictw RSW Prasa--Książka-Ruch. Wybraliśmy z Jankiem tę samą drogę. Uznaliśmy, że doktorat (o habilitacji jeszcze nie myśleliśmy) jest rodzajem indygenatu; jeżeli nam się uda przebrnąć przez obronę pracy doktorskiej – a to nie było do końca pewne, bo mogły nagle się pojawić przeszkody czysto polityczne – to pozostaniemy w zawodzie. Zapewne uśpiliśmy trochę czujność ubecji, robiąc nasze doktoraty jako wolni strzelcy. Krótko mówiąc, wyszliśmy z Jankiem na swoje. Władza była w kłopocie, bo fakt, że facet z doktoratem pracował jako szeregowy urzędnik w „Ruchu" czy lektor w „Lingwiście" był z propagandowego punktu widzenia dość niewygodny. I tak obaj wylądowaliśmy w Białymstoku, ja nieco wcześniej.

Najpierw chciałbym opowiedzieć o pociągu. Były dwie możliwości: albo jechało się szybciej z Dworca Gdańskiego, albo wolniej z Dworca Wileńskiego, osobowym. W Białymstoku byłem zazwyczaj dwa dni w tygodniu. Uznałem, że bardziej mi się opłaca jeździć osobowym, bo jedzie dłużej, więc sobie mogę wziąć robotę – tłumaczenie czy jakąś pisaninę – do pociągu. Osobowy miał, z tego punktu widzenia, wielką zaletę: jechał tak wolno, że pisałem, jakbym siedział w domu za biurkiem. Pospiesznym telepało na wszystkie strony, nie można było nawet zebrać myśli.

W pociągach tworzyły się klany towarzyskie. Powstawały albo na zasadzie wspólnoty wydziałowej (co było oczywiste), albo wspólnoty dojazdowej. Po kilku tygodniach znałem już wszystkich ludzi, również z innych wydziałów, którzy dojeżdżali we wtorki, natomiast nie znałem, nawet z widzenia, czwartkowiczów.

Dojeżdżaliśmy zazwyczaj w dobranym zestawie: moi dwaj bliscy koledzy z Wydziału Historycznego, Jurek Gutkowski i Adam Rutkowski. Potem, po Białymstoku, Jurek wylądował na Zamku Królewskim, a Adaś – w bibliotece sejmowej. Był oczywiście Janek Kofman, a nieco później Andrzej Paczkowski, Adaś Manikowski, profesor Andrzej Stelmachowski. Jeśli pociągiem podróżował profesor Stelmachowski, to wiedziałem, że muszę sobie szukać innego miejsca, bo towarzystwo grało wtedy albo w karty, albo w szachy. Był jeszcze Mietek Wrzosek, specjalista od historii wojskowości, między innymi od wojny 1920 roku. I oczywiście przez cały czas gadaliśmy – a to o historii, a to o polityce (o tej ostatniej jednak chyba rzadziej). Stali pasażerowie, białostoczanie, wiedzieli, w których przedziałach jadą ci z uniwersytetu. Żebyśmy robili nie wiem co, to i tak wszyscy wiedzieli, że to są odpady zesłane do Białegostoku, ci niechętnie widziani w Warszawie. Potem zaczęli dojeżdżać Jarosław Kaczyński, Jadzia Staniszkis, ale oni podróżowali w inne dni, więc byliśmy dalecy od zażyłości. Jola Brach-Czaina zaczęła dojeżdżać jeszcze później, zawsze była bardzo ciekawą rozmówczynią.

Na miejscu mieszkaliśmy w wynajętym mieszkaniu, w ładnym bloku. Każdy miał swój pokój, wspólna była tylko kuchnia. Ja dzieliłem lokal z Jurkiem Gutkowskim i z Adasiem Rutkowskim. Urządzaliśmy długie, bardzo fajne kawalerskie wieczory. Bawiliśmy się nieźle; kiedyś na przykład przypomnieliśmy sobie *Lalkę* i urządziliśmy – my, poważni adiunkci – podobną zabawę, spuszczając jakieś szkaradzieństwo (chyba jednak nie czaszkę) przez okno – tak, żeby przestraszyć mieszkające na dole podlotki, córki jakiegoś wojskowego, który potem pojawił się u nas z pretensjami.

Bawiliśmy się też na trasie Warszawa-Białystok. Towarzystwo było bardzo malownicze, zwłaszcza w pociągach osobowych.

To było sięganie do zupełnie innych pokładów świadomości; nasi towarzysze podróży, tacy podlascy aborygeni, żyli zupełnie innymi sprawami. Kiedy tylko pociąg ruszał, natychmiast pojawiały się koszyki, a w środku jakaś nalewka, jajka na twardo, kurczak albo kiełbasa; częstowali, bo taki mieli obyczaj. Przyjemnie się jeździło. Bywało tak, że jak człowiek uległ pokusie, to wysiadał w Białymstoku taki lekko zawiany – a tu zajęcia ze studentami... Paplali o wszystkim, że ciężko, że drogo, że kraj się wali. Czasem na pytanie o przyczyny tego stanu rzeczy znajdowali ciekawą odpowiedź. Kiedyś opowiedziałem o tym żonie i namawiałem ją, żeby zobaczyła Białystok. Pojechaliśmy więc razem. Uprzedziłem tylko Beatkę, żeby siedziała cicho – nawet jeśli będzie słyszeć kawałki trudne do strawienia. Wszystko po drodze się sprawdziło: koszyk, kiełbasa, nalewka, jajka na twardo, a potem zaczęły się gadki: – A pan z filii? – Tak. Minęło dziesięć minut, jak się zaczęło o Żydach, co rządzą Polską. A jednocześnie niezwykle serdecznie zachęcali do tego, żeby jeszcze jajeczko, a jeszcze kiełbaskę, a jeszcze kieliszeczek...

Kiedyś w pociągu – jechaliśmy z Jurkiem i Adasiem – urządziliśmy sobie taką zabawę, pozornie idiotyczną, ale znakomicie pokazującą, jak funkcjonowała ta społeczność.

Mój Marcin dostał pod choinkę komplet „Mały milicjant", gdzie były między innymi plastikowe kajdanki. Wziąłem je kiedyś w podróż. Mówię do chłopaków: – Chodźcie, zobaczymy, jak ludzie reagują. To był ostry czas, już chyba po '76, po Radomiu i Ursusie, rosło napięcie polityczne.

Dałem się zakuć w ten plastik, a Jurek i Adaś robili za tajniaków, którzy mnie eskortują. Przeszliśmy przez cały pociąg – tak żeby ludzie nas zobaczyli. Potem, już w drodze, odegrałem rolę uciekiniera: wpadłem sam do jakiegoś przedziału i mówię, że chciałbym usiąść, bo mam taką sytuację, że nie mogę się pokazać na korytarzu. Jakiś pan powiada: – Pan siada pod oknem, tym płaszczem niech pan się przykryje i koniec, nie rozmawiamy. Dojechaliśmy bez przeszkód.

Po dwóch dniach wracaliśmy do Warszawy. Postanowiliśmy się zamienić. Już nie pamiętam, czy tym razem w kajdankach był Jurek, czy Adaś. Jest początek spektaklu, zaraz za Białymstokiem przechodzimy demonstracyjnie przez cały pociąg. Nagle otwierają się drzwi jakiegoś przedziału, na korytarz wypada bardzo wzburzony jegomość – ten, który mnie ukrył. Wrzeszczy: – Kurwa, co to jest, ja was przedwczoraj widziałem, ale to nie ten był w kajdankach. Jaja sobie robicie!

Spieprzaliśmy przez cały skład, a on nas gonił... Był oburzony. Przedwczoraj się poświęcił i nadstawiał za mnie głowę, a tu okazało się, że to tylko kretyńska zabawa.

Uwielbiałem te podróże do innej rzeczywistości. Kiedy się szło ulicami Białegostoku, to nie można było na pierwszy rzut oka poznać, kto jest kim w tym dziwnym towarzychu: czy to mieszkaniec miasta w pierwszym pokoleniu, czy jeszcze ktoś z okolicznych wsi. Pierwsze roczniki naszych studentów – to byli prawdziwi zapaleńcy. Uczyli się z zaangażowaniem, jakiego na próżno by szukać u inteligenckich dzieci z Warszawy, po prostu pochłaniali lektury. Tamtejsze biblioteki były słabe, więc każdy z nas robił za jucznego wielbłąda – woziliśmy od cholery książek z Warszawy. Do dzisiaj czuję zachwyt, kiedy pomyślę o tych pierwszych studenckich pokoleniach, bo nie można było tego z niczym porównać.

Do dzisiaj jestem przekonany, że my wszyscy, świadomie czy nieświadomie, robiliśmy świetną robotę: za pomocą naszego warszawskiego desantu uruchomiliśmy wychowanie kilku pokoleń młodej inteligencji. Ot, taka pozytywistyczna robota. Już po kilku latach było to widać również na białostockich ulicach: ci młodzi chodzili inaczej ubrani, inaczej się zachowywali, zaczynali tworzyć nowe środowisko.

Minęły dziesięciolecia, czasami spotykam byłych studentów z Białegostoku. Wszyscy podkreślają, że nasz desant szalenie dbał o to, żeby oni wyrastali – jak by to powiedzieć – w prawdzie. Staraliśmy się nie kłamać w czasie zajęć, zresztą wszyscy byliśmy podejrzani o wywrotowe działania, każdy z nas prowadził zajęcia trochę tak, żeby otwierać szare komórki, żeby pokazywać inne możliwości.

Opowiedz teraz trochę o swoich zajęciach.

W zasadzie zajmowałem się wykładaniem historii Polski i powszechnej XVIII i XIX wieku. A potem zgłosiłem się na ochotnika do przedmiotu, przed którym różni moi koledzy, również w Warszawie, starali się uciec: historia narodów Związku Radzieckiego. Chciałem zrobić przyzwoite zajęcia o dziejach Sowietów. Myślę, że mi się udało. Moi ówcześni studenci jeszcze po latach opowiadali, że na tych zajęciach po raz pierwszy w życiu usłyszeli o znanych później faktach.

Czy omijałeś jakieś tematy?

Nie, leciałem po całości, poczynając od określenia rewolucji październikowej jako puczu, zamachu stanu. Dowiedziałem się potem, że na moje zajęcia chodzili również konfidenci; jedna z moich studentek powiedziała mi, że ojciec jej koleżanki, miejscowy ubek, przechowywał w domu taśmy z nagraniami tych zajęć. Pytanie tylko, czy trzymał je w domu, żeby nie wpadły w ręce jego kolegów, czy był to ślad inwigilacji, jaką bez wątpienia objęty byłem nawet nie tyle ja osobiście, co cała niepokorna historia w Białymstoku.

Czasem te działania przeplatały się w zabawny sposób. Kiedyś, w 1978, może 1979 roku, jeszcze przed Sierpniem, w Białymstoku ukradli mi samochód. Jeździłem wtedy rozkosznym, mało praktycznym, bardzo starym Fiatem 124 Sport. To było tuż przed wakacjami. Wstawiłem samochód do warsztatu w Białymstoku, bo tam było znacznie taniej niż w Warszawie. W dniu odbioru warsztat zastałem zamknięty na cztery spusty, a samochód zniknął. Wpadłem w popłoch. Postanowiłem podzielić się zmartwieniem z naszymi wszystkowiedzącymi paniami w dziekanacie. I od jednej z nich usłyszałem: – Panie doktorze, przecież pan ma zajęcia z zaocznymi. Tam jest masa ludzi z milicji, a jednym z pana studentów jest zastępca SB w Białymstoku.

Nie wiedziałem, co zrobić z tą informacją. Nie miałem ochoty na takie kontakty. Pani z dziekanatu wyręczyła mnie jednak i sama zadzwoniła do ubeka. Przyjechał natychmiast na uczelnię. Udawałem, że nie wiem, jaką funkcję pełni. Wypytał o warsztat, potem poszedł gdzieś zadzwonić, wrócił i powiedział: – Załatwione, samochód się na pewno znajdzie, zapraszam do siebie, poczekamy razem. Pojechaliśmy do białostockiej komendy MO. Wejście do gabinetu było pilnowane, stali milicyjni wartownicy.

Rozmowę zaczął od Kuronia. Powiedział: – Wie pan, ja go nie rozumiem. Przecież to jest człowiek, który niepotrzebnie tyle ryzykuje. Oczywiście, powinien działać, jak chce, bo mu nikt nie zakaże i zresztą widać, że nikt nie jest w stanie mu przeszkodzić. Ale, wie pan, formuła personalna władzy w Polsce wyczerpuje się powoli, to każdy widzi. A Kuroń, przy pewnych retuszach, mógłby być dobrym i popularnym I sekretarzem... A wy wszyscy zachowujecie się strasznie dziwnie. Na przykład pani docent Kaczyńska – po co ona się tak naraża? Przecież wy się wszyscy kiedyś przydacie, a tak się staracie, żeby was wszystkich zniszczyli. Proszę, niech pan to przemyśli, niech pan z kolegami porozmawia... Pan już wie, z kim pan rozmawia, prawda? Ja mówię: – Tak, wiem. A on na to: – No właśnie, sam pan rozumie, że nie mówiłbym głupot. I nieważne, czy mówię to z własnej inicjatywy, czy wypełniam instrukcje, ważne jest to, co panu chciałem przekazać. Kiedy po powrocie na wydział przekazałem to Elce, nie była w stanie uwierzyć.

A samochód znaleźli. Było tak: kiedy mechanik zobaczył taką maszynę, wprawdzie starą, ale dosyć szpanerską, to wziął jakąś panienkę i pojechał z nią nad morze, gdzie go oczywiście namierzyli. Samochód wrócił. Milicjant, który mi go dostarczył, nie był specjalnie krwiożerczy wobec winowajcy. Spytał, czy chcę zrobić jakieś oględziny, wystąpić o odszkodowanie, złożyć formalną skargę. Rozmowa była przy winowajcy, który nie grzeszył zresztą nadmierną inteligencją. Jego główne zmartwienie – to była paniczna obawa, że żona dowie się o pozamałżeńskim wypadzie. Chyba był nawet gotów zapłacić spore pieniądze. Ja oczywiście nic nie chciałem, zależało mi tylko na jak najszybszym powrocie do Warszawy. Facet mi jednak powiedział, że wprawdzie naprawił blacharkę, ale jeszcze nie zrobił ogólnego przeglądu. Krótko mówiąc, zagonił do roboty wszystkich swoich mechaników i zrobił mi przegląd w piorunującym tempie, a staruszek Fiat nigdy wcześniej i chyba nigdy później nie jeździł tak jak po pobycie w tym warsztacie...

W stanie wojennym wyleciałem z Białegostoku na dwa lata; dojeżdżałem tylko po to, żeby prowadzić rozpoczęte już prace magisterskie. A potem koledzy w Instytucie Historii postawili się bardzo ostro i przyjęto mnie z powrotem. Bardzo pięknie zachowali się też w sprawie Janka Kofmana, który usiadł w czerwcu 1985 roku. Cała walka szła o to, żeby mu wypłacano pensję, dopóki nie będzie wyroku skazującego, czyli podstawy do wyrzucenia z uczelni. Udało się to przeforsować, co świadczy nie tylko znakomicie o naszych kolegach, ale też nieźle o niektórych szefach filii UW w Białymstoku.

Białystok wspominam więc bardzo dobrze. Niektórzy z moich kolegów uważali, że są na zesłaniu i bardzo nad tym boleli. Dla mnie była to nie tylko możliwość pracy w zawodzie, ale też okazja do kontaktów ze środowiskiem innym niż inteligencka Warszawa, zresztą bardzo ciekawym.

W latach siedemdziesiątych zacząłeś dzielić swój czas między Białystok a PWST na Miodowej.

Do Szkoły Teatralnej trafiłem zupełnie przypadkowo w 1975 roku. Sam nie wymyśliłbym czegoś takiego. Od roku pracowałem już w Białymstoku. Mój promotor, Andrzej Zahorski, uczył historii w Szkole Teatralnej. Oficjalnie nazywało się to „Tło historyczne wielkich epok teatralnych". Któregoś dnia zaprosił mnie do siebie; powiedział, że zaczyna pisać biografię Napoleona i że mu to zajmie jeszcze co najmniej pół roku, może rok. Prosił, żebym w tym czasie zastąpił go na zajęciach w PWST. Najpierw przez chwilę byłem jego asystentem – on miał wykład, a ja ćwiczenia – a potem zostałem sam.

Wyglądałem wtedy na szczyla, chociaż miałem już trzydzieści trzy lata. Kiedy przyszedłem do Szkoły po raz pierwszy i chciałem oddać płaszcz do szatni, szatniarka, która znała przecież wszystkich studentów, pyta: – A ty co tu robisz? Odpowiadam: – Przyszedłem na wykład. – Jaki wykład? – Na Wydziale Wiedzy o Teatrze. To ja wykładam... W odpowiedzi słyszę: – Przestań się wygłupiać. Wyjdź stąd!

Wlazłem do sali jakoś chyłkiem. Ta młodzież była ode mnie młodsza o dychę, może o trzynaście lat. Fantastyczni ludzie z nich wyrośli. Kilku przynajmniej wymienię, oczywiście nie w kolejności alfabetycznej ani tym bardziej rocznikowej: Jacek Sieradzki, Andrzej Morozowski, Jacek Pałasiński, Tomasz Kubikowski, Wanda Zwinogrodzka, Tomasz Raczek, Grażyna Torbicka, Marcin Kydryński, Grześ Kostrzewa-Zorbas, Kasia Madoń, Piotr Mitzner, Hania Baltyn, Marek Zagańczyk, Marek Chimiak... Z niektórymi do dzisiaj się przyjaźnię.

Fantastyczna była też kadra, o czym opowiem później. Tadeusz Łomnicki, Andrzej Łapicki, Zbigniew Zapasiewicz, był jeszcze Jan Świderski, Zosia Mrozowska, Profesor Zbigniew Raszewski, Stefan Treugutt, Jurek Timoszewicz, Zbyszek Wilski, Marta Fik, z którą się bardzo przyjaźniłem.

Andrzej Zahorski przeliczył się z czasem: oczywiście nie skończył książki w ciągu roku – ukazała się dopiero w 1982 – i nigdy już do Szkoły Teatralnej nie wrócił. I tak zaczęła się moja przygoda z PWST, która trwała chyba osiemnaście lat. Szkoła stała się moim prawdziwym drugim domem. Wszystko spotkało się w jednym czasie i w jednym miejscu: fantastyczni wykładowcy, świetne środowisko, znakomici studenci. Takiego miejsca pracy nigdy wcześniej nie miałem i nie będę już miał.

Wykładałem na Wydziale Wiedzy o Teatrze; w naturalnym porządku rzeczy Szkoła dzieliła się na teoretyków i praktyków. Między nimi zdarzały się spore animozje; kiedyś nawet w szkole pojawiły się napisy „WOT na uniwersytet", a potem, na zasadzie rewanżu, „Aktorzy do Skolimowa".

Zaczynał się gorący okres w polityce, jakieś pierwsze głodówki, za chwilę miał nadejść Radom i Ursus, a w ślad za tym powstanie KOR. Zaraz potem pojawiły się wydawnictwa drugiego obiegu, w tym „Zapis" – co było o tyle ważne, że połowa wydziału współpracowała z redakcją tego pisma[55]. Samorząd studencki był tak skonstruowany, że działał jak później, już za pierwszego karnawału, NZS. Nadawaliśmy na tej samej fali – i z wykładowcami, i ze studentami. Zostałem zaakceptowany, szybko zrodziły się pierwsze przyjaźnie.

Czasem wybrzydzano na kawiarnianą wiedzę waszych studentów...

Zawsze uważałem, że dostałem do ręki brylanty. Rzeczywiście była taka obiegowa opinia, że na ten wydział idą ci, którzy nie wiedzą, co z sobą zrobić. Tacy ogólnie uzdolnieni humanistycznie, lekkoduchy, którym się nie chciało studiować ani prawa, ani historii, ani socjologii. Było zupełnie inaczej: miałem do czynienia z młodymi ludźmi, którzy nie chcieli zamknąć się w profesjonalnym getcie, bo byli przekonani, że jest jeszcze za wcześnie. Mieli znakomite predyspozycje, ale jeszcze nie wiedzieli, jaki z tego zrobić użytek. Wydział Wiedzy o Teatrze traktowali jak furtkę, którą można się przedostać w różne strony. Krótko mówiąc, chcieli rzetelnie studiować i uzyskać status dobrego inteligenta z przyzwoitego salonu intelektualnego.

Bardzo szybko uświadomiłem sobie, że historię trzeba tam wykładać zupełnie inaczej niż na tradycyjnych studiach. Uczyć studentów nie dat, tylko sposobu myślenia, analizowania, wyciągania wniosków, pokazywać im wielkie kierunki myśli historycznej, oceny wydarzeń.

A jak to się miało do historii teatru?

Najlepszym przykładem jest polski romantyzm. Kiedy czytasz *Dziady* czy Wyspiańskiego, to masz wszystko: powstania, Księstwo Warszawskie. Zresztą nie tylko teatr: jak można czytać Gąsiorowskiego czy choćby *Popioły* bez podstawowej wiedzy historycznej, ale nie takiej rodem z podręcznika dobrego ucz-

---

[55] Komitet Obrony Robotników powstał 23 września 1976 r. Natomiast pierwszy numer „Zapisu" ukazał się w styczniu 1977 r.

nia? Uznałem, że zrywam wszystkie kajdany wiedzy klasycznej, uniwersyteckiej i robię barwny kalejdoskop – i zobaczymy, co z tego wyniknie. Wyszło fajnie, bo moi studenci byli naprawdę zainteresowani. Ale czasem wynikały z tego kłopoty. Kiedyś Zofia Mrozowska zaproponowała mi, żebym wykładał historię również na Wydziale Aktorskim, a ja, głupi, zgodziłem się. Już po kilku zajęciach widziałem, że nic mi z tego nie wychodzi. Że ten mój język, jednak język wykładowcy uniwersyteckiego, po prostu do nich nie trafia. Chciałem się poddać, zadzwoniłem do Mrozowskiej, że nie chcę dalej prowadzić tych zajęć. Odpowiedziała mi, żebym tego nie oddawał walkowerem, bo jednak warto spróbować pokombinować, jak trafić do tych młodych ludzi, pogadać ze znajomymi aktorami, trochę poczytać o zawodzie aktora.

Pamiętam, jaki złośliwy numer wyciął mi przy tej okazji Andrzej Łapicki. Poprosiłem go – jeszcze nie byłem z nim zaprzyjaźniony – o jakąś książkę, która pokazałaby mi zawód aktora. Dostałem pamiętnik Jerzego Leszczyńskiego[56], wielkiego aktora, który urodził się w latach 80. XIX wielu, ale debiutował w 1902 roku. On nie był w stałym zespole teatralnym, tylko jeździł po Polsce z występami. Pamiętnik miał chyba trzysta stron. Szło to mniej więcej tak: – Przyjechałem do hotelu, zjadłem kolację, napiłem się wódeczki, na sali siedziało dużo osób, była taka szatyneczka, owszem, fertyczna, no więc szatyneczkę tam tego, śniadanko, próba, blondyneczka, wódeczka, jedzonko (dokładnie opisane), wieczorem przedstawienie.

Czytam, nicuję na wszystkie strony – nic, nawet ani jednego tytułu sztuki. Idę do Łapickiego i mówię: – Panie Andrzeju, przeczytałem cały, ale przecież ja prosiłem o coś innego, chciałem zobaczyć, jacy oni są, jak myślą. I wtedy usłyszałem: – Panie Stefanie, i tak dostał pan najciekawszą lekturę... Trochę sobie zakpił. Ale zrozumiałem też, że rzecz polega właśnie na języku, bo przecież Leszczyński pisał pamiętniki nie dla mnie, tylko dla kolegów, którzy świetnie wiedzieli, w czym grał. Tak naprawdę

---

[56] Jerzy Leszczyński, *Z pamiętnika aktora*, Czytelnik, Warszawa 1958.

bardziej interesowało ich to, w jakim był hotelu, za jaką gażę, co zjadł i czy ta mała to była blondyneczka, czy szatyneczka.

Więc dobrze, pomyślałem, jeszcze raz spróbuję; właściwie zrobiłem to dla Zofii Mrozowskiej, za którą przepadałem. Zacząłem zajęcia. Studenci robili właśnie dyplom, chyba z *Warszawianki* czy z *Nocy Listopadowej*. Powiedziałem im: – Słuchajcie, zanim do tego dojdziemy, zróbmy coś zupełnie innego. Mam taką prośbę: niech każdy z was pogada z rodzicami, wujkami, dziadkami; odpytajcie ich, co pamiętają z historii. Może '56 rok, a może nawet wojnę czy II Rzeczpospolitą. Pytajcie, o co tylko chcecie, byleśmy potem wiedzieli, dokąd sięgamy wstecz i co zostało w głowach rodziców, dziadków, starszego rodzeństwa.

Właściwie robili badania socjologiczne, nie mając o tym pojęcia, czyli uświadamiali sobie, że mówią prozą. To były bardzo ciekawe zajęcia – podpytywanie rodziców, dziadków, jak im się w głowach ułożyła historia Polski, jak to wygląda we wspomnieniach. A potem okazało się też, że rozmówcy zdradzali, że co innego mają w głowie, co innego się mówi, co innego się czyta. Jednym słowem, znakomicie wychodziła nasza polska schizofrenia historyczna.

Dopiero kiedy przebrnęliśmy przez to wszystko – a zajęło to chyba dwa miesiące, z zajęciami co tydzień – powiedziałem: – Dobra, to teraz bierzemy się za Wyspiańskiego. I zrobiłem kilka nawet nie wykładów, raczej konwersatoriów, od powstania kościuszkowskiego do powstania listopadowego, poprzez Księstwo. Dostali trochę lektur, ale oszczędnie dawkowanych. A potem powiedziałem tak: – Teraz zrobimy zupełnie inne zajęcia: na podstawie tego, co mówiłem, co wiecie po rozmowach z rodzinami i co przeczytaliście, macie mi pokazać, co mieli w głowach oficerowie powstania listopadowego. Jak to możliwe, że w 1830 roku stosunkowo młody generał bał się Rosji z powodu pamięci o roku 1812; a z drugiej strony – dlaczego ci z 1812 roku nie mieli w pamięci klęski powstania kościuszkowskiego? Kombinujcie, jak wam się żywnie podoba, zajmujcie się raczej nie tyle historią, co wnętrzem głów tych osób. Pytajcie ich – tak, jak przepytywaliście swoje rodziny.

Zaczęły się bardzo fajne zajęcia, które wciągnęły i studentów, i mnie. Złapał Kozak Tatarzyna: oni przepytywali genera-

licję powstania listopadowego, a ja, podświadomie, przepytywa-
łem ich. Widziałem, że na tych zajęciach głowy im puchną, że
zaczynają myśleć. W końcu zadzwoniła do mnie Zosia Mrozowska i wygłosiła mi piękny komplement: – Bingo! To ich wciągnęło. Widzę, kiedy omawiam z nimi ich role na zajęciach aktorskich, że wreszcie wiedzą, o czym mówią.

To doświadczenie szalenie mi się przydało, kiedy omawiałem
z Wajdą *Sprawę Dantona*. Już wiedziałem, że takie klasyczne, historyczne przytruwanie, opowiadanie o rewolucji francuskiej,
po prostu mija się z celem, ponieważ Andrzej Wajda, ze swoją
erudycją i wiedzą, jednak myśli obrazami; jemu trzeba pokazać,
co z tym człowiekiem, o którym mówimy, się działo, a nie tylko
truć, jaką rolę w historii odegrał. Ale o mojej współpracy z Wajdą będę mówił później.

**W szkole uchodziłeś za człowieka, który stara się zmniej-
szyć tradycyjny dystans między studentami a kadrą.**

To dość skomplikowane. Nie powinno się robić podstawowe-
go błędu, czyli fraternizować na siłę, od razu przechodzić na ty,
odgrywać brata-łatę. Z drugiej strony, sztuczny dystans służy
czasem tylko zamaskowaniu własnej niewiedzy lub braku umiejętności dydaktycznych.

Co do mnie, starałem się nie wpadać ani w jedną, ani w drugą skrajność. Miałem na przykład taki zwyczaj, że, zwłaszcza
kiedy wiosną robiło się ciepło, nie lubiłem siedzieć w budynku (w
sali wykładowej zajęcia zawsze były sztywniejsze), tylko wyciągałem moich studentów na zajęcia w plenerze – a to w Ogrodzie
Saskim, a to w kawiarni, bo uważałem, że ćwiczenia i wykłady
mogą też spełniać rolę towarzysko-rekreacyjną, co nie znaczyło,
że zmniejszam wymagania wobec moich podopiecznych.

Historia, o której chcę opowiedzieć w związku z zajęciami
plenerowymi, rozegrała się jednak nie wiosną, tylko jesienią, dokładnie w dniu rejestracji statutu NSZZ „Solidarność"[57]. Dowie-

---

[57] Rejestracja statutu NSZZ „Solidarność" nastąpiła 24 października 1980r.
przed Sądem Wojewódzkim dla m. st. Warszawy. Prowadzący sprawę sędzia Zdzisław

działem się od znajomych z regionu Mazowsze, że Wałęsa, zanim pojawi się w sądzie, przyjedzie autokarem z całą grupą do księdza prymasa, czyli na Miodową, naprzeciwko szkoły. Miałem właśnie zajęcia z historii. Powiedziałem młodzieży: – Słuchajcie, co tu będziemy siedzieli, kiedy historia dzieje się naprzeciwko. Wyszliśmy więc przed szkołę, czekamy, nadjeżdża autokar. Wałęsa wysiada, wita się ze mną (poznaliśmy się wcześniej) i pyta: – Co pan tu robi i skąd tu tyle dzieci? Wyjaśniłem, że to moi studenci, że wolę pokazać im historię na żywo, niż kazać im czytać podręczniki. Wałęsa słucha tego z przyjemnością, ale w końcu mówi: – Panie, to ja panu coś powiem, niech pan uważnie słucha, i wy, dzieciaki, też. My się dzisiaj rejestrujemy po to, żeby kiedyś ten kraj przyzwoicie wyglądał i żeby wziąć za niego odpowiedzialność. Kto ma ponosić tę odpowiedzialność? Ludzie niewykształceni? Już na uczelnię i uczyć się! Muszę ci powiedzieć, że mnie poraziło, zresztą i młodym prawie buty pospadały...

Chciałbym, żebyś opowiedział teraz o kadrze Szkoły Teatralnej.

Zacznę od Łomnickiego, który pełnił funkcję rektora, kiedy zaczynałem pracę w PWST. Patrzyłem na niego z dystansem. Moja wiedza o nim była pełna stereotypów. Wielki aktor, rektor, członek KC PZPR – to wszystko jakoś nie pasowało do siebie. Nigdy nie zbliżyłem się do Łomnickiego, nie wszedłem z nim w komitywę, nawet wówczas, kiedy byłem już akceptowany przez kolegów aktorów, co bynajmniej nie zdarzyło się od razu. Nie, to była droga przez mękę. Tak naprawdę uznali mnie za swego dopiero po czterech latach, w 1979 roku. To bardzo hermetyczne środowisko, oni najlepiej się czują w swoim własnym towarzystwie – jest to wyraźniejsze niż w innych grupach zawodowych. Natomiast jak już akceptują, to na całego, i wtedy nie obchodzi ich, skąd się przyszło.

Kościelniak dopisał wtedy do statutu, bez wiedzy przywódców związku, kilka punktów, m.in. o uznaniu przez związek kierowniczej roli PZPR w Polsce. Dopiero Sąd Najwyższy w dniu 10 listopada 1980 r. uchylił postanowienia Sądu Wojewódzkiego.

Zbliżyłem się więc z wieloma osobami, pojawił się rodzaj zażyłości, intymności. Z Łomnickim nie, ale muszę powiedzieć, że to chyba bardziej było we mnie, jakoś nie umiałem skrócić dystansu, przy całym podziwie dla niego. Jeszcze trzy lata temu, kiedy byłem w Moskwie, oglądałem na DVD wielkie role Łomnickiego; byłem olśniony, pełen podziwu dla wielkości, dla jego kunsztu aktorskiego; ale z Łomnickim-człowiekiem nigdy nie umiałem się zbliżyć, cały czas coś zgrzytało.

Zaimponował mi jednak swoimi zachowaniami pozaaktorskimi, kiedy oboje z Martą Fik, jako jedyni z kadry, podpisaliśmy list w obronie Kazimierza Switonia[58]. Podpisało też sporo studentów. Oczywiście natychmiast zaczęła o tym mówić Wolna Europa. Łomnicki został wezwany do KC i kazano mu zrobić porządek i z kadrą, i z młodzieżą. Rozegrał to po mistrzowsku.

W szkole szalała wtedy słynna Bożena Krzywobłocka, funkcjonariuszka nie tylko partyjna, która miała ambicje nadzorowania i studentów, i nas – pracowników. Formalnie kierowała Międzyuczelnianym Instytutem Nauk Społeczno-Politycznych przy PWST. Oczywiście nie muszę dodawać, że zajmowała się permanentną działalnością donosicielską.

Otóż po powrocie z KC Łomnicki wezwał do siebie najpierw szefa samorządu, Andrzeja Chmielewskiego. Andrzej przyszedł do mnie. Powiedział, że liczy się z najgorszymi sankcjami. Stałem na korytarzu, pod gabinetem rektora; poprzez zamknięte drzwi słyszałem ryki Łomnickiego. Odgrywał rolę pod tytułem „dzika awantura". Wreszcie Andrzej wypadł z gabinetu, oczy miał jak spodki. Wziąłem go do bufetu, gdzie trochę odtajał. Jego opowieść pamiętam dobrze: Łomnicki zaczął od razu wrzeszczeć, ale nie bardzo było wiadomo, o co mu chodzi. Był kwiecień, za chwilę szykowały się uroczystości Pierwszego Maja. Wrzaski Łomnickiego złożyły się w końcu na taki tekst: – Jak wam się nie podoba socjalizm i Polska Ludowa, to wara od po-

---

[58] Chodziło o list protestujący przeciw represjom, jakim od lutego 1978 r. poddawany był Kazimierz Switoń, działacz Ruchu Obrony Praw Człowieka i Obywatela i współtwórca Komitetu Wolnych Związków Zawodowych w Katowicach.

chodu! Jeśli mi się który pojawi na uroczystościach, to uznam to za szczyt obłudy i natychmiast wyrzucę ze szkoły!

To było rozwiązanie naprawdę porażające w swojej prostocie. Oczami wyobraźni widziałem już Łomnickiego, który w wydziale nauki KC składa sprawozdanie, jakie kary dotknęły środowisko niepokornych studentów szkoły. I, wykorzystując cały swój kunszt aktorski, opowiada, że studentów spotkała najsurowsza z możliwych kar – dostali zakaz uczestniczenia w pochodzie pierwszomajowym...

Ten pomysł miał też drugie dno: skutecznie zamykał usta Bożenie Krzywobłockiej, która nie mogła przecież przekazać towarzyszom z KC i innym swoim rozmówcom, że studenci szkoły przyjęli tę karę z widoczną radością.

Łomnickiemu pozostała jeszcze do załatwienia sprawa niepokornych pracowników, czyli Marty i mnie. Łomnicki mieszkał na Piwnej, ja koło Rynku Nowego Miasta. Zadzwonił do mnie, żeby się umówić. Nie owijając w bawełnę powiedział, że jest potężny nacisk, żeby Marcie i mnie zrobić kuku. Nie powiedział dokładnie, jakie kuku, ale wachlarz możliwości wydawał się szeroki. Powiedział mi tak: – Przychodzi mi tylko jedna rzecz do głowy, bardzo o to proszę. Panią Martę zostawmy w spokoju. Niech pan pójdzie ze mną w pochodzie – to zamknie gębę Krzywobłockiej.

Powiedziałem, że się zastanowię. Wieczorem – było to na dwa dni przed pochodem – zadzwoniłem do niego i powiedziałem, że pójdę. Rano pierwszego maja przyszedłem do Szkoły, Łomnicki podszedł i zaczął ze mną rozmawiać – nie pamiętam już nawet, na jaki temat. Uporczywie podtrzymywał rozmowę; podeszła Krzywobłocka, a on po prostu powiedział, że jest zajęty, bo omawia ważne sprawy. Potem szliśmy razem w pochodzie. Łomnicki cały czas miał do mnie jakieś sprawy, chyba opowiadał mi jakiś film. Krzywobłocka podchodziła jeszcze kilka razy, ale on był ciągle zajęty. Kiedy wracaliśmy razem na Stare Miasto, powiedział po prostu: – Dziękuję panu.

Wtedy po raz pierwszy zobaczyłem innego człowieka. Nie chcę tego wszystkiego oceniać; nie mnie sądzić, dlaczego był w KC.

Ale jestem przekonany, że miał wyjątkowo silny instynkt korporacyjny. Ja wprawdzie nie byłem w korporacji, ale korporacją była Szkoła; nie ulega dla mnie wątpliwości, że zrobił wiele, żeby dla dobra Szkoły zneutralizować działania ubecji przeciw nam. Kiedy w 1980 roku zostałem wybrany pierwszym szefem „Solidarności" w Szkole Teatralnej, poszedłem do niego na rokowania w sprawach, które, jak uważano w Szkole, trzeba natychmiast zmieniać. Jedne pomysły były lepsze, drugie gorsze. Jak zwykle w takiej sytuacji, halabardnicy byli dosyć ożywieni, ale na ogół wszyscy zachowywali się mądrze. Miałem z nim długą rozmowę. On nawet nie polemizował ze mną, bo rozumiał, że wraz z „Solidarnością" idzie coś nowego, lawina, potop, i właściwie na bardzo wiele rzeczy przystawał, ale w pewnym momencie powiada: – Mam dziwne wrażenie, że mi się trudno z panem rozmawia. Odpowiedziałem: – Z tego, co wiem o panu, był pan w PPR od 1946 roku, a ja mam staż znacznie dłuższy przez zapatrzenie się, bo mój ojciec był w KPP od '26 roku. Znam te same sztuczki, które pan opanował po mistrzowsku, i odruchowo umiem się nimi posługiwać... Odpowiedział: – A, jeśli tak, to od razu się dogadajmy co do wszystkiego. I rzeczywiście, nie tylko nie przeszkadzał, ale był wręcz pomocny, choć widać było, że go to męczy. Chyba żałował, że jest w sytuacji przedstawiciela odchodzącego reżimu.

Potem, w stanie wojennym, właściwie go nie widywałem, ale wiem, że szukał bardzo bliskiego kontaktu z opozycją.

Teraz czas na opowieść o Marcie Fik. Zawsze mówiłeś, że była ci bardzo bliska.

Marta Fik była absolutnie niezwykłą osobą. Wspaniały krytyk teatralny, wybitna intelektualistka.

Właśnie ugryzłem się w język, bo określenie „wybitny intelektualista" kojarzy się na ogół z ponuractwem i brakiem poczucia humoru. A Marta – to był żywioł, samo życie. Pogodna, rozkoszna, miła. Bardzo mądra, piekielnie pracowita, oddana robocie, studentom, pełna poświęcenia w stanie wojennym, kiedy wdała się w pomoc dla ludzi, w redagowanie podziemnych pism. Była wspaniałym przyjacielem, po prostu lubiłem z nią być, rozmawiać z nią. Była potwornie roztrzepana. Krążyły o tym legendy. Ona to robiła tak ładnie, od niechcenia, na przykład szła z wózkiem, z maleńkim dzieckiem do „Delikatesów", robiła zakupy, wracała do domu, i Bogdan, jej mąż, pyta: – A gdzie mały? – Ach! Został przed sklepem. Kiedyś Marta wyszła ode mnie i zostawiła swoją torebkę. Wyszła, dodam, z moją teczką z notatkami, które mi były bardzo potrzebne. Pojechała do Konstancina, po czym zadzwoniła, czy nie zostawiła u mnie torebki. – Zostawiłaś, Marteczko. A czy nie masz mojej teczki? – A dlaczego miałabym mieć twoją teczkę? Poczekaj, zobaczę. Szukała, szukała, szukała, nie mogła znaleźć; w końcu okazało się, że po prostu na niej usiadła...

Ja nie umiem o Marcie mówić spokojnie, bo to jedna z najwspanialszych osób, jakie kiedykolwiek poznałem w życiu. Nie znam nikogo, kto by jej nie lubił.

Marta w naturalny sposób bardzo lubiła ludzi. W stanie wojennym, kiedy pomagała represjonowanym, opiekowała się wszystkimi, którzy mieli kłopoty, i to nie tylko ze względu na swoje poglądy. Ona zawsze uważała, że ludziom trzeba pomagać, że to jest naturalne i że tak powinien być zbudowany świat.

Była córką Ignacego Fika i dobrze nosiła to nazwisko. Mówiła o tym spokojnie, bez fałszywej dumy, ale i bez fałszywej skromności. Rzeczywiście przeczytała wszystko, co ojciec napisał.

Profesor Zbigniew Raszewski. Nie byłem z nim tak blisko. Profesor Raszewski był raczej guru zawodowych teatrologów; ale każda rozmowa z Raszewskim to była nadzwyczajna przyjemność, był to niezwykle poważny, wytworny pan. Potem, kiedy przeczytałem sobie jego dzienniki, notatki, które opublikowano po jego śmierci, to widać, jak wielkiej klasy był człowiekiem.

Jurek Timoszewicz, niebywały erudyta, często złośliwy, niezwykle ujmujący rozmówca. Był bardzo miły, ciepły, uwielbiany przez studentów, bo się nimi bardzo opiekował, umiał ich zawsze naprowadzić na właściwy tor, jak się już zajmowali poważnie robotą naukową.

Jerzy Koenig, bardzo ważna osoba na Wydziale Wiedzy o Teatrze. Z Jurkiem bywałem blisko, potem, w jakimś momencie się oddaliłem, ale zawsze uważałem, że zrobił ogromnie dużo, przede wszystkim wymyślił i założył ten wydział, który stał się niezwykłym miejscem na mapie wyższych uczelni i środowiska inteligenckiego Warszawy.

Dudek Dziewoński. Myślę, że nie ma na świecie ani jednej osoby, która by znała prawdę o Dudku Dziewońskim. Bo było kilku Dudków. Ja powiem o dwóch. O jednym mało wiem. Ale na pewno w jego życiu była tajemnica, związana z życiem rodzinnym. Krótko mówiąc, Dudek spędził – za sprawą matki – trochę czasu w Niemczech po '33 i był w Hitlerjugend, z czym się nie krył. Żałuję, że nie wiem więcej, bo to musiało być pasjonujące.

Po niemiecku mówił świetnie. Ale z Dudkiem nigdy nic nie było wiadomo, bo miał nieprawdopodobne ucho i natychmiast łapał fantastyczny akcent, nawet w językach, o których nie miał pojęcia. Kiedyś przez pół godziny byłem przekonany, że Dudek świetnie mówi po francusku. A on po prostu zrobił mnie w konia i nauczył się jakiegoś tekstu; mówił genialnym akcentem francuskiego arystokraty, kompletnie zdeprawowanego i przerasowanego – już nie słyszałeś słów, tylko ten niebywały akcent... Tak samo biegle podrabiał akcent angielski czy amerykański. Poza tym miał taką siłę perswazji, że nawet jeśliby nikt go nie zrozumiał, to i tak wszystko byłoby jasne.

Do Dudka trafiłeś przez szkołę?

Właściwie obok szkoły, przez środowisko, albo przez Andrzeja Łapickiego, albo przez Tadeusza Konwickiego.

Kiedyś Dudek zaprosił mnie do swojego pokoju. Mieszkanie na Wareckiej było bardzo piękne, właściwie to były połączone dwa mieszkania – pokój, zaułki, korytarze, znowu pokój... marzyłbym, żeby mieć takie mieszkanie w starym budownictwie. Powiedział:
– Wiesz, tyle lat się znamy, lubię cię, chcę ci pokazać coś, co jest

moją największą tajemnicą. Myślałem, że opowie o Hitlerjugend. A on nagle wyjął zdjęcia przepięknej nagiej kobiety i powiedział: – To jest jedyna kobieta, jaką kochałem w życiu. Ona mnie rozumiała, znała wszystkie moje rodzinne uwikłania. Rozumieliśmy się świetnie, bo ona miała podobne problemy... Poznajesz? Wbiłem wzrok i na którejś fotografii rozpoznałem ją po takim spojrzeniu, jakiego chyba nie miała żadna inna kobieta w Polsce. To była jedna z najwybitniejszych polskich aktorek.

Nagle, przez dziesięć minut, zobaczyłem zupełnie innego Dudka – człowieka, który myślał o tym, że życie mogło się potoczyć inaczej. Widziałem jego wzrok, kiedy wpatrywał się w te zdjęcia. To był wzrok uwiedzionego, nieprzytomnie zakochanego człowieka.

Dudek zmyślał. Strasznie zmyślał. Najlepiej wypunktował go Wojtek Młynarski, który poszedł tym samym tropem – zaczął zmyślać anegdoty na temat Dudka i genialnie je opowiadał. Takie anegdoty były podwójnie zabawne, bo był w nich cały Wojtek Młynarski z jego poczuciem humoru i był cały, sparodiowany, Dudek. Pamiętam jedną z nich: przedwojenny Berlin, lata dwudzieste, Dudek z mamą na przystanku, mają jechać tramwajem. Coś nadjeżdża. Mały Dudek się szykuje, żeby wsiadać, a mama mówi: – Nie, to nie ta linia. Dudek, zawiedziony, mówi: – Eee! Na przystanku stoi jakiś Żyd, ma olbrzymie wąsy, strasznie rozczochraną fryzurę. Słyszy, kiedy Dudek mówi Eee!, odwraca się i dodaje: – Równa się mc do kwadratu... Wojtek to pięknie wymyślił.

Inna anegdotka, zmyślona przez Wojtka: Warszawa po wojnie, ruiny wszędzie, pusto, ludzi nie ma, piszą w gazecie, że przyjechała delegacja Armii Amerykańskiej[59]. To jedyne wydarzenie dnia. Dudek idzie przez tę zrujnowaną Warszawę, wchodzi w gruzy, leje – i nagle patrzy, że nieopodal leje jakiś facet w mundurze amerykańskim. Patrzy na niego, przygląda się i mówi: Ike?! A Ike mówi: Dudek?!

---

[59] Ta anegdotka miała przynajmniej oparcie w autentycznych wydarzeniach. Generał Eisenhower był w Warszawie we wrześniu 1945 r.

Dudek był absolutnie niepowtarzalny; nawet kiedy słuchacze wiedzieli, że buja, a on wiedział, że słuchacze wiedzą, potrafił odgrywać wszystkie możliwe role świata. Był zachwycającym przedwojennym dżentelmenem, inteligentem. Szalenie polubił Beatkę, nie tylko dla tych samych powodów, dla których lubili ją wszyscy; zawsze mówił, że ona jest taka bardzo przedwojenna, niezepsuta. Kiedy rozmawiali, to widziałem, że czasem Beata nie bardzo wie, jak z nim gadać, bo on odgrywał rolę przedwojennego hrabiego, który rozmawia z pełną wstydu panienką ze szlacheckiego dworu. W końcu Beata zawsze zaczynała się śmiać, bo nie było sposobu, żeby przy Dudku zachować powagę. Kiedy Dudek dzwonił, zawsze zaczynał rozmowę w ten sam sposób:
– Nazywam się Dziewoński, moje nazwisko panu nic nie powie!

Kiedyś zadzwonił do zarządu jednego z warszawskich cmentarzy. Chodziło o załatwienie pogrzebu znajomego, który był, jak by tu powiedzieć, raczej daleko od Kościoła, więc nie chciano zgodzić się na katolicki pochówek. Poproszono Dudka, żeby poprosił proboszcza do telefonu i załatwił ten pogrzeb, robiąc z siebie małpę. Dudek zaczął w swoim stylu: – Dzień dobry, proszę księdza, moje nazwisko księdzu nic nie powie, nazywam się Dziewoński. Mam taki problem: wczoraj kitowajko pan Iksiński...

Kiedyś Dudek przyjechał do nas na wieś. On tak pasował do wsi jak pięść do nosa, to był człowiek z miasta, a właściwie z kawiarni w centrum Warszawy. Siedzieliśmy przy stole w ogrodzie, było rozkosznie. Dudek kręci się, wierci i w końcu pyta:
– A grzyby u was są? Beata odpowiada: – Nie, w tym lesie nie ma grzybów. – Na pewno są – upiera się Dudek. – Nie ma – perswaduje łagodnie Beata. – No, to chodźmy na spacer do lasu.

Poszliśmy. Dudek, jak zwykle, w tweedowej marynarce, koszuli, krawacie, nienagannie ubrany pan, a my oczywiście dżinsowi. Szukamy, szukamy – nic nie ma. Powoli zaczynamy wracać. Ja ten las dobrze znałem; ale nagle Dudek zaczyna prowadzić, dużo mówi o swoim świetnym zmyśle orientacji. Wreszcie słyszymy pierwszy głośny okrzyk: Grzyb! Lecimy z pustymi koszykami, bo nie znaleźliśmy nawet kurki. A Dudek trzyma w ręku dorodnego prawdziwka. Potem znajduje drugiego, trzeciego... Wracamy z koszykiem pięknych borowików; Dudek skromny, ale poważny, mówi w zadumie: – Ja nie jestem w ogóle grzybiarzem, jeszcze nigdy nie byłem na grzybach, więc może dlatego tak mi się dzisiaj udało...

Cieńsza koło Pułtuska, w naszej chałupie.
Marcin, dziesięć lat, bliźniaki, dwa lata, 1978 r.

W końcu zdekonspirował go mały Marcin. – Ale, panie Dudku – powiada – przecież jak szliśmy w tamtą stronę, do lasu, to pan był ostatni i ciągle pan się schylał...

Okazało się, że Dudek kupił grzyby na Polnej. Kiedy szliśmy do lasu, to te grzyby sadził, a jak wracaliśmy, zaczął zbierać.

Dudkowi zależało na tym – takie sobie wymyślił emploi – żeby nie prowadzić poważnych rozmów i żeby nikt nawet nie wyobrażał sobie, że on jest do takich rozmów zdolny. Miałem jednak szczęście i kilka razy rozmawialiśmy na serio: o polityce, o historii. Nie były to jakieś wyczerpujące, zasadnicze rozmowy, ale wrażenie było niesamowite: to był nagle zupełnie inny Dudek. Dudek, który wszystko wiedział o życiu, o polityce, nawet nie dlatego, że go to specjalnie interesowało. Był jednak człowiekiem doświadczonym, niejedno widział w życiu. Nic go nie dziwiło, choć nie miał w sobie cynizmu.

Zbyszek Zapasiewicz. Do Zbyszka lgnąłem, bo on ma w sobie jakiś magnetyzm. Jest zamknięty, niechętnie się odkrywa. Ale kiedy się z nim rozmawiało, to sądy Zbyszka były zawsze niekonwencjonalne, nietuzinkowe, bardzo przemyślane i bardzo niezależne. Lubiłem Zbyszka, lubię i będę lubić, bo jest nie tylko wspaniałym aktorem, ale człowiekiem wielkiej klasy. To wielkie panisko, facet niezłomny w swoich przekonaniach. On nie będzie pieprzył o wartościach, ale ma w sobie te wartości zakodowane niezwykle mocno i pilnuje ich jak oka w głowie.

Zosia Mrozowska inaczej. Nie mogę powiedzieć, żebym był z nią blisko, ale bardzo się polubiliśmy, miała w sobie całe pokłady czułości do mnie. Ilekroć widziała Beatkę, to jej o tym mówiła.

Andrzej Łapicki. Kiedy, po Sierpniu, zaczął się pierwszy karnawał, zostałem szefem „Solidarności" w szkole. Po odejściu Łomnickiego na stanowisko rektora wybrano Andrzeja Łapickiego. Byłem wtedy we Francji; pamiętam, dostałem od niego telegram – nie było przecież jeszcze sms-ów – z propozycją współpracy, czyli objęcia funkcji prorektora do spraw młodzieży.

Łapicki dobrze cię znał?

Nie, wtedy jeszcze nie. On był dziekanem Wydziału Aktorskiego, ja byłem na Wydziale Wiedzy o Teatrze; zaczęliśmy się częściej widywać, kiedy zostałem szefem „Solidarności".

Zgodziłem się kandydować, byłem niezwykle podniecony, bo to były pierwsze wolne wybory, a ja byłem kandydatem młodzieży. Zostałem wybrany. Nasza pierwsza wspólna akcja – to było pozbycie się Krzywobłockiej. Długo kombinowaliśmy, jak to zrobić. Przecież nikt jej nie chciał, bo wszyscy wiedzieli, jaka to zaraza. Miała silne plecy w KC i w KW, poparcie wśród betonu partyjnego i wiadomym resorcie, ale nikt nie chciał jej wziąć.

W końcu wykombinowaliśmy z Łapickim, żeby ją przerzucić do WSNS-u, gdzie rektorem był od niedawna generał Norbert Michta[60]. Andrzej napisał do niego z propozycją przejścia Krzywobłockiej do WSNS-u. Powymyślał jakieś niestworzone histo-

rie, wystawił jej ideologiczną laurkę – że taka wspaniała towarzyszka, że niezwykle oddana sprawie, że na pewno bardzo
wzmocni wspaniałą kadrę WSNS-u...

Łapicki spotkał się z Michtą, prominentnym przedstawicielem najgorszego partyjnego betonu, na ogólnopolskiej naradzie
rektorów wyższych uczelni; postanowił załatwić do końca sprawę
z Krzywobłocką. Podszedł do Michty, przedstawił się nie z nazwiska, tylko z funkcji. Wyobraź sobie taki dialog: – Jestem rektorem Państwowej Wyższej Szkoły Teatralnej im. Aleksandra
Zelwerowicza. Na co Michta: – Towarzyszu Łomnicki, jak się
cieszę, że was mogę osobiście poznać. Dostałem wasz list, oczywiście zgadzam się i biorę towarzyszkę Krzywobłocką do siebie...

Łapicki wrócił do Warszawy, zadzwonił do mnie, szalał z radości.
Jeśli generał rektor, mając przed sobą Andrzeja Łapickiego mówił
do niego „towarzyszu Łomnicki", to znaczy, że nigdy w życiu nie był
w teatrze, nie widział żadnej roli ani Łomnickiego, ani Łapickiego...

No i w ten sposób, dzięki towarzyszowi generałowi rektorowi
Michcie, towarzyszka Krzywobłocka przestała straszyć w szkole.

Bardzo zbliżyliśmy się z Łapickim w czasie naszej wspólnej
kadencji. Roboty mieliśmy strasznie dużo, siedzieliśmy całymi
dniami w szkole.

Kiedyś zrobił nam wszystkim okropnego psikusa. Był sam
początek stanu wojennego i ksiądz prymas zaprosił do siebie
sporą grupę rektorów uczelni wyższych. Pierwszy raz byłem na
Miodowej. Najpierw była rozmowa z prymasem w dużej sali.
Ksiądz prymas wypytywał z wielką ciekawością o życie akademickie, o stan ducha studentów i o całą masę innych spraw.
Potem zaprosił nas do małej kaplicy; usiedliśmy blisko siebie,
chyba nie więcej niż dwadzieścia osób. Rozpoczęła się msza.

Nagle zaczynam z różnych stron słyszeć syczące, suflersko-
-głośne pytania: panie rektorze, czy pan pamięta? Uświadomiłem sobie, że, podobnie jak wielu uczestników tej mszy, będę
w wielkim kłopocie, kiedy będę musiał zdecydować – kiedy

---

[60] Wyższa Szkoła Nauk Społecznych przy KC PZPR została utworzona w 1957 r.
jako placówka kształcąca aktyw partyjny. Generał Norbert Michta był jej drugim,
po Władysławie Zastawnym, rektorem.

wstać, kiedy siadać? Wśród nas były osoby wybitne, choć niekoniecznie bliskie życiu Kościoła. Zacząłem się nerwowo rozglądać. Przede mną siedział Andrzej Łapicki, który był już wtedy członkiem Prymasowskiej Rady Społecznej. Nie ulegało wątpliwości, że jest osobą obeznaną z porządkiem mszy. Wyszeptałem mu na ucho prośbę w imieniu wielu osób obecnych na sali, on lekko skinął głową i odszepnął: – Wszystko będzie O. K., powtarzajcie moje ruchy.

Co tu dużo mówić: pysznie zabawił się naszym kosztem. W najbardziej nieoczekiwanych momentach udawał, że wstaje, po czym okazywało się, że tylko poprawia się na niewygodnej ławce. My oczywiście za nim... Zamieszanie było potworne, kilkakrotnie większość zebranych stawała prawie na baczność w zupełnie nieoczekiwanym momencie mszy. Na twarzy księdza prymasa zobaczyłem nagle pogodny uśmiech – widać było, że bawił się tą sytuacją prawie jak Łapicki, właściwie był na granicy głośnego śmiechu. Potem zostaliśmy zaproszeni na skromną kolację, w trakcie której mieliśmy bardzo długą, niezwykle interesującą rozmowę o sytuacji na uczelniach, o stanie Polski.

Minęło kilka miesięcy, zostaliśmy zaproszeni ponownie, w identycznym składzie, do księdza prymasa. Sądziliśmy, że przebieg wieczoru będzie podobny. Pod koniec spotkania w dużej sali ksiądz prymas nagle na nas spojrzał, uśmiechnął się i powiedział: – Moi kochani, a teraz przejdziemy sobie do innego pomieszczenia, gdzie po prostu oddamy się refleksji i cichemu myśleniu. I zaczął się śmiać...

Wszyscy śmialiśmy się z siebie. Nastrój był radosny i pogodny; to był taki wspaniały moment, kiedy się wszyscy rozumieją, chcą być przede wszystkim razem.

To były dobre czasy dla intelektualistów w Kościele...

Tak. Ta anegdotka świetnie ilustruje zresztą to, co działo się w relacjach między intelektualistami a Kościołem w ostatnich trzydziestu latach. Już w latach 70., a szczególnie mocno w okresie stanu wojennego, wszyscy odczuwaliśmy poczucie wspólnoty, głębszej niż tylko religijna, z Kościołem: świadomość pewnej misji społecznej, trwania w obliczu wspólnego zagrożenia. Kościół był wtedy instytucją otwartą; przyjmował wszystkich, o nic nie pytał, najwyżej interesował się tylko, czy i w jaki sposób można pomóc. Ale potem, po '89 roku nastąpił okres zagniewania Kościoła na intelektualistów, świat nauki, świat artystyczny. Mogę zrozumieć rozgoryczenie niektórych duchownych, którzy uważali, że część środowisk intelektualnych potraktowała Kościół bardzo instrumentalnie. Kiedy po '89 roku okazało się, że nie trzeba już organizować wykładów, seminariów i spotkań po kościołach, intelektualiści odeszli.

Prawda jest jednak chyba bardziej skomplikowana. Z jednej strony, na pewno był w tym element utylitaryzmu. Może też – właściwie to okropne, co teraz powiem – poczucie niechęci do kogoś, komu zbyt dużo się zawdzięcza. Ale też, z drugiej strony, Kościół przestał być instytucją otwartą i tolerancyjną, wokół Kościoła zaczęli gromadzić się ludzie, z którymi niekoniecznie chciałbym się spotykać i w życiu zawodowym, i prywatnym.

Przerwaliśmy opowieść o Andrzeju Łapickim...

Widywaliśmy się również prywatnie. Pamiętam bardzo ciekawe spotkanie, u mnie w domu, Łapickiego z profesorem Stefanem Kieniewiczem. To było moje wielkie zaskoczenie – że Andrzej jest człowiekiem niezwykle oczytanym, że ma za sobą lekturę niezliczonych książek historycznych, pamiętników... Panowie rozmawiali między innymi o powstaniu styczniowym, o pamiętnikach z epoki. Wyszły wtedy właśnie wspomnienia ojca Stefana Kieniewicza[61]. Dziadek Andrzeja był w powstaniu styczniowym, gdzieś na Litwie. Miałem wrażenie, że rozmawia dwóch profesorów historii. Ale nie ten aspekt spotkania był najbardziej fascynujący. Otóż Andrzej nie do końca wiedział, co właściwie stało się z jego dziadkiem – najpierw był w powstaniu,

---

[61] Antoni Kieniewicz, *Nad Prypecią, dawno temu... Wspomnienia zamierzchłej przeszłości*, przygotował do druku Stefan Kieniewicz, Zakład Narodowy im. Ossolińskich, Wrocław 1989.

potem już nie... Tego dnia dowiedział się od Kieniewicza, że dziadek był najpierw dzielny, bohaterski, a potem już niekoniecznie. Chyba po prostu sypał.

To był taki moment, kiedy ciarki przeszły mi po plecach: jest ponad sto dwadzieścia lat po powstaniu; siedzi dwóch Polaków, obaj mają dziadków powstańców i jeden z nich się dowiaduje od drugiego, jak jednemu z dziadków nie do końca etycznie wyszło w życiu popowstańczym...

Muszę przyznać, że komentarz Kieniewicza był nadzwyczajny: – Właściwie ci, co nie sypali, byli w mniejszości. Przesłuchujący byli tak podstępni, tyle znali różnych sztuczek śledczych i tak dużo wiedzieli, że zazwyczaj nie było silnych. Trudno więc oceniać to z naszej dzisiejszej perspektywy.

Ach, gdyby nasi dzisiejsi lustratorzy mieli taką wiedzę historyczną i taką wyobraźnię...

Chciałbym, żebyś wrócił jeszcze do spraw Szkoły. Czym się zajmowałeś jako prorektor do spraw młodzieży?

Oczywiście była cała masa spraw bieżących – indeksy, tok studiów, egzaminy... Zacząłem od dwóch ważnych spraw: starałem się pomóc w poprawieniu sytuacji studentów mieszkających w akademiku, a poza tym gorączkowo szukałem sponsorów. Kapitalizmu jeszcze nie było, ale sponsorów można było czasem znaleźć. W ówczesnej biedzie i przy tragicznym stanie zaopatrzenia trzeba było jakoś kombinować – żeby na przykład studentki Wydziału Aktorskiego były zadbanymi dziewczynami, żeby miały kosmetyki, ubrania. Pamiętam, załatwiłem przez Włodka Pressa, który załatwił przez swoją żonę, która załatwiła przez szwagierkę (tak się to wtedy robiło) transport ubrań z Paryża. Ładnych, tylko niektóre były takie same. Kilka dni po rozdysponowaniu transportu między dziewczyny z Wydziału Aktorskiego była jakaś premiera; wyszło tak sobie, bo kilka dziewczyn wystąpiło w identycznych strojach... To oczywiście tylko barwna anegdota, ale czasem trzeba było zamienić się w spowiednika i wysłuchiwać opowieści o różnych sprawach – od mordobicia po pijaku i na trzeźwo do poważnych problemów życiowych.

Właściwie nie bardzo wiem, jak powiedzieć, czym stała się dla mnie Szkoła. Kiedy Beatka zachorowała w '79 roku – bliźnięta miały wtedy trzy lata – to kilka miesięcy leżała w szpitalu. Wyszła z tego szpitala odmieniona, zmęczona, była po prostu ciężko chorą osobą; potem wróciła częściowo do zdrowia, ale co jakiś czas lądowała znowu w szpitalu. Stawała na głowie, żebyśmy tego nie odczuli.

Czy chcesz coś powiedzieć o jej chorobie?

To była genetyczna choroba tkanki łącznej, która zbudowana jest bardzo misternie, jak koniczynka. Kiedy wylatuje środek, to reszta się rozpada. Beata miała lepsze okresy, potem znów nawroty choroby, ale przez cały czas, aż do śmierci, brała leki sterydowe, których skutki uboczne były okropne. Bywało wtedy, że chodziłem z bliźniętami do Szkoły, bo nie miałem co z nimi zrobić. Tam opiekowali się nimi studenci, brali do bufetu, bawili się z nimi. Mało tego! Jak miałem jakieś problemy organizacyjne, kiedy trzeba było zrobić zakupy (a nie było to tak proste jak teraz), to młodzież mi pomagała. Szkoła naprawdę była drugim domem, a ludzie w Szkole –

Marcin, piętnaście lat, bliźniaki, siedem.

prawie rodziną, przyjaciółmi. Dzieci do dzisiaj pamiętają, jak studenci z Aktorskiego się wygłupiali, żeby je zabawić. Moje bliźnięta mają trzydzieści jeden lat, Marcin – trzydzieści dziewięć; do dzisiaj kumplują się blisko z moimi byłymi studentami, i z Wydziału Wiedzy o Teatrze, i z Aktorskiego.

Chciałbym cię teraz spytać o znajomość z Tadeuszem Konwickim.

Właściwie bardzo mało znałem Tadeusza – wtedy jeszcze pana Tadeusza – raczej z obserwowania, z oddali, stolika w „Czytelniku"; znałem sporo osób przy tym stoliku, ale nigdy tam nie siedziałem. Pewnego dnia usłyszałem wreszcie, jak Konwicki powiedział tym swoim zduszonym głosem: – Ależ proszę się przysiąść! Chyba nie miałem jeszcze świadomości, że dla mnie to był taki moment, jak niegdyś dla mieszczanina, któremu król wręczał indygenat. W tym zresztą Konwicki okazał się szalenie podobny do Giedroycia. Przeżyłem coś bardzo podobnego, kiedy Redaktor wpisał mi dedykację na książce: *Drogiemu Panu Ambasadorowi*. W przypadku Redaktora wagę tego wpisu uświadomił mi dopiero Krzysztof Pomian, który powiedział wtedy: – Słuchaj, to jest więcej, niż można sobie w ogóle wyobrazić.

Wracam do Tadeusza. Spotykałem go towarzysko – choćby dlatego, że przyjaźni się z Andrzejem Łapickim. Znaliśmy się, ale niewiele o sobie wiedzieliśmy; czytałem wszystkie książki Konwickiego, ale nigdy nie było między nami zażyłości. Prawdziwy przełom nastąpił bardzo późno. Tadeusz przyjechał do Moskwy. Źle się czułem, byłem tuż po ciężkiej operacji. Spędziliśmy razem dziesięć dni, bardzo dużo gadając. Tadeusz podpytywał mnie o wszystko: o życie, o rodziców, o Ewę, która była wtedy w Paryżu. Krzyczał na mnie, że nie jem, chodził na targ, dokarmiał mnie, nie wstawał od stołu, dopóki nie widział, że cokolwiek zjadłem. Ale te rozmowy... Nagle zobaczyłem zupełnie innego Tadeusza, w sposób bardzo dyskretny, ale nieprzytomnie, w sposób bardzo dziwny, prawie szatański, zainteresowanego ludźmi. Tadeusz wypytywał o ciebie i o mnie, o naszą przyjaźń. Nie będę powtarzał – o tobie mówiłem rozmaite rzeczy, a on słuchał tak bardzo uważnie, a potem – może dlatego, że byliśmy zamknięci przez dziesięć dni, ja tylko do pracy chodziłem, a potem zaraz wracałem do domu – nastąpiło coś takiego, taki obustronny wybuch czułości, który się utrzymuje do dzisiaj. Jak widzę Tadeusza, to nie umiem się oprzeć, muszę go objąć, pocałować.

Rozmowy z Tadeuszem dały mi bardzo dużo. W mądry, dyskretny sposób naprowadzał mnie na rozmaite tropy, umożliwiające odnajdywanie siebie samego na tle tych minionych dziesięcioleci. Widziałem moment olbrzymiej ulgi, kiedy rozmawialiśmy któregoś dnia, oczywiście plotkując przy okazji. Nagle Tadeusz powiada: – Słuchaj, mam nadzieję, że ta twoja cała przygoda polityczna, od '92, wcale nie oznacza, żebyś się czuł politykiem. Chyba nie masz takich ambicji? Odpowiedziałem mu: – W żadnym wypadku, Tadeusz. Owszem, lubię politykę. Lubię myśleć politycznie, to mnie wciągnęło, ale nie mam tożsamości polityka...

Głęboko odetchnął; uważał chyba, że ukąszenie przez profesjonalną politykę jest chyba gorsze niż ukąszenie heglowskie, że bardziej deformuje charakter, zmienia na gorsze życiowe wybory.

Bardzo często o nim myślę, wracam do jego książek. W Moskwie wyciągnąłem z Instytutu Kultury wszystkie rzeczy Konwickiego, jakie tam znalazłem. Chciałem je przeczytać po raz wtóry, ale, przede wszystkim, namawiałem Ewę na tę lekturę – przecież ona, siedząc w Paryżu, nie znała książek Tadeusza. Ewa oszalała. Przez dwa miesiące była pochłonięta czytaniem. Wreszcie widzę, że skończyła i pytam nieśmiało: – No i jak? – Słuchaj, on jest olśniewający, ale czytałam pewnie zupełnie inaczej niż ty. Ja się nie mogę nadziwić temu, na co ty pewnie nie zwróciłeś uwagi: chyba pierwszy raz czytałam książki, których autor fantastycznie, najlepiej na świecie rozumie kobiety.

Jeszcze raz zacząłem czytać Konwickiego z takiej perspektywy. I pomyślałem: jeśli pisarz tak potrafi pisać o kobietach, to już właściwie pokonał to, co jest najważniejsze w pisarstwie, w myśleniu o życiu, bo już wszystko wie i zaczyna od tego, że jest na najwyższym szczeblu drabiny, a potem już może szybować, dokąd tylko zechce. Rzeczywiście: to jest ktoś, kto zaczyna refleksję o człowieku tam, gdzie inni kończą. To w Tadeuszu wydaje mi się najważniejsze, i to mnie w nim najbardziej urzekło. Jestem dumny, że mogę o nim myśleć jak o przyjacielu. Ilekroć się widzimy, nawet przelotnie, to za każdym razem wzrusza mnie jego czułość i wobec Ewy, i wobec mnie.

A teraz jeszcze mały pean na cześć przenikliwości i intuicji Tadeusza. Kiedy był w Moskwie, podpytywał delikatnie o nas, czyli o mnie i o Ewę, bo dużo słyszał od naszych wspólnych przyjaciół. Wiedział, że przeszliśmy niełatwą drogę. Ale najbardziej fascynowało go coś, co spróbował zwerbalizować w takim pytaniu: – Jak to jest, kiedy sześćdziesięcioletni facet zachowuje się, jakby właśnie skończył osiemnaście? Ciebie jakoś mogę zrozumieć, ale twoja Ewa mnie ciekawi, coś w niej musi być... Masz zdjęcia? Zacząłem wyciągać fotki. Tadeusz oglądał je w milczeniu chyba ponad godzinę. Po czym odłożył wszystko na bok i zaczął mi opowiadać o Ewie. Właściwie, z drobnymi wyjątkami, powiedział mi o niej wszystko. A nie jest to łatwa osoba, wszystko tam mocno pokomplikowane. Pytam go: – A na co najbardziej zwróciłeś uwagę? I słyszę: – Na oczy. Oczy i dopiero potem reszta – komponuje się czy nie. I powiem ci, że to naprawdę rzadki przypadek – uczestniczyć w takim szczególnym seminarium na pograniczu kryminalistyki, miłości, chiromancji. To było niebywałe. On właściwie wszystko o niej wiedział. Jakby prześwietlił ją promieniami rentgena.

Konwicki zbierał namiętnie dziwne nekrologi. Kiedyś nagle przyjechała do mnie na wieś trójka muszkieterów: Łapicki, Dziewoński, Konwicki – bez uprzedzenia, bo przecież nie było komórek. Bardzo się ucieszyliśmy. Zaimprowizowaliśmy szybko wiejski obiad: jajecznica, ziemniaki. Tadeusz zaczął opowiadać o najlepszych nekrologach, jakie zdobył. Chyba właśnie wtedy trafił na nekrolog życia, jeśli tak się można wyrazić: „Dnia........ zmarła ś. p. Eulalia z Majtasów Podmokła". Powiedział, że przestaje dalej kolekcjonować nekrologi, bo właściwie teraz, po ostatnim znalezisku, to już nie ma sensu.

Teraz jest chyba dobry moment, żeby pogadać o twojej pasji – o tłumaczeniach.

Wcześniej opowiadałem ci o moich pierwszych próbach, o diuku de Lauzun i pamiętnikach Beauplana. Tak naprawdę, z mojej roboty translatorskiej najbardziej lubię dwie błahostki – opowiadania Musseta[62]. Chciałbym ci jednak opowiedzieć o książce bardzo dla mnie ważnej: o pamiętnikach Adama Jerzego Czartoryskiego[63].

Czartoryskim zajmował się Jurek Skowronek. Jurek był opiekunem mojego roku, a potem po prostu zaprzyjaźniliśmy się.

Miał jedną nadzwyczajną cechę, która odróżniała go od wielu osób, deklarujących werbalnie swoją życzliwość. Jurek, nieproszony, z oddali, starał się mi pomóc, kiedy byłem w tarapatach. Załatwiał najróżniejsze rzeczy – o jednych wiedziałem, o innych nie. Kiedy byłem w Białymstoku i, jak ci mówiłem wcześniej, w ogóle nie było mowy, żebym mógł uczyć w Warszawie, Jurek, przed wyjazdem na stypendium, poprosił mnie, żebym go zastąpił. Ryzykował wiele, bo za taki numer mógł mieć poważne kłopoty – to był przecież koniec lat 70., na UW rektorem był Zygmunt Rybicki, a wydział był pod szczególną kuratelą władzy. Ten semestr zajęć na moim macierzystym wydziale wspominam bardzo miło, uczyłem między innymi Bronka Komorowskiego, Janka Skórzyńskiego, Pawła Dobrowolskiego.

Tłumaczenie Czartoryskiego dostałem właśnie dzięki Jurkowi. To były setki stron bardzo trudnej, poważnej pracy dla zawodowego historyka. Przeczytałem ten olbrzymi tekst po francusku. Właściwie zupełnie nie wiem, kiedy to przetłumaczyłem, choć musiało to zająć dużo czasu. To była czysta przyjemność. Poznałem wtedy wspaniałego, niedawno zmarłego człowieka – redaktora w Wydawnictwie PAX, Janusza Przewłockiego, zresz-

---

[62] Alfred de Musset, *Dzieje białego kosa. Muszka*, przełożył Stefan Meller, ilustrował Andrzej Strumiłło, PIW, Warszawa 1975.

[63] Adam Jerzy Czartoryski, *Pamiętniki i memoriały polityczne 1776–1809*, wybrał, opracował i przypisami opatrzył Jerzy Skowronek, tłum. z fr. i ros. Zofia Libiszowska, Stefan Meller, Jerzy Skowronek, Pax, Seria „Z Zegarem", Warszawa 1986.

tą niezwykle zasłużonego działacza podziemia. Przewłocki bardzo mi pomógł przy Czartoryskim.

To był zachwycający tekst. Miałem i wciąż mam poczucie wstydu, kiedy myślę o Czartoryskim. My, Polacy, prowadzimy często idiotyczne debaty o tym, w jaki sposób promować nasz kraj. Zapominamy, że mamy w naszej historii wielkiego Europejczyka – człowieka na wyjątkowym poziomie intelektualnym, obdarzonego niesłychaną przenikliwością, piszącego i działającego z fantastycznym wyczuciem mechanizmów wielkiej polityki. Kiedy czyta się jego teksty sprzed powstania listopadowego, widać wyraźnie, że miał precyzyjną wizję, w jaki sposób powinna funkcjonować Europa.

Był ministrem spraw zagranicznych Rosji; musiał więc myśleć o świecie podwójnie – i z perspektywy Polski, i Rosji. Myśleć globalnie, o całości ówczesnego świata, bo z perspektywy Rosji nie można było inaczej myśleć, zwłaszcza za Aleksandra I, kiedy Rosja wchodziła do Europy. A jednocześnie był Polakiem, synem narodu zbuntowanego; do tego buntu wrócił potem jako premier powstańczego rządu. Pochodził z wielkiej arystokratycznej rodziny – zarazem europejskiej, polskiej i litewskiej. Był człowiekiem światłym, otwartym na świat. Zrozumiał dobrze doświadczenia elity politycznej Europy, która, nie godząc się na dyktat Napoleona, miała świadomość, że ten kontynent trzeba budować na nowych zasadach. Czartoryski był więc antynapoleoński i antyrewolucyjny, ale trudno go nazwać klasycznym konserwatystą. Uważał, że napoleoński pomysł na urządzenie Europy był niedobry, bo niósł ze sobą niebezpieczeństwo bezustannych konfliktów. A Czartoryski chciał umeblować Europę tak, aby zapewnić jej długie dziesięciolecia pokoju i spokoju społecznego. Był przekonany, że dobrze stosowany konserwatyzm, w połączeniu z doktryną społeczną uwzględniającą zmiany, jakie się dokonały na zachodzie kontynentu, jest jedyną odpowiedzią na bolączki społeczne poszczególnych regionów kontynentu, receptą na modernizację Rosji. W pewnym sensie myślenie Czartoryskiego jest opisane w *Wojnie i pokoju*, Bezuchow to jest trochę Czartoryski... Z podobnym systemem myślenia i hierarchią wartości.

Cała biografia Czartoryskiego pokazuje jeszcze jedno: przecież jego kariera w Rosji nie byłaby możliwa, gdyby nie to, że w tym kraju, w jego elitach społecznych i politycznych, było sporo ludzi wielkiego formatu, myślących podobnie. To jest tragedia Rosji, że w latach 20. ten nurt uległ zagładzie, że ten kierunek rozwoju się załamał. Czartoryski – to powinna być duma Polski; Polska na głowie powinna stanąć, by w mądry i inteligentny sposób (bo tego się nie da narzucić) z Czartoryskiego uczynić wielką postać europejskiego myślenia, człowieka, w którym jest ogromna mądrość, a nie ma zawziętości i odrzucania czegoś, bo to nie jego, bo nie on to wymyślił. Tłumaczenie Czartoryskiego – to było wyzwanie translatorskie, pochłaniające mnie z powodów, które starałem ci się wyłożyć.

Uwielbiałem tłumaczyć. Chryste Panie, co może zrobić tłumacz! Wszystko może, jak się wysili. Może stworzyć nowy język. Dopiero wtedy, po tych doświadczeniach translatorskich, zrozumiałem genialny numer Boya – *Żywoty pań swawolnych*. Jak się to przeczyta, to można zrozumieć, na czym polegają uroki i trudności tego zawodu. Tłumacza z prawdziwego zdarzenia musi nieść w kierunku konfabulacji. Nie ma innego wyjścia, tylko zasada „coś za coś". Jest włoskie cudowne powiedzenie, że każdy tłumacz to zdrajca.

Traduttore, traditore.

Otóż Boy po prostu wymyślił język. Przecież nikt tak nigdy nie mówił po polsku. Czytasz po francusku Brantôme'a i nic nie rozumiesz, bo to sprzed reformy języka francuskiego, nie do przeczytania, nie do zrozumienia. Francuz nie jest w stanie tego czytać, a już o radości płynącej z lektury w ogóle mowy nie ma. Czytasz Boya i widzisz cudo! Czy on to przetłumaczył, czy wymyślił? Czy Brantôme natchnął go tylko tymi wspaniałymi scenami rozpusty i prząśnej, i nieprząśnej? Kiedy to przeczytałem, to pomyślałem, jak wielką radość może przynieść zawód tłumacza. Zresztą u nas przywiązuje się do tłumaczenia wagę nieporównanie większą niż na Zachodzie, gdzie tłumacz jest po prostu dobrym rzemieślnikiem. Myśmy mieli w dodatku wiele szczęścia, bo tak się złożyło, że wielu najwybitniejszych polskich pisarzy parało się tłumaczeniami i podniosło tę sztukę do poziomu niespotykanego gdzie indziej. Wracam do Czartoryskiego. Tłumaczenie tych tekstów politycznych to była frajda intelektualna. Musiałem przeczytać masę rzeczy, ale tak, jak czyta zawodowy historyk. Właściwie urządziłem sobie jednoosobowe seminarium, czasem też spotykaliśmy się z Jurkiem i po prostu gadaliśmy o Czartoryskim, o tamtych czasach. Potrzebowałem tych rozmów, żeby nie pomylić się przy doborze słowa – aby język nie był ani za bardzo współczesny, ani zanadto archaiczny. Czasem u Czartoryskiego pojawiały się elementy języka XVIII-wiecznego; pisał przede wszystkim w trakcie różnych etapów współpracy z Aleksandrem, choć trochę i w starszym wieku. Trzeba było bardzo dużo wiedzieć o epoce, żeby w tłumaczeniu odpowiednio dobrać słowa, bo przecież znaczenia słów albo się zacierają, albo zanikają, albo, jeśli słowo się ostaje, to z zupełnie innymi właściwościami, konotacjami. W tym tłumaczeniu było więc również trochę roboty detektywistycznej; czasami debatowaliśmy z Jurkiem nad jednym drobiazgiem, który nas prowadził do kilkugodzinnych rozmów o epoce.

Było też coś, co mnie naprawdę urzekło: to pamiętnik intymny Czartoryskiego. Ja już nie mówię o urodzie dyskretnej opowieści miłosnej, kiedy starszy pan postanawia opowiedzieć swoim potomkom o tym, że raz w życiu był zakochany, miłością zresztą zapewne fizycznie niespełnioną. Pamiętaj, że w tamtych latach istnieją tylko dwa porządki miłości fizycznej: albo, mówiąc najogólniej, wzorzec rozpasanego Wersalu, albo Sans Souci. W porównaniu z Wersalem Sans Souci to był zwykły burdel: parzyli się na schodach, w korytarzach, wszędzie. Libertynizm francuski – to po prostu pokazanie miłości fizycznej jako czegoś, co wcale nie musi iść w parze ze zezwierzęceniem.

Adam Jerzy Czartoryski nie hołdował tej modzie; jego tekst był już pisany w duchu romantyzmu. To jest, jakbyśmy dzisiaj powiedzieli, eros spełniający się w spojrzeniu, w słowach. Myślę, że tak właśnie kochał Adam Jerzy, uczuciem o wielkiej sile, które wędrowało przez kilkadziesiąt lat podziemnym korytarzem, nikt tego nie widział; nagle uczucie wychodzi na zewnątrz i on, przed śmiercią, chce to pokazać całemu światu rodzinnemu. Cóż za odwaga kryje się w tym starszym panu... Ale jest też coś innego: styl. Przeczytałem francuską edycję i zacząłem się zastanawiać: gdybym nie wiedział, że to napisał Czartoryski, to komu bym to przypisał? Do głowy przyszedł mi wtedy tylko jeden pisarz: Hemingway. To jest współczesna mi proza oszczędnego stylisty, który doskonale wie, co się robi ze słowem: że im mniej, tym lepiej. W tym tekście prawie nie ma przymiotników... On to napisał wbrew całej stylistyce epoki. Znalazł się między młotem a kowadłem; pragnął opowiedzieć światu o tym, że kochał, a chciał być dyskretny i bardzo dbał, żeby nikomu nie zrobić krzywdy. Dokonał zadziwiającej autocenzury, chyba nieświadomej; myślę, że to płynęło z jego osobowości. Był tak elegancki, że się nie rozgadał, jak to się często zdarzało ludziom tamtej epoki.

Pomyślałem: pohulać tu się nie da, ale zabawić się można. Przetłumaczyć to tak, żeby było powściągliwie i elegancko; żeby dla czytelnika było oczywiste, że Czartoryski zdecydował się opowiedzieć o swojej wielkiej miłości, ale w taki sposób, żeby oszczędzić Zofię. Musiałem więc wczuć się w tę piękną postać, czyli, po prostu, przeczytać wszystko, co o Czartoryskim napisano – nie tylko w opracowaniach historyków, ale i w pamiętnikach. Bardzo mi się przydało to doświadczenie, kiedy pisałem biografię Kamila Desmoulins.

Czartoryski, chyba gdzieś zza chmurki, odwdzięczył mi się po latach za trud włożony w tłumaczenie jego tekstów. Po pierwsze, miałem chyba nienajgorsze notowania u krajowych przedstawicieli rodu. Ale po latach, już jako ambasador we Francji, poznałem hrabinę Paryża[64], to znaczy matkę rodu suk-

---

[64] Isabelle d'Orléans et Bragance, właśc. Isabelle Marie Amélie Louise Victoire Thérése Jeanne d'Orléans et Bragance, urodziła się 13 sierpnia 1911 r. w Eu (Seine-Maritime), zmarła 5 lipca 2003 r. w Paryżu, nazywana hrabiną Paryża, „comtesse de Paris"; opublikowała m.in. pamiętniki, biografie Blanche de Castile *Mon bonheur d'être grand-mère* (1995), *L'Album de ma vie* (2002).

cesywnych pretendentów do tronu. Siedzieliśmy koło siebie na jakiejś snobistycznej akademii ku czci i zaczęliśmy rozmawiać. A ona nagle powiada, że ma krewnych w Polsce i pyta, czy wiem, co się z nimi dzieje. No i wymienia mi kilku członków rodu Czartoryskich. Przede wszystkim Pawła, ale nie tylko. A potem zaczyna mnie wypytywać w ogóle o ród Czartoryskich. Pan Bóg nade mną czuwał...

Rozgadałem się. Kiedy zacząłem mówić o Adamie Jerzym jako ministrze i zakochanym mężczyźnie, zamieniła się w słuch. Odtąd byłem jej faworytem – i nie miało to żadnego związku z moją ambasadorską funkcją. Kiedy się spotykaliśmy, urocza staruszka podbiegała do mnie i obcałowywała. Kiedyś, w trakcie roku polskiego we Francji, przyjechał do Paryża prezydent Kwaśniewski, a hrabina Paryża była najważniejszym francuskim gościem na uroczystym koncercie. Wszyscy koło niej skakali i pilnowali, żeby była blisko prezydenta Kwaśniewskiego; w pewnym momencie – stałem dwa metry dalej – usłyszałem bardzo podniesiony, stanowczy głos hrabiny: – Proszę się ode mnie odsunąć, nie nagabywać, ja czekam na mojego ambasadora! Oczywiście myśleli, że chodzi o ambasadora Francji w Polsce, po którego polecieli, on podszedł i wtedy usłyszałem znowu: – To nie chodzi o niego! Poszukajcie mojego ambasadora! Wtedy powiedziałem: – Wiem, o kogo chodzi. Odwróciła się, zobaczyła mnie, podeszła, wzięła pod rękę i potem już cały koncert spędziliśmy razem...

Pogadajmy teraz o tym, jak zacząłeś nie tylko tłumaczyć, ale i pisać książki. Kiedy poznałeś profesora Jana Baszkiewicza?

Zaczęło się od tego, że w 1976 roku profesor Baszkiewicz opublikował biografię Robespierre'a[65]; było to wydarzenie nie tylko intelektualne, ale też polityczne. Nie pisze się przecież niewinnych biografii Robespierre'a. W podtekście tej książki

---

[65] Jan Baszkiewicz, *Maksymilian Robespierre*, Zakład Narodowy im. Ossolińskich, Wrocław 1976.

tkwiła wyraźna niechęć do ideologicznych zgniłków i podziw dla czystej materii rewolucyjnego ducha. Czyli, inaczej mówiąc, był to atak, w kostiumie historycznym, na Gierka i jego akolitów. Prostą konsekwencją tego stanowiska była więc, zamierzona lub niezamierzona, apologia terroru rewolucyjnego. A, przypomnijmy, książka ukazała się w roku 1976 i była odczytywana przez pryzmat aktualnej sytuacji.

To był twój pierwszy kontakt z Baszkiewiczem?

Ależ skąd. Po raz pierwszy usłyszałem o nim na drugim roku studiów. To jeszcze były takie czasy, że ćwiczenia prowadził osobiście wspaniały profesor Manteuffel; dzisiaj „normalny" profesor tego nie robi, zazwyczaj ogranicza się do wykładu i seminarium. Dostałem od niego do recenzji książkę Baszkiewicza o rozbiciu dzielnicowym[66]. W zapale radykalizmu popaździernikowego wytknąłem złośliwie autorowi, że gdzieś w odsyłaczach jest praca Stalina o 800-leciu Moskwy. Byłem przekonany, że Manteuffel mnie za to pochwali. A usłyszałem od niego, że zrobiłem rzecz nieelegancką, że nie wziąłem pod uwagę cyklu wydawniczego – książka wprawdzie wyszła w 1954 roku, ale oddano ją do druku kilka lat wcześniej, kiedy bez takiego cytatu nikt w „Książce i Wiedzy" nie zatwierdziłby jej do publikacji. Dedykuję tę opowiastkę różnym dzisiejszym starszym i młodszym radykałom.

Wracam do biografii Robespierre'a, która, jak już mówiłem, nie przypadła mi do gustu. Jak wszystkie dzieła Baszkiewicza, olśniewała erudycją. Budziła jednak poważne wątpliwości: grzeszyła prezentyzmem, była nacechowana ideologicznie. Napisałem bardzo krytyczną, polemiczną recenzję do „Polityki". Mój tekst uruchomił zresztą wielką dyskusję na temat tej książki, pisali potem i Leśnodorski, i Tazbir, i chyba Tadzio Łepkowski. Miałem poczucie, że udało mi się powiedzieć coś ważnego, chociaż trzeba było, jak zazwyczaj w tych latach, pisać językiem ezopowym.

---

[66] Jan Baszkiewicz, *Powstanie zjednoczonego państwa polskiego na przełomie XIII i XIV wieku*, Książka i Wiedza, Warszawa 1954.

W kilka tygodni po opublikowaniu mojej recenzji zadzwonił telefon: odezwał się Jan Baszkiewicz. Rozmowa była bardzo grzeczna. Powiedział, że w sposób fundamentalny nie zgadza się z tym, co napisałem, ale proponuje spotkanie. Okazało się, że mieszka tuż koło mnie. Pierwsze spotkanie od razu się zamieniło w seminarium, coś między przesłuchaniem a spowiedzią. Jeśli można tak powiedzieć – obmacywaliśmy się z dużym zaciekawieniem; rozmowa była na wysokim poziomie i intelektualnym, i salonowym. Chyba, z ręką na sercu, popisywaliśmy się trochę przed sobą.

Po tym spotkaniu były następne; powoli zamienialiśmy to w dwuosobowe seminarium historyczne. Nie wiem, czy kiedykolwiek w życiu byłem na lepszym. Gadaliśmy o historii, literaturze, polityce, ale też o muzyce, o rodowodzie polskiej lewicy...

W końcu doszliśmy do wniosku, że spróbujemy napisać wspólną książkę[67]. Pisaliśmy ją wspólnie, ale poszczególne rozdziały sygnowaliśmy oddzielnie. Upierałem się przy tym, bo mieliśmy poważną różnicę opinii na temat jednego z rozdziałów, poświęconego terrorowi. Baszkiewicz przeforsował swoją wersję tekstu, więc pomyślałem, że lepiej sygnować inne rozdziały, aby nikt nie przypisał mi jego poglądów.

To była moja pierwsza autorska książka. Stała się głośna, na pewno za sprawą Janka, który był znanym historykiem; ale również dlatego, że poruszała problemy nurtujące ówczesną polską inteligencję. Książka sprawiła mi olbrzymią radość. Nie ukrywam, że bardzo miłe było poczucie, iż dla osób ze środowiska, ale też dla warszawskich inteligentów, zaczynam być facetem z nazwiskiem.

Z Jankiem byłem bardzo blisko przez kilka lat. Kiedy Beata zachorowała, Janek zachował się bardzo ładnie; on był związany z Basią Janicką, która mieszkała nieopodal. I Basia, i Janek często brali dzieci na spacer. Byliśmy więc w bliskiej, właściwie czułej komitywie, mimo braku zgody w poglądach politycznych.

---

[67] Jan Baszkiewicz, Stefan Meller, *Społeczeństwo obywatelskie a rewolucja francuska*, PIW, Warszawa 1983.

Janek wydawał mi się wtedy człowiekiem marzącym o socjaldemokracji; dzisiaj sądzę, że z jego strony było to olbrzymie złudzenie, bo w życiu nie widziałem socjaldemokraty z prawdziwego zdarzenia, który byłby jednocześnie tak bardzo i tak niezdrowo zafascynowany terrorem jak on. A jednak widziałem wyraźnie, że Janek źle się czuł w skórze partyjnego historyka, a mówiąc bardziej ściśle – historyka uosabiającego doktrynę.

A potem przyszedł stan wojenny. Janek był akurat w Paryżu; wrócił, kiedy wznowiono loty samolotów. Odchorował 13 grudnia: był autentycznie załamany, zdruzgotany psychicznie. Cała jego wiedza historyczna i przekonania okazały się funta kłaków warte w zetknięciu z rzeczywistością. Leżał w łóżku w ataku neurastenii.

Kiedy „Rzeczpospolita" zwróciła się do grupy wybitnych intelektualistów, niekoniecznie kojarzących się z partią, żeby się wypowiedzieli na temat stanu wojennego, to wypowiedział się również, raczej aprobująco, Janek. Muszę zresztą dodać, że, wedle mojej wiedzy, Jaruzelski bardzo Janka cenił; sądzę, że Janek miał wiele propozycji ministerialnych, ale nigdy niczego nie zaakceptował, nie przyjął żadnej funkcji urzędniczej, tutaj kierował się najwyraźniej zdrowym rozsądkiem, a może i obawą przed wzięciem na siebie takiego odium.

W pierwszych miesiącach stanu wojennego Janek, przez swoje kontakty partyjne, śledził, co się dzieje ze mną. Wiedział, że jestem w szkole tylko na pół etatu, choć utrzymałem funkcję prorektora; cały czas mi powtarzał, żeby nie ryzykować, nie wdawać się w konspirę, bo ważniejsze jest ratowanie substancji. Ostrzegał mnie, że wokół mnie zacieśnia się pierścień inwigilacji.

Aż doszło do kolacji, na którą poszliśmy do Janka z Beatą. W trakcie rozmowy odkryliśmy w Janku jakieś nieprawdopodobne pokłady żółci w stosunku do rozmaitych osób, również naszych przyjaciół, którzy wtedy siedzieli w więzieniu. Byliśmy zgorszeni; akurat w takim momencie nie należało mówić źle o siedzących, tak jak nie mówi się źle o zmarłych – to jest elementarny wymóg nawet nie kurtuazji, ale elegancji. Moja spokojna i zrównoważona żona zareagowała bardziej impulsywnie niż ja. Powiedziała po prostu: – Stefku, ja myślę, że nie będziemy tego wysłuchiwali; Janek jest dorosły i wie, co mówi, ale opowiada o naszych przyjaciołach. Idziemy do domu.

No i poszliśmy; nie bardzo mogę sobie uświadomić, czy kiedykolwiek później, w ciągu tych dwudziestu pięciu lat, widziałem Janka. Czytam na bieżąco wszystko, co pisze; to zawsze jest bardzo interesujące. Żałuję tej przyjaźni. Ale chyba nie mam pokusy, żeby zadzwonić i umówić się na spotkanie. Nawet nie dlatego, że boję się niepotrzebnych emocji – te już się chyba we mnie wypaliły. Chyba po prostu nie chcę takiej konfrontacji z dawną zażyłością – teraz musiałoby być sztywno i oficjalnie.

Zaraz potem miałeś premierę pierwszej samodzielnej książki, biografii Kamila Desmoulins[68].

Tak, to były pierwsze miesiące 1982 roku. Książka była pisana w czasie pierwszego karnawału, a poszła do druku jesienią i, jak się wydaje, ukazała się „z rozpędu". Chyba kilka miesięcy później nie miałaby już szans. Ta książka była pisana w warunkach karnawału u nas, ale koniec Desmoulinsa jest po karnawale, kiedy zaczyna się rzeź. To była paskudna, choć niezamierzona analogia.

Dlaczego Desmoulins?

Zajmowałem się od dawna rewolucją francuską i doszedłem do wniosku, że właściwie wszystko już o niej napisano, można tylko inaczej interpretować wydarzenia. Ale nie w Polsce. Mieliśmy tłumaczenia NRD-owskiego historyka Markova, zresztą niezłego, choć bardzo marksistowskiego, i Soboula, mniej interesującego[69]. A poza tym były stare rzeczy Mathieza[70],

---

[68] Stefan Meller, *Kamil Desmoulins*, Czytelnik, Warszawa 1982.
[69] Walter Markov, Albert Soboul, *Wielka Rewolucja Francuzów*, red. nauk. Jan Baszkiewicz, Wrocław, Zakład Narodowy im. Ossolińskich, 1984; Albert Soboul, *Rewolucja Francuska*, Czytelnik, Warszawa 1951.
[70] Albert Mathiez, *Rewolucja Francuska*, Książka i Wiedza, Warszawa 1956.

Lefebvre'a[71] i na tym kończyła się literatura przedmiotu. Był też mały epizod związany z Wajdowskimi inscenizacjami teatralnymi Przybyszewskiej.

Nie miałem ochoty na jeszcze jedną biografię Robespierre'a, zresztą dopiero co ukazała się książka Baszkiewicza. Wymyśliłem sobie inny temat. Wszystko działo się przecież w czasie pierwszego karnawału, w trakcie olbrzymiego ożywienia politycznego i intelektualnego. Już wtedy było jednak widać, że duża część pary idzie w gwizdek – nikt nie tworzył znaczących rzeczy. Zresztą podobnie jak w okresie Października. To nie było tak, że szuflady były pełne świetnych tekstów, przychodzi wolność, otwieramy szuflady i publikujemy. Nic z tego.

Pomyślałem wtedy, że warto by napisać o roli intelektualisty w czasie rewolucji francuskiej. To jest temat, który nie obchodzi ani Francuzów, ani innych zachodnich nacji. A dla nas ten problem jest najważniejszy od niepamiętnych czasów, inteligent w tym kraju boryka się z tym od dwustu lat. Wiedziałem, że jak się do tego wezmę, to napiszę szybko. O Desmoulinsie wiedziałem sporo, ale moja wiedza była jednak dość powierzchowna. Pojechałem na miesiąc do Paryża, musiałem doczytać trochę lektur do habilitacji. Ale przedtem postanowiłem napisać o Desmoulinsie. Trafiłem na jakieś pamiętniki, gdzie grał ważną rolę. Dotychczas wydawał mi się raczej rewolucyjnym twardzielem, świadomym swoich racji zawadiaką, który poszedł na gilotynę tylko dlatego, że dokonał złego wyboru politycznego.

Nagle zobaczyłem, że to był zupełnie inny człowiek: słaby, wahający się, zmieniający poglądy, niepewny, egzaltowany, w dziwny, trochę niezdrowy sposób uwielbiający swoją żonę. Przy tych wszystkich wadach miał jednak odwagę, żeby w końcu świadomie powiedzieć „nie". Może płakał, bo wiedział, że mu grozi śmierć, ale wytrwał w sprzeciwie. Jeśli, jak byśmy dzisiaj powiedzieli, wykształciuch, inteligencki mięczak, który dobrze wie, że

[71] Georges Lefebvre, Charles Pouthas, Marice Daumont, *Historia Francji*, t. 2, od 1774 do czasów współczesnych, przejrzał i opatrzył słowem wstępnym Andrzej Zahorski, Książka i Wiedza, Warszawa 1969.

jest słaby, nagle powiada *non possumus*, to jest to fascynujące również dla polskiego czytelnika. To przecież nie był człowiek taki jak Danton, potężnie zbudowany, ze stentorowym głosem, przekonany o tym, że jak ruszy do boju, to nikt mu się nie oprze. Desmoulins dobrze widział, że jest słaby. I mimo wszystko wytrzymał. To właśnie tak jest: rzadko ktoś rodzi się bohaterem, zwykle zostaje nim nie z własnej woli, czasem z przypadku.

Postanowiłem przywieźć z Paryża to wszystko, co było u nas niedostępne: nie ogólnie znane źródła, tylko korespondencję, protokoły posiedzeń, gazety, wydawane jednoosobowo przez Desmoulinsa. W sumie – ładnych kilka kilogramów papieru. Właściwie w samolocie już wiedziałem, o czym chcę napisać: pokazać słabego intelektualistę, wierzącego w lepszą przyszłość, który nagle się zderza z rzeczywistością, która powędrowała w zupełnie nieprzewidzianym kierunku i jest nie do ogarnięcia. Desmoulins w pierwszym okresie jest gorącym zwolennikiem represji, czuje się nawiedzonym namiestnikiem rewolucyjnego Pana Boga. Ale potem przychodzi depresja; on ma pełną świadomość, że jak się załamie, to już po nim, bo straci wiarę. Dlatego właściwie buduje sobie nową wiarę – w szkodliwość terroru.

Kiedy tylko wróciłem do Warszawy, natychmiast wziąłem się do roboty. Pisałem w stanie rozgorączkowania; nagle zdałem sobie sprawę, że nie akceptuję stylu tej pisaniny: wyglądało to tak, jakbym miał porąbane we łbie i pisał coś między *Iliadą* a *Odyseją*, ale na temat faceta z czasów rewolucji francuskiej. Z drugiej strony, to miała być biografia szczególna: również o jego związku z żoną, o emocjach, o lękach i obawach; pisanie o tym klasycznym językiem zawodowego historyka wydawało się bez sensu. Postanowiłem więc, że nie będę, rzecz jasna, pisał powieści historycznej, ale zachowam ten styl narracji.

Cały notes z telefonami znajomych przelatywał mi przez łeb. Nie dlatego, żeby któryś z nich był bardzo podobny do Desmoulinsa, ale widziałem w każdym z nas te same pęknięcia, te same lęki, te same obawy. W pewnym momencie uświadomiłem sobie, że piszę tę książkę trochę tak, jakbym pisał bardzo pokrętny testament mojego środowiska.

W oczekiwaniu na zakończenie sprawy...

Tak, w oczekiwaniu na zakończenie sprawy.

Byłeś przekonany, że Rosjanie wejdą?

Byłem pewien, że wojsko weźmie władzę – w końcu po to Jaruzelski został premierem i I sekretarzem[72]. Ale jednocześnie byłem przekonany, że w oczach Moskwy Jaruzelski jest mięczakiem i że Rosjanie wejdą, ponieważ nie uczą się na błędach, mają za mało wyobraźni i ciągle im się wydaje, że wszystko można zgnieść.

Kiedy książka wyszła, to nie był dobry czas na pisanie recenzji. Jedną chyba pamiętam, była życzliwa. Natomiast drugą napisał mój przyjaciel Marcin Kula. Tę pamiętam doskonale, bo byłem na niego wściekły. Marcin z właściwą sobie bezpośredniością napisał do „Twórczości" tekst, który zatytułował *Kamil i Stefan*. Na chwilę stałem się pośmiewiskiem wśród różnych znajomych, którzy czytywali „Twórczość". Z ręką na sercu – Marcin napisał prawdę. Książkę przyjęto chyba życzliwie. Może zresztą warto przy tej okazji opowiedzieć zabawną historyjkę. Redaktorką książki w „Czytelniku" była żona Ryśka Bugajskiego, którego film *Przesłuchanie*[73] obejrzałem na nielegalnym pokazie na Chełmskiej. Wszedłem na legitymację pracowniczą Marcela Łozińskiego. Jak to się dziwnie przeplatało: żona Ryśka była redaktorką mojego Desmoulinsa, książki o krwawym terrorze, a tu oglądam film Bugajskiego o polskim terrorze.

Wzięliśmy ze sobą Anię Duruflé z ambasady francuskiej; weszła na legitymację jakiejś kobitki. Marcel jeszcze nie znał Ani. Chyba warto dopisać puentę: znajomość Ani i Marcela skończyła się małżeństwem. Kiedy było już oczywiste, że są razem, Beatka dostała wezwanie do milicji na Wilczą, gdzie przesłuchują-

---

[72] Wojciech Jaruzelski został prezesem rady ministrów PRL 10 lutego 1981 r., a I sekretarzem KC PZPR 16 października 1981 r.

[73] *Przesłuchanie*, scenariusz i reżyseria Ryszard Bugajski, zdjęcia Jacek Petrycki, w roli głównej Krystyna Janda, data oficjalnej premiery: 13.12.1989.

Marcel Łoziński i Anne Duruflé,
koniec lat 80.

cy ją ubek spytał, czy mąż jeździ czasem volkswagenem. Beatka, zgodnie z regułami konspiry, odpowiedziała, że nie ma pojęcia. A ubek na to: – Jeździ volkswagenem, proszę pani. A czy pani wie, że ma romans z panią Duruflé? Jak zwykle, spieprzyli robotę, wzięli Marcela za mnie, a dobrze kojarzyli z telefonicznego nasłuchu, że znam Anię, kiedyś nawet załatwiałem przez nią wizę dla córki znajomego. Krótko mówiąc, kiedy Beata zrozumiała, o co chodzi, że namierzają Marcela i nie mogą, to była w wygodnej sytuacji i już wiedziała, jak kręcić w czasie przesłuchania.

Wracam więc do książki: jestem do niej przywiązany, zwyczajnie ją lubię. Kiedyś, po posiedzeniu Rady Ministrów, sprawił mi frajdę Longin Komołowski, który do mnie podszedł i podziękował mi za Desmoulinsa; powiedział, że go czytał na okrągło w więzieniu.

A teraz czas na drugą puentę. Bohaterem jest ówczesny sekretarz KC Marian Woźniak; przeżył zresztą PRL tylko o parę lat, zmarł w 1996 roku. Kiedy w stanie wojennym zaczął się bojkot telewizji, a publiczność teatralna (wśród nich studenci PWST) zaczęła w trakcie przedstawień wygwizdywać aktorów, którzy występowali w TVP, to towarzysz Woźniak przyszedł do szkoły na rozmowę z ciałem rektorskim, czyli z Andrzejem Łapickim i ze mną. Zaczęło się od gadki o wszystkim i o niczym, Woźniak długo nie mógł wykrztusić, z czym przychodzi. W końcu powiedział, że młodzież musi się uspokoić, a kierownictwo szkoły powinno pozytywnie oddziaływać na studentów; nie chodzi o to, żeby się zgadzać politycznie, tylko o to, żeby dla Polski ratować inteligencję, żeby młodzież nie wpadała w histerię polityczną. Ot, typowa gadka-szmatka. Przed rozmową umówiliśmy się z Łapickim, że on będzie ten dobrze wychowany i grzeczny, ale jak zaczną się przepychanki, to ja wkroczę do akcji, czyli będę robił za czarnego luda, żeby Andrzeja zanadto nie obciążać.

Nagle Woźniak zaczął się zwracać do mnie, popisując się znajomością i Desmoulinsa, i książki napisanej wspólnie z Baszkiewiczem. Desmoulinsa chwalił; powiedział, że czytał z wielkim zainteresowaniem, a w końcu wystrzelił: – Panie rektorze, czy dostrzega pan jakieś podobieństwo między zachowaniami i losami Robespierre'a i generała Jaruzelskiego? Myślałem, że z krzesła zlecę; facet chciał być taki kokietliwie sympatyczny. Powiedziałem: – Panie sekretarzu, na to pytanie bardzo mi trudno odpowiedzieć, ale jest jednak jedna zasadnicza różnica: Robespierre już został zgilotynowany.

Zapadła cisza, która się przedłużała, przedłużała, w końcu Andrzej zaczął coś mówić, a potem szybko okazało się, że sekretarz ma jakieś pilne zajęcia i tak skończyła się wizyta. Kiedy Woźniak wyszedł, to Andrzej poprosił sekretarkę, żeby przyniosła kawę, najmocniejszą albo jeszcze mocniejszą. Siedzieliśmy chyba z pięć minut w ogóle nie rozmawiając, po czym spojrzał na mnie, mówi: – No, teraz wszystko przed nami. Jak nie zrozumiał, to nasze szczęście. A jak zrozumiał i jeszcze powtórzy, to zobaczymy, co z tego wszystkiego będzie.

Albo nie zrozumiał i nie powtórzył, albo zrozumiał i nie powtórzył (co wydaje mi się nieprawdopodobne), albo nie zrozumiał i powtórzył. Ale zapewne zrozumiał i powtórzył. A może – to nie był bardzo błyskotliwy jegomość – uznał, że ja uważam, że Robespierre'owi się należało, a skoro generał żyje, to mu się nie należy?

Przyszedł czas na opowieść o twojej współpracy z Wajdą. To był rok...

Z Wajdą zaczęło się w '81. Ja nie wymyśliłem jakichś rewelacji, tylko po prostu opowiadałem mu nie o podręcznikowej, faktograficznej historii, tylko o ludziach w tę historię wplątanych, z mnóstwem problemów osobistych.

Zobacz, jaki był Robespierre. Jego mieszkanie śmierdziało piżmem. To była bardzo skomplikowana osobowość: z jednej strony oschły, bezwzględny tyran, z drugiej strony zachwycony sobą narcyz. A piżmo? We wszystkich pamiętnikach można przeczytać, że w tym mieszkaniu stale zajeżdżało smrodkiem piżma, bo uwielbiał ten zapach. Opowiedziałem Wajdzie historyjkę, która natychmiast uruchomiła jego wyobraźnię. Kiedy Robespierre, jeszcze jako nikomu nieznany adwokacina z Arras, występował po raz pierwszy w Zgromadzeniu Narodowym, to nikt nie go słuchał, w izbie panował rwetes. Nagle wstał wielki Mirabeau, zaczął uciszać swoich znajomych i mówi: – Słuchajcie tego chłopca, on zajdzie bardzo daleko. Spójrzcie, on naprawdę wierzy we wszystko, co mówi.

Jak się usłyszy coś takiego o człowieku z zamierzchłej przeszłości, to nagle widzi się go zupełnie inaczej. My przecież też znamy takich ludzi, mamy swoją skalę porównawczą, punkt zaczepienia; jest haczyk, na którym można zawiesić jakąś analizę psychologiczną.

Bardzo mnie poruszył taki moment, kiedy Wojtek Pszoniak, grający Robespierre'a, zaczyna przemawiać i nagle staje na palcach. Potem mi powiedziano, że Wojtek to sam wymyślił. To fenomenalna scena, bo to jest właściwie psychologiczny opis człowieka, pokazany obrazem.

To było tuż przed stanem wojennym, prawda?

Tak. Andrzej Wajda, jak pamiętasz, kilka lat wcześniej inscenizował Przybyszewską w Powszechnym[74]. Nie wiem, czy to dobrze interpretuję, ja nie lubię tej sztuki Przybyszewskiej, w ogóle Przybyszewskiej nie lubię.

---

[74] Premiera *Sprawy Dantona* Stanisławy Przybyszewskiej w reżyserii Andrzeja Wajdy: Teatr Powszechny, 25 stycznia 1975 r.

Ale dlaczego?

Bo mi się wydaje, że była egzaltowaną kobitką, która wszystko widziała w biało-czarnych barwach. A do tego, jeżeli chodzi o jej sztuki, na przykład o *Sprawę Dantona*, to ona jest tak strasznie, bez wzajemności, zakochana w Robespierze, że świata poza nim nie widzi. Naczytała się głównie Mathieza, który, choć wielki historyk, był radykalnie republikański, rewolucyjny w swoich analizach. Właściwie ta sztuka jest komiksową ilustracją lektury Mathieza. Otóż Andrzej Wajda wystawił to w Powszechnym. Zrobił świetne przedstawienie. Premiera była za Gierka, w styczniu 1975 roku, kiedy cała Polska już huczała, że wszyscy kradną, że tę Polskę przeputają; tym złym bohaterem był więc posądzany o korupcję Danton, a tym dobrym – ideowy Robespierre.

W kilka lat później Wajda postanowił zrobić film na kanwie tej sztuki, ale na szczęście poszedł w innym kierunku. Początkowo miał to kręcić w Polsce, ale był już koniec pierwszego karnawału, wprowadzono stan wojenny i zdjęcia przeniesiono do Paryża. Wajda poszukiwał konsultantów historycznych, zgłosił się do profesora Baszkiewicza i do mnie. Zacząłem bywać u Wajdy, a Wajda u mnie. Pamiętam te rozmowy, miał sto tysięcy pytań, więc robiłem taki miniwykład. Chwała Bogu, że byłem już po latach Szkoły Teatralnej, bo starałem się nie przynudzać po profesorsku, tylko robić to tak, żeby pokazywać zapach i barwę.

Pamiętam rozmowę o Kamilu Desmoulinsie. Gadałem bez przerwy – skończyłem właśnie książkę, była w druku. Wajda pytał, do kogo w ówczesnej Polsce można by Desmoulinsa porównać. Może jakiś dziennikarz? Stefan Bratkowski? Padały kolejne nazwiska. W pewnym momencie powiedziałem, że Desmoulins miał wadę wymowy, po prostu się zacinał. Jak się zacinał, to już wiadomo kto: Michnik, oczywiście. To był fałszywy trop, bo Desmoulins, przy wszystkich swoich zasługach – jeśli nawet weźmiemy pod uwagę sposób, w jaki kończył życie, jeśli będziemy pamiętać, że się zbuntował przeciw terrorowi – więc Desmoulins był jednak strachliwym, trochę rozmemłanym chłopcem. Gdzie mu tam do porównania z Adamem.

Rozmowy przebiegały w podwójnym planie: tam rewolucja, a tu dzisiejsza Polska. Byłem zachwycony; seminarium z Wajdą – to marzenie każdego myślącego człowieka. A poza tym szalenie mnie interesował sposób stawiania przez niego pytań. W takiej rozmowie każdy się odsłania, nie ma wyjścia. Ja ujawniałem moje różne wątpliwości, a Andrzej odsłaniał się z tym swoim paralelizmem. Oczywiście tym razem chodziło o to, żeby Robespierre był bezlitosnym, bezdusznym dyktatorem. A Danton, choć skądinąd wiadomo, że przy Kompanii Wschodnioindyjskiej prawdopodobnie przywłaszczył sobie trochę grosiwa, jednak w pewnym momencie się obudził i doszedł, wspólnie z Desmoulinsem, do wniosku, że rewolucja idzie ku samozagładzie, bo terrorem nie da się rządzić na dłuższą metę, bez społecznego poparcia. Tak naprawdę Wajda wymyślił więc film, który w swoim przesłaniu był odwrotnością spektaklu w „Powszechnym" sprzed siedmiu lat. Potem, z częścią polskiej ekipy, pojechał do Francji. Ja też miałem jechać, ale nie dostałem paszportu. Nie pozwolono też wyjechać kilku aktorom. Byłem trochę rozżalony, ale takie były czasy, że nikt właściwie nie myślał o tym, że nie dostaje paszportu, bo mieliśmy na głowie ważniejsze sprawy. Film zobaczyłem więc w kinie[75], czytałem też we francuskiej prasie negatywne recenzje radykalnych, republikańskich lewicowców. Coś takiego, zupełnie idiotycznego, napisał ówczesny szef parlamentu, Louis Mermaz, z zawodu nauczyciel historii. Odpowiedziałem mu dosyć gwałtownie i burzliwie.

Opowiedz teraz o swoich przyjaźniach i znajomościach z francuskimi historykami.

Dla mnie najważniejszy był François Furet. W młodości miał wyraźne zainteresowania polityczne, był członkiem Francuskiej Partii Komunistycznej, ale zrezygnował w 1959 roku.

Europą Wschodnią, czy, mówiąc dokładniej, Polską, zainteresował się chyba przypadkiem: w końcu lat 50. zaprzyjaźnił się z młodym historykiem z Polski, Bronisławem Geremkiem,

---

[75] Polska premiera filmowej *Sprawy Dantona* odbyła się 31 stycznia 1983 r.

który miał wówczas zajęcia na Sorbonie. Chociaż Geremek był
o pięć lat młodszy, François spoglądał na niego jak na guru, który, mówiąc językiem marksowskim, nie tylko wytłumaczył mu
świat, ale i zmienił.

Kiedy wyjeżdżałeś do Francji po raz pierwszy, wiedziałeś coś o Furecie?

Przede wszystkim powiedziano mi, że jest przychylny polskim historykom. Nasze środowisko – nie oficjalni funkcjona-
riusze władzy w przebraniach historyków, tylko normalni bada-
cze – miało do niego zawsze dostęp; Furet funkcjonował jako
opiekuńczy, spolegliwy wujek. A poza tym przeuroczy facet,
choć czasem grymaśny. Fascynowała go historia komunizmu;
nie pisał o tym z pozycji totalnej negacji, raczej chciał się rozli-
czyć ze swojego wcześniejszego uwikłania. Sam był chyba cie-
kaw, dlaczego w to uwikłanie popadła połowa świata. Napisał
zresztą książkę o komunistycznej iluzji[76]. Ale przedtem, przez
lata, zajmował się rewolucją francuską. Społeczność uniwersy-
tecka miała z nim pewien kłopot. Francuska struktura akade-
micka była dosyć ociężała, nieruchawa, w istocie bardzo dziewiętnastowieczna. Rok '68 niewiele tu zmienił. Trzeba było
przejść przez gehennę opasłych prac doktorskich z tysiącami
przypisów. Po prostu obłęd. François miał żywy umysł, wszystko
go ciekawiło. Uważał, że nie po to się czyta – to mój komentarz,
a nie jego słowa – żeby się potem chwalić wszystkimi lekturami
w postaci przypisów, tylko raczej w postaci przemyśleń. Toteż
tak zwani profesjonaliści lekceważyli jego prace o rewolucji –
uważali, że są słabo udokumentowane. Wedle mnie, to są teksty szalenie odkrywcze; on nie tylko napisał tę swoją olśniewa-
jącą historię rewolucji[77], ale też postawił olbrzymią ilość pytań

---

[76] François Furet, *Le passé d'une illusion: essai sur l'idée communiste au XX-e siècle*,
R. Laffont, Paris 1995; wydanie polskie: *Przeszłość pewnego złudzenia; esej o idei komunistycznej w XX wieku*, Wolumen, Warszawa 1996.

[77] François Furet, *Penser la Révolution française*, Gallimard, Paris 1983 (fragment
wydany w Polsce pod tytułem: *Prawdziwy koniec Rewolucji Francuskiej*, Znak, Kraków
1994).

i podjął próbę odpowiedzi na niektóre z nich – a były to pytania wielkiej wagi. A poza tym napisał kilka drobniejszych rzeczy, w których pokazywał, że ta epoka – to była wspaniała burza mózgów, rozbijająca wszystkie ówczesne struktury myślenia o społeczeństwie i o państwie; mogła prowadzić również do narodzin pewnego typu myślenia totalitarnego, zapewne nie do końca uświadomionego – bo to jednak był wiek XVIII, a nie XX.

Kiedy zacząłem zajmować się rewolucją francuską, to nie od razu sięgnąłem po Fureta. Przede wszystkim chciałem uciec od wieku XX, bo już wiedziałem, że nie można uczciwie zajmować się współczesnością. XVIII wiek bardzo mnie ciekawił, ponieważ uważam, podobnie jak Talleyrand, że było to stulecie przepełnione urodą życia – oczywiście pod warunkiem, że się było arystokratą.

Zapewne identyczny mechanizm doprowadził Fureta i mnie do zajęcia się rewolucją. To jest tak, że kiedy myślimy o współczesności, o tym, co narozrabiało nasze pokolenie, to mamy odruch, żeby sięgnąć do źródeł i zbadać, jak narozrabiali nasi pradziadowie. Ja obserwowałem naszą rzeczywistość, a Furet – francuski komunizm, zwłaszcza ten stalinowski, i eurokomunizm. Oczywiście nie znaczy to, że można bezrefleksyjnie porównywać rewolucje: francuską z bolszewicką.

Kiedyś przyjechałem do Paryża i pokazałem Furetowi odbitkę mojego tekstu. Zadałem sobie psychopatyczny trud przestudiowania wszystkich dzieł Lenina (i, co gorsza, Trockiego) – tylko z jednego powodu. Przeczytałem wcześniej artykuł Tadeusza Łepkowskiego o języku rewolucji meksykańskiej i trafiłem tam na kapitalne spostrzeżenie: dopóki meksykańscy rewolucjoniści nie stworzyli nowej rzeczywistości, to nie mieli języka na jej opis, a nawet posługiwali się, jak dziewiętnastowieczni inteligenci, i to nie tylko w Europie, językiem Rewolucji Francuskiej. Cholera jasna, przecież inteligenci rosyjscy robili dokładnie to samo! Wziąłem więc na tapetę przede wszystkim Lenina, bo był człowiekiem głęboko uwikłanym w ideologiczne dyskursy i w dodatku, jako rasowy przedstawiciel rosyjskiej inteligencji, znał na pamięć dzieje rewolucji francuskiej. Tak właśnie powstał mój nieduży tekst, dwadzieścia pięć – trzydzieści stron, a siedziałem nad tym chyba rok.

Lenin miał podwójną świadomość związaną z rewolucją francuską; posługiwał się tym językiem, bo innego jeszcze nie było. Najciekawsze jest jednak to, że rewolucja bolszewicka wykształciła w końcu swój język, ale Lenin dalej posługiwał się aparatem pojęciowym Francuzów. Robił to zupełnie cynicznie – wiedział, że jeśli będzie opisywał rzeczywistość sowiecką językiem rewolucji francuskiej, to dobrze trafi w stan umysłów ludzi Zachodu, którzy są gotowi akceptować rewolucję bolszewicką, bo akceptują francuską. Kiedy opisywał bunty chłopskie w Rosji na początku lat 20., to, łżąc jak pies, oczywiście pisał o Wandei, co nie miało przecież nic wspólnego z rosyjską rzeczywistością.

Ten tekst o języku obydwu rewolucji opublikowałem w podziemnej „Krytyce", bo oczywiście w obiegu oficjalnym byłoby to niemożliwe. François Furet był bardzo zadowolony, bo przecież to studium porównawcze powstało z jego inspiracji. Tak mnie chwalił, że pozwolił mi wybrać na obiad wszystko, na co miałem ochotę – nawet luksusowe dania.

A co wybrałeś?

Oczywiście ostrygi – ja po prostu mam kompletnego fioła na punkcie ostryg.

Wróćmy do Fureta. On przecież nie wszystkich z Polski akceptował. Punktem odniesienia był dla niego Bronek Geremek. Niezwykle sobie cenił Marcina Króla. Z każdego z nas wypruwał flaki; zadawał nam, przybyszom z innego świata, sto tysięcy pytań, i prostych, i podchwytliwych, wchodził w polemiki. Ewidentnie szykował się do napisania *Przeszłości pewnego złudzenia*. Zdawał sobie sprawę z tego, że dorobek rewolucji – wszystkich rewolucji – jest minimalny, że właściwie nie ma rewolucji, jest tylko zły mutant. Ta teza doprowadziła go do poważnego konfliktu z całą „rewolucyjną" szkołą francuskich historyków, opanowaną głównie przez komunistów. Guru tej szkoły, Albert Soboul, był tłumaczony na wszystkie możliwe języki świata, szczególnie w naszej części Europy. Ot, lektura obowiązkowa dla historyków kształconych na socjalistycznych uniwersytetach. Właściwie w PRL był jedynym znanym francuskim specjalistą od rewolucji francuskiej.

A kiedy poznałeś Soboula?

Przy pierwszym pobycie w Paryżu, już po doktoracie. Po wizycie u Fureta zapragnąłem też odwiedzić Soboula, który podówczas był członkiem KC francuskiej partii komunistycznej. Jego pierwszą książkę o sankiulotach[78] oceniałem bardzo wysoko: była źródłowo dobra, mądra, inteligentna historycznie. Soboul na przywitanie spytał mnie, czy spotkałem już jakichś francuskich historyków. Uznałem, że jestem dorosły i nie będę ukrywał swoich znajomości, więc powiedziałem o spotkaniu z Furetem, choć wiedziałem, że panowie się nie znoszą.

I wtedy się zaczęło. Zaczął pluć strasznie na François, a potem, oczywiście, i na mnie. Okropnie wrzeszczał, wymyślał mi od polskich kontrrewolucjonistów. Chyba była w tym też typowa dla francuskich komunistów niechęć do Polski; mieli do nas pretensję o nasz rok '56; chyba było też w tym trochę poczucia winy.

Nawrzeszczał, nawrzeszczał, po czym usiadłem w audytorium, wśród słuchaczy jego wykładu. Kiedy zaczęła się dyskusja, postanowiłem zabrać głos. Uderzyłem go w czuły punkt: zaatakowałem Robespierre'a, w którym był nieprzytomnie zakochany. Powiedziałem, że piekło jest wybrukowane szlachetnymi intencjami; nawet jeśli Robespierre działał w dobrej wierze, to jednak uruchomił straszny system krwawego terroru, co my, w Europie Wschodniej, czujemy do dzisiaj na własnej skórze, podczas gdy Soboul prowadzi sobie na ten temat spokojne akademickie dyskusje. Rozpętała się straszna awantura. Wreszcie wykład się skończył, skinąłem głową na do widzenia i zacząłem wychodzić. I wtedy usłyszałem: Ty, Polak, zostań! Pokłóciliśmy

---

[78] Albert Soboul, *Les Sans-culottes parisiens en l'an II, mouvement populaire et gouvernement révolutionnaire, 2 juin 1793 – 9 thermidor an II*, Clavreuil, Paris 1958.

się, nie zgadzam się z tobą w żadnym punkcie, ale kolację możemy przecież zjeść...

Soboul przechodził od razu na „ty", wedle starej tradycji francuskich komunistów. Był znany z tego, że bardzo lubił dziewczynki. Wydał więc (niczym działacz „Samoobrony") polecenie dwóm studentkom, by poszły z nami. Może chciał w ten sposób rozładować atmosferę? Było naprawdę uroczo, on był przy stole świetnym kompanem. Muszę jednak powiedzieć, że żył w poczuciu klęski: został czołowym partyjnym historykiem rewolucji, ale poglądy zmieniał od plenum do plenum. Kiedy kolejne plenum zaczynało kurs odwilżowy, to pisał odwilżowy tekst o rewolucji; kiedy kurs partyjny ulegał zaostrzeniu – to zaostrzały się również jego poglądy. Soboul żył więc w ciężkiej schizofrenii: nie wiedział już, czy jest historykiem rewolucji Francuskiej, czy też wykonawcą linii partii w sprawie rewolucji francuskiej. Nawiasem mówiąc, sporo takich schizofreników można było spotkać i w naszym kraju...

Z Soboulem nie miałem więc dobrego kontaktu zawodowego. Wkrótce poznałem innego historyka, Michela Vovelle, zresztą też komunistę. Cóż za różnica! On wprawdzie był komunistą, kiedy mówił o społeczeństwie współczesnym, natomiast w sprawach naukowych, w stosunku do rewolucji francuskiej, nie mieszał gatunków i napisał bardzo wiele niezwykle interesujących prac. Jednak można było rozdzielić te dwa porządki...

Teraz chcę, żebyś mi opowiedział o Le Goffie.

Mam o nim do opowiedzenia znacznie mniej niż o Furecie; nasze drogi zawodowe nigdy się nie krzyżowały.

Kiedy go poznałeś?

To musiało być bardzo wcześnie, w domu Witolda Kuli. Oni byli przyjaciółmi; Le Goff dosyć często przyjeżdżał do Polski, bo miał żonę Polkę, Dunin-Wąsowiczównę. Spotykałem go też u Andrzeja Zahorskiego. Dużo o nim wiedziałem. Czytywałem jego

rzeczy po polsku, po francusku, on się przecież zajmował średnio-
wieczem, ale myślał o historii świata, zresztą podobnie jak Bronek Geremek. Właściwie z Jacquesem zbliżyłem się bardzo już
w późniejszym okresie. Kiedy zostałem ambasadorem w Paryżu,
to widywaliśmy się bardzo często. To jest wielki historyk, na skalę światową, a jednocześnie ktoś uroczy, skromny, grzeczny wobec ludzi, uważnie słuchający – po prostu sam wdzięk.

Koniec dygresji, wróćmy jednak do Fureta.

Furet zaopiekował się mną. Najpierw chciałem pisać habilitację na zupełnie inny temat: jak się rodził język ideologiczny i polityczny w czasie rewolucji i jak się rozwijał i funkcjonował przez
cały XIX i XX wiek. Przeżywałem wtedy pierwszą fascynację
komputerem, możliwościami masowej analizy semantycznej. Było już zresztą wtedy kilka prac, przede wszystkim politologicz-
nych, których autorzy analizowali w ten sposób język socjalistów,
język komunistów czy język prawicy. Poświęciłem sporo czasu na
takie analizy językoznawcze. Pamiętam moje rozbawienie, kiedy
zająłem się publicystyką Héberta – radykała rewolucji. Policzyłem
komputerowo używaną przez niego terminologię, pomogli mi
uczeni z Nanterre. I co się okazało? Na pierwszym miejscu, beza-
pelacyjnie, nie wylądowało bynajmniej słowo „rewolucja", tylko
„kurwa". Wyjaśnienie okazało się raczej proste: cała koncepcja
Héberta polegała na tym, żeby trafić swoimi tekstami publicy-
stycznymi do plebsu. Jak wiesz, nakłady gazet były małe, mało kto
potrafił czytać, a jeśli już znalazł się ktoś taki, to wokół niego gro-
madzili się ludzie. Czym można było przyciągnąć słuchaczy?
Oczywiście mięchem... A słowa opisujące czy analizujące rzeczywistość polityczną były na samym końcu. I najwyraźniej chodziło
o to, żeby utrzymać wszystko w stanie podniecenia i wrzenia.

Uświadomiłem sobie, że to jest ślepa uliczka. Mieliśmy długie rozmowy z François, jakim tematem mógłbym się zająć.
Trzeba wziąć pod uwagę, że był to początek lat 80., okres pierwszego karnawału, który, w nieuchronny sposób, musiał zakoń-
czyć się postem. Należało wybrać taki temat, żebym mógł kon-

tynuować pracę w Polsce – nawet, gdybym miał potem przez jakiś czas nie mieć zezwolenia na wyjazdy do Francji. Moi znajomi nieopodal Tours mieli posiadłość, mogłem sobie u nich mieszkać. Kiedy byłem tam po raz pierwszy, odwiedziłem miejscowe archiwum. Uświadomiłem sobie, że Turenia jest fantastycznym miejscem do badań nad rewolucją dla kogoś takiego jak ja – czyli przybysza z innego świata. Jest to bowiem region na rozdrożu – między Republiką a Wandeą. François załatwił mi, mówiąc językiem PRL-u, czasowy etat. Nosiłem dumne miano visiting professor. Ważniejsze było jednak to, że miałem pensję i, co równie ważne, dodatek na dzieci, większy niż całe moje polskie pobory. Mogłem więc spokojnie oddawać się badaniom, bez chałturzenia. Byłem tam dwukrotnie w ciągu dwóch lat, za każdym razem po trzy miesiące. W Polsce czytałem, co się tylko dało, zwłaszcza przywiezione z Francji kserokopie; myśmy tego jeszcze w kraju nie znali, kserografy były rzadkością i w dodatku wszystkie objęte ubeckim nadzorem. A tam dano mi możliwość kserowania bez ograniczeń, a nawet kupowania książek na rachunek. Moje pobyty we Francji poświęcałem więc przede wszystkim na żmudne kopiowanie i mikrofilmowanie wszystkiego, co mógłbym potem czytać w kraju. Buszowałem po Archiwum Departamentalnym w Tours i w archiwach gminnych i parafialnych. Wprawdzie kilkadziesiąt lat wcześniej, jeszcze przed wojną, nakazano wszystkie archiwalia przekazać do centrali w Paryżu, ale, na szczęście, ten nakaz był dość powszechnie bojkotowany. Siedziałem i czytałem te wszystkie cuda, które się uratowały przed centralizacją.

Był '81 rok, okolice Wielkiej Nocy. Pracowałem z wielką radością, z podnieceniem, zaciekawieniem. Byłem w małym archiwum, już nad Atlantykiem, koło wyspy Oléron. Na Święta oczywiście wszystko zamknęli, wynająłem więc pokoik na wyspie i przez trzy dni siedziałem na plaży. Spaliłem się nieprawdopodobnie, byłem całkiem czarny. Po Świętach spędziłem jeszcze kilka dni w archiwum i wróciłem do Paryża, gdzie na seminarium Fureta miałem relacjonować wyniki badań. François, który lubił złośliwości, nie odmówił sobie i tym razem.

– Rozumiem, że we wszystkich bibliotekach, które zwiedzałeś, siedziałeś przy oknie? – zapytał, ku uciesze kolegów. Ale, mówiąc poważnie, okazał mi wtedy wielką pomoc. Wciągnął do dyskusji wszystkich uczestników seminarium, nawet zwiększył częstotliwość naszych spotkań; właściwie wszyscy pomagali mi, jak tylko mogli – ze świadomością, że nie wiadomo, kiedy będę mógł znów przyjechać do Paryża. Kiedy wyjeżdżałem, wiedziałem już, że mogę zacząć pisać tę pracę.

Ale w czasie pobytu we Francji nie zajmowałeś się wyłącznie archiwami i pracą naukową...

Tak, poproszono mnie, abym w imieniu Towarzystwa Solidarité France-Pologne (gdzie bardzo działali związkowcy francuscy, zwłaszcza z CFDT, a także polscy emigranci, między innymi Karol Sachs, już nie tyle aktywny, ale ofiarny do granic wytrzymałości) pojeździł po Francji, wyjaśniał sytuację w Polsce. To były wystąpienia w gigantycznych halach miejskich, gdzie swobodnie wchodzi tysiąc osób. Myślałem, że ten karnawał trzeba do maksimum wykorzystać, ale byłem przekonany, że to się źle skończy. Znajomi mi mówili, że jestem pesymistą. Kiedy jednak budowałem te słupki, to mi ciągle wychodziło, że będzie niedobrze, choć nie byłem w stanie przewidzieć, że wojsko weźmie wszystko w ręce. Nie zależało mi specjalnie na tym, żeby mi robiono zdjęcia, które będą potem publikowane w prasie. Późną wiosną '81 roku byłem w Châteauroux – to takie duże miasto poniżej Tours; prosiłem, żeby mi nie robić zdjęć. Sfotografowano mnie więc od tyłu, ale każdy, kto mnie zna, jak zobaczył grzywę kręconych włosów z tyłu, to miał pewność, że to ja. Najgorsze były jednak komentarze: „Mówca z Polski, ojciec trójki dzieci, w tym bliźniąt, który wraca do Polski, prosił, żeby nie fotografować mu twarzy". Po czym wydrukowano cytat ze mnie: „Na pytanie, czy Breżniew wejdzie do Polski – odpowiedział: – Jest tylko jeden sposób, aby to państwu wytłumaczyć: Breżniew nie był i nie jest uczniem Kartezjusza, więc trudno logicznie przewidzieć jego posunięcia".

Dwa lata później byłem przesłuchiwany w Pałacu Mostowskich, głównie z powodu podziemnych wydawnictw. Chcieli kogoś zidentyfikować; oczywiście nic z tego nie wyszło, ale przy okazji wyciągnięto mi tego Kartezjusza. Powiedziałem, że to jakaś pomyłka, że to nie ja. Ubek nie bardzo uwierzył, pokazał mi zaraz „Krytykę" ze wspominanym przeze mnie wcześniej tekstem o języku rewolucji. Ja wydrukowałem to pod pseudonimem Andrzej Ler. Historia z tym pseudonimem była taka, że trzeba było natychmiast coś wymyślić, wziąłem więc imię jednego z synów – Andrzej – nazwisko walnąłem na połowę i został „Ler". Ubek pyta więc: – Czy pan to zna? Ja odpowiadam: – Nie, ale jestem zdziwiony: właściwie powinienem znać, przecież tym samym się zajmujemy. Oczywiście, ubek nie wierzył, był agresywny i opryskliwy. I z równym brakiem wiary pytał mnie wtedy o tego Kartezjusza.

A nie miałeś wtedy, w 1981 roku, pokusy, żeby zostać w Paryżu? Przecież z twoją znajomością środowiska dostałbyś szybko etat akademicki...

Tylko przez chwilę. Byłem w Paryżu podczas kryzysu bydgoskiego, w marcu 1981 roku. Z oddali wyglądało to tak, że zaraz coś się wydarzy, coś walnie. Dzwoniłem wtedy, pełen rozterek, do jednego z Polaków na emigracji. I usłyszałem rzecz kojącą: – Słuchaj, myśmy nie takie rzeczy już tu przeżywali, to zawsze z oddali tak wygląda. Spokojnie, to jeszcze nie ten moment. Wróciłem więc do Warszawy. Jeździłem do Białegostoku i pracowałem w PWST.

A co pamiętasz ze schyłku pierwszego karnawału?

To, co wszyscy: nieprawdopodobne ożywienie, niekończące się rozmowy, dyskusje, spotkania towarzyskie, które były właściwie miniwiecami, z rozmaitymi sporami, diagnozami. Po prostu szaleństwo. Część tych spotkań odbywała się u mnie na wsi. To było zawsze rozkoszne, w takim sielankowym otoczeniu... Sielanka mazowiecka połączona z polityką...

W tej sielance pisałeś swoją habilitację?

Podstawowa część książki powstała w '81 roku, po powrocie z Francji. Siedziałem na wsi. W trakcie polskiej rewolucji pisałem o francuskiej. Zastanawiałem się, czy i tu, i tam funkcjonowały podobne mechanizmy, na przykład mechanizm donosicielstwa.

Wiele lat później, kiedy książka wyszła we Francji, miałem spotkanie autorskie w Tours. Opowiadałem moim słuchaczom właśnie o donosach: ktoś księdza w ogrodzie przyjmował, ktoś łapówki brał, ktoś kradł... Tak naprawdę donosicielom chodziło zazwyczaj o przejęcie majątku. W pewnym momencie wstał bardzo wytworny pan, przedstawiciel miejscowej, bardzo zasłużonej dla całego regionu rodziny, i pyta, czy nie spotkałem wśród donosicieli nazwiska jego przodków. Pytał o to, bo wiedział, że fortuna rodu zaczęła się w początkach XIX wieku.

Otóż to nazwisko w donosach spotkałem wielokrotnie. Nie mogłem jednak powiedzieć o tym w trakcie publicznego spotkania Bogu ducha winnemu pra-pra-pra-prawnukowi. Oczywiście zaprzeczyłem; myślałem, że na tym koniec. Wróciłem do Paryża. Kilka dni później dostałem awizo przesyłki z Tours. Poszedłem na pocztę – okazało się, że nie dam rady wziąć tej przesyłki do domu na piechotę, bo były to dwie skrzynki olśniewającego wina. Tylko z wizytówką. Ani słowa. To znaczy: on wiedział, że wiedziałem.

Wróćmy do twojej habilitacji. Jaka była teza książki?

Opisywałem jeden z regionów znajdujących się pomiędzy głównymi obszarami starcia ideologicznego, gospodarczego, politycznego, w istotny sposób wpływającego na życie podczas rewolucji. Ludzie z tych regionów byli między młotem a kowadłem i, niezależnie od własnych poglądów, uznali, że ich miejsce jest w obozie zwycięzców. Była to typowa struktura prowincjonalna: dobrze prosperujące mieszczaństwo zamknięte w małych miasteczkach, które chce jakoś przeżyć ten trudny

Rodzina na zimowym spacerze, Sopot, 1984 r.

czas; chłopstwo, które żyje tym, że jest czas siania i czas zbiorów i żadna rewolucja nie może tego zmienić. Znajdowałem bardzo ciekawe dokumenty, świadczące o tym, że te dwie głównie chłopskie armie – wandejska i republikańska – dogadywały się jakoś ze sobą, na przykład w trakcie zbiorów. Że trzeba zrobić zawieszenie broni, bo przecież nikt nie zbierze plonów.

Fascynujące były też zasadnicze różnice w stosowaniu rewolucyjnego terroru. Wielkie, anonimowe miasta mogły być w terrorze kompletnie oszalałe i bezlitosne. A w małym miasteczku było zupełnie inaczej. Nawet najbardziej krwiożerczy „spadochroniarze" z Paryża musieli brać pod uwagę to, że na dłuższą metę w takim miasteczku mogą być akceptowani tylko pod pewnymi warunkami. Nie w momentach żywiołowego wybuchu agresji czy barbarzyństwa, tylko w dniach „normalnego" terroru.

Nie ma wątpliwości, że na moją pracę olbrzymi wpływ miał moment, kiedy powstawała. Bo przecież to, co się działo w czasie pierwszego karnawału w obszarze pomiędzy społeczeństwem i władzą, było naprawdę fascynujące.

Rozumiem, że takie myślenie o ludziach „pośrodku" było zbieżne ze sposobem myślenia Fureta?

Ależ tak. François miał głowę jak Światowid. Obrotową. Z jednej strony miażdżył radykalno-lewicowe interpretacje rewolucji, ale z drugiej – piętnował głupotę i ślepotę skrajnie prawicowych interpretatorów rewolucji, głoszących apologię Wandei. On rozumiał Wandeę, współczuł wandejczykom, ale nie zgadzał się na taką interpretację ideologiczną, w myśl której to Wandea miała rację w tym dramatycznym konflikcie.

Z siedmioletnią Kasią na Rajców, 1983 r.

Furet wykonał zresztą genialny numer w dziedzinie badań nad rewolucją. Przez wiele lat jeździł na jeden semestr na wykłady do Chicago. Stworzył tam swoją szkołę. Jak oni wzięli się do roboty, to – zresztą niedługo przed śmiercią Fureta, zmarł w 1997 roku – zrobili rzecz w iście amerykańskim stylu. Tak właśnie działają Amerykanie: jak się już do czegoś przekonają, to potrafią władować gigantyczne pieniądze w wielkie przedsięwzięcie. W okresie poprzedzającym dwóchsetlecie rewolucji dokonali czegoś nieprawdopodobnego: sfotografowali właściwie wszystkie zasoby archiwalne Francji, dotyczące rewolucji. A potem niektórzy z nich napisali rzeczy nadzwyczajne.

Furet ma więc wielkie zasługi dla badań nad rewolucją. Stworzył, wraz ze swymi przyjaciółmi – między innymi Moną Ozouf, Denisem Richet – bardzo ciekawą szkołę historyczną. Narzucili oni nowe myślenie o rewolucji francuskiej, która przestała być bezmyślną ikoną narodową. Zapoczątkowali dyskusje, debaty, refleksje, przewartościowania; wykonali gigantyczną robotę.

Wróćmy do twojej habilitacji. Jak to się skończyło?

Z habilitacją byłem gotów w 1984 roku, ale broniłem dopiero w 1985. Złożyłem wszystkie rzeczy do rektoratu. Trzeba było wypełnić niezliczone kwestionariusze, zrobić odbitki tekstów, dołączyć wykaz publikacji; dużo tego było, razem z habilitacją kilka kilogramów papieru. Jak się dowiedziałem później, wszystko zabrała bezpieka. Po co – do dzisiaj nie mam pojęcia. Przyjaciele, a przede wszystkim Marcin Kula, dowiedzieli się o tym. Marcin, w tajemnicy przede mną, właściwie prawie wszystko odtworzył i złożył na nowo do rektoratu. Miałem więc opóźnienie w kolokwium habilitacyjnym.

Tytuł wymyśliłem słaby, choć zgodny z logiką materiału: *Między Wandeą a Republiką*. Kiedyś w „Czytelniku" powiedziałem o tym Konwickiemu, a on się skrzywił: – Trzeba znaleźć inny tytuł, ten jest fatalny. Między Republiką a Wandeą – to tak, jak między jedną nogą a drugą.

W końcu dałem tytuł opisowy: *Rewolucja w Dolinie Loary*[79]. Byłem zachwycony tym wspaniałym podarunkiem od losu: zazwyczaj polski historyk, zajmujący się dziejami powszechnymi, nie miał szans na pracę nad źródłami.

W końcu zdarzyło się to, co się miało zdarzyć: 13 grudnia '81.

---

[79] Stefan Meller, *Rewolucja w Dolinie Loary: miasto Chinon 1788–1798*, PWN, Warszawa 1987.

Spotkanie kolegów. Od lewej: Jan Kofman, Józef Chajn,
Feliks Cieszyński, Marcin Kula, Robert Mroziewicz, Stefan Meller;
1981 r.

Przedtem była jeszcze gorąca jesień '81 i strajk studencki.
Byłem prorektorem i szefem „Solidarności" w Szkole. Strajk
przebiegał tu w sposób nadzwyczajny.

Chodziło o ogólnopolski protest studencki związany ze sprawą wyboru profesora Michała Hebdy na rektora radomskiej
Wyższej Szkoły Inżynierskiej[80]. Dzisiaj myślę, że była to dobrze
zorganizowana prowokacja służb. Atmosferę w szkołach wyższych podgrzewano bardzo umiejętnie. Podobny charakter nosił
chyba protest w ówczesnej Wyższej Oficerskiej Szkole Pożarni-
czej[81]. Byłem przekonany, że jest to strajk manipulowany, że za

---

[80] Prof. Hebda został rektorem radomskiej WSI po usunięciu przedstawicieli
NSZZ „Solidarność" i Niezależnego Zrzeszenia Studentów z Senatu Uczelni.
24 października 1981 r. Komisja Zakładowa NSZZ „Solidarność" ogłosiła strajk,
który trwał aż do proklamowania stanu wojennego. Strajki solidarnościowe z ra-
domską WSI trwały na wielu polskich uczelniach przez całą jesień 1981 r.

[81] Jesienią 1981 r. studenci WOSP, która formalnie podlegała Ministerstwu
Spraw Wewnętrznych, domagali się, aby szkoła została objęta projektem nowej
ustawy o szkolnictwie wyższym. Wobec oporu władz studenci proklamowali strajk

tym stoi po prostu bezpieka, która próbuje zdestabilizować wyższe uczelnie. Nie tylko ja miałem podobne wrażenie; tak samo sądzili nasi studenci, nawet ci najbardziej radykalni. Tak czy inaczej, nasza Szkoła, tak jak prawie wszystkie wyższe uczelnie, znalazła się w ogniu strajku. Trochę się tego obawiałem. Bo co innego mieć zaufanie studentów w '81, jak cię proponują na prorektora do spraw studenckich, a co innego znaleźć się w zawierusze, zwłaszcza w takim miejscu jak Szkoła Teatralna, a nie na przykład Akademia Wychowania Fizycznego, gdzie pewnie można sobie dać łatwiej radę z dyscypliną.

Do dzisiaj jestem pełen podziwu dla tej młodzieży, która zachowała się fenomenalnie. W głowie mi się nie mieściło, że taki zbiór indywidualistów może wydobyć z siebie niebywałe pokłady dojrzałości, zarówno osobistej, jak i politycznej, pełnej zrozumienia tego wszystkiego, co rozgrywało się wokół. No i do tego ta fantastyczna kadra pedagogiczna. Widać było, jak z godziny na godzinę te bliskie związki zamieniają się w nieodzowną potrzebę drugiego człowieka, powstały już związki przyjacielskie. Czuliśmy wszyscy, że coś się między nami zaczyna dziać; normalnie trzeba może dziesiątków lat, żeby tak się dobrze poznać i tak wspólnie myśleć. Podjąłem wtedy decyzję, że będę właściwie mieszkał w szkole, włącznie z nocowaniem co jakiś czas albo bardzo późnym wychodzeniem do domu. Młodzi zachowywali się wspaniale, ale jednocześnie czuć w nich było spory poziom lęku, czemu zresztą trudno się dziwić. To była zabawa w Indian, ale jednak w przekonaniu, że na końcu wkroczą Jankesi.

Wszystkie sale zostały zamienione na legowiska z materacami. Młodzież sama się podzieliła na grupy – jedni szli do domów odpoczywać, a inni zostawali na całą noc w Szkole. Z jedzeniem różnie bywało, zwykle robiło się zrzutkę. Dostaliśmy z jakichś

okupacyjny 25 listopada 1981 r. 30 listopada władze rozwiązały szkołę, a 2 grudnia, na jedenaście dni przed wprowadzeniem stanu wojennego, doszło do akcji ZOMO z udziałem helikoptera. Desant zomowców zajął pomieszczenia szkoły, studenci zostali usunięci z budynku, a szkołę rozwiązano. Był to poważny sygnał, że władze akceptują – po raz pierwszy od Porozumień Sierpniowych – rozwiązania siłowe jako formę rozwiązywania konfliktów politycznych.

zakładów serowarskich tony sera edamskiego. Kiedy spotykałem potem zaprzyjaźnionych studentów, mówili, że mogą jeść każdy żółty ser, byle nie edamski. Oczywiście „Trybuna Ludu" napisała, że w szkole panuje rozpusta, pije się szampana i zagryza się żółtym serem, naturalnie przysłanym przez francuskich imperialistów.

Szkoła Teatralna to jest takie miejsce, gdzie człowiekiem rządzi talent i trema. Im więcej dobrego talentu, tym więcej tremy, tylko opanowanej; im więcej złego talentu, tym więcej tremy nieopanowanej. Nie mówię, rzecz jasna, o szczególnych przypadkach opilstwa, ale w normalnych warunkach alkohol jest nawet, w pewnych dawkach, nieodzowny, staje się nieocenionym towarzyszem podróży, tylko trzeba nad tym panować. Pierwsza decyzja, jaką studenci sami podjęli, a potem przyszli z tym do mnie, dotyczyła właśnie alkoholu. Spytali, czy mogą postawić na bramce kolegów z prawem do macanki, żeby nikt nie wnosił alkoholu. To już było więcej niż świadomość obyczajowa czy polityczna: oni właściwie stawali przed egzaminem życia. Ten egzamin zdali fantastycznie.

Ostatnia rzecz, o której powiem w związku ze strajkiem, bardzo delikatnie i tylko w jednym zdaniu: oczywiście, życie uczuciowe zostało uruchomione w sposób gwałtowny. I nawet powychodziły z tego pary. Byłem niezwykle wzruszony, kiedy kolejne pary przychodziły i mówiły, że właśnie od dzisiaj są razem. Nie musieli do mnie, prorektora, przychodzić, ale tak wyszło. Czasami miałem wrażenie, ze jestem ojcem, a może matką chrzestną tych związków.

Z tymi jesiennymi strajkami był poważny kłopot. My, w PWST, byliśmy zdania, że akcję protestacyjną trzeba już wygaszać. Niektóre uczelnie, zwłaszcza te, które późno przyłączyły się do akcji, próbowały przebić nas radykalizmem. Tuż przed stanem wojennym wysłaliśmy jednego z naszych studentów, aby namawiał kolegów z innych uczelni do zakończenia akcji. Był to Grześ Kostrzewa-Zorbas; byłem przekonany, że on, jako znany radykał, najlepiej nadaje się do tego rodzaju misji. Grześ co dwa dni składał meldunki, a ja prosiłem o wyjazd do następnej uczelni. Zrobił świetną robotę, zjechał kawał Polski, to i owo udało mu się wytłumić.

Na marginesie chciałem opowiedzieć małą anegdotę o Grzesiu. Na drugim roku studiów zaczął pisywać w ówczesnej warszawskiej „Kulturze" recenzje teatralne; były to teksty bezkompromisowe. W jednej z recenzji nie oszczędził wielkiego Jana Świderskiego. Świderski był kawał chłopa. Przybiegł do szkoły i szukał tego skurwysyna, który napisał recenzję. Grześ zszedł po zajęciach do holu i w tym momencie Świderski rzucił się na niego z pięściami. Grześ na pewno nie jest chłopcem do bitki, ale za to da się pokrajać za swoje poglądy i ich nie zmieni. Doszło do strasznej pyskówy, po której Świderski zrozumiał nagle, że zaczyna być śmieszny – i na tym się skończyło.

A jak zapamiętałeś tę słynną niedzielę?

Bliźnięta spały u moich stryjostwa, którzy nie mieli własnych dzieci. Ciotka uwielbiała Andrzeja i Kasię. Niedziela 13 grudnia kojarzy mi się z przejazdem przez Warszawę po dzieci. Było strasznie – czołgi, skoty... Jechałem przez Nowotki (dzisiejszą Andersa) i Marszałkowską aż na MDM. Widok był okropny.

Po południu do naszego domu zaczęły przychodzić grupy studentów. Chcieli sprawdzić, czy jestem, czy też podzieliłem los wielu moich znajomych i przyjaciół. Chyba dopiero wtedy dotarło do mnie, że mogę lada moment znaleźć się w Białołęce. Miałem nawet pomysł, żeby w razie czego uciekać przez ogródek, ale jak zrobiłem wizję lokalną i zobaczyłem ostre szpikulce, którymi najeżony był nasz płot, to ochota mi przeszła – zrozumiałem, że to jest nie tyle (jak bym dzisiaj to sformułował) „Nicea albo śmierć" tylko raczej „Więzienie albo impotencja". Zresztą pomysł był histeryczny i chyba trochę śmieszny. Dopiero potem, w marcu czy kwietniu doszła do mnie wiadomość, że chyba na szczeblu KC zapadła decyzja, aby nie ruszać rektorów i dziekanów na wyższych uczelniach.

Śmieszne: byłem nawet chyba trochę zły, że nie siedzę z przyjaciółmi i kolegami, chociaż na pewno nie miałem, jak niektórzy znajomi, poczucia, że cały pogrzeb na nic... Mogłem tylko opiekować się moimi studentami, chodzić do św. Marcina i wysyłać paczki dla internowanych[82]. Po kilku dniach dostałem wypowiedzenie z Białegostoku. Jeździłem tam w dalszym ciągu, bo miałem seminarzystów, których nie mogłem po prostu zostawić – chciałem, żeby pokończyli studia. Przyjaciele z Białegostoku zdołali załatwić tylko jedno – że dostawałem zwrot kosztów podróży. Jeździłem tak przez dwa lata. Koledzy na wydziale zachowywali się znakomicie, pisali jakieś petycje, aż w końcu po dwóch latach przywrócono mnie do pracy.

Sprawę PWST władza postanowiła rozegrać inaczej...

W kilka tygodni po wprowadzeniu stanu wojennego miało się odbyć posiedzenie senatu, ale okazało się, że nie zezwala na to komisarz wojskowy szkoły. Ja mieszkałem najbliżej, więc zaprosiłem tę najbardziej sympatyczną część senatu do siebie. Najpierw jednak zaproponowałem zrealizowanie kartek na wódę w delikatesach na placu Krasińskich. Telefony już działały[83], więc mogłem przynajmniej uprzedzić, że przyjdą ludzie. Spotkanie było pełne nerwowego, chwilami histerycznego napięcia. W pewnym momencie wpada roztrzęsiona Zosia Mrozowska i mówi: – Słuchajcie, militaryzują teatry, będziemy musieli wszyscy występować w telewizji.

Młodszym czytelnikom trzeba przypomnieć, że prawie całe środowisko aktorskie bojkotowało telewizję.

---

[82] W warszawskim kościele św. Marcina na ul. Piwnej działał, od 17 grudnia 1981 r., Prymasowski Komitet Pomocy Osobom Pozbawionym Wolności i ich Rodzinom. Komitet zbierał wiadomości o osobach pozbawionych wolności, udzielał pomocy prawnej, dostarczał przesyłki z żywnością, lekarstwami i ubraniami do obozów internowania i więzień. Władze źle reagowały na działalność Komitetu. 3 maja 1982 r., w trakcie demonstracji solidarnościowej na warszawskim Starym Mieście, doszło do najścia cywilnych funkcjonariuszy SB na siedzibę Komitetu, która została zdemolowana, a czterech działaczy Komitetu porwano, wywieziono za miasto i ciężko pobito.

[83] Łączność telefoniczną w miastach przywrócono 10 stycznia 1982.

Tak, nikt nie zgadzał się na jakiekolwiek występy w telewizji. Rzeczywiście takie pomysły na militaryzację chodziły po niektórych, co bardziej zakutych łbach przedstawicieli władzy, ale na szczęście ktoś nieco rozsądniejszy storpedował ten pomysł. Ale w czasie spotkania zagrożenie wydawało się realne. Prawie wszyscy wpadli w panikę. Sytuację rozładował dowcipem Janek Englert. Spojrzał na roztrzęsioną Zosię i mówi: – Zosiu, nie przejmuj się, zrobimy ich w konia, będziemy źle grali.

Zbyszek, jak usłyszał tę odzywkę Janka, powiedział: Tobie to dobrze, ale co ja mam zrobić? No i wieczór się zaczął strasznie rwać.

Popiliśmy wtedy ostro – poza Andrzejem Łapickim, który siedział jak wódz Siuksów, trzeźwy jak ostryga. Powiedział, że już wypił swoje w życiu i teraz nie musi.

To nie był koniec tego wieczoru. Była godzina milicyjna, więc Zbyszek został u nas na noc. Dzieci, kiedy wstały rano, były zachwycone, bo znały go z telewizji. Obudził je niezwykle głęboki głos Zbigniewa Zapasiewicza, który na cały segment głośno i dobitnie zawołał: – Stefku, kawy!

Wracam do opowieści o Szkole. Władze działały konsekwentnie. Przede wszystkim bardzo szybko zlikwidowano Wydział Wiedzy o Teatrze. Co do mnie, to wprawdzie pozostałem prorektorem, ale zredukowano mi zatrudnienie do wymiaru pół etatu. Musiałem – tym razem już z własnej inicjatywy – zmienić trochę zakres moich obowiązków. Już nie tylko zaliczenia i pilnowanie toku studiów, ale wyciąganie ludzi z więzień, z komisariatów, chodzenie po adwokatach... W tym wszystkim bardzo pomagał mi Edek Wende – był nieocenionym przewodnikiem po całym tym nieznanym mi świecie. On zawsze wiedział, do kogo mogę pójść, a kogo lepiej unikać.

Nasza młodzież była bardzo aktywna. Młodzi żyli w atmosferze zagrożenia i w naturalny sposób lgnęli do tych nauczycieli, do których mieli zaufanie. Stałem się więc trochę i organizatorem, i spowiednikiem. W tej samej sytuacji była Marta Fik, tylko że ja miałem jeszcze w ręku oficjalne pieczątki Szkoły, których czasem można było użyć.

Doświadczenia ze strajku z jesieni '81 przydały się bardzo w stanie wojennym czy później, w latach 80. Kiedy w 1982 roku zaczęły się manifestacje pierwszomajowe i trzeciomajowe, ustawiliśmy ludzi na bramce od tyłu. Szkoła miała dodatkowe wejście od Podwala, przez podwórka. Ktoś od nas stał zawsze przy tych drzwiach, żeby otworzyć i wpuścić studentów uciekających przed ZOMO czy przed ubekami. Tych ostatnich rozpoznawało się z dziecinną łatwością.

3 maja 1982 roku przydarzyła się cudna historia. Miodową szedł pochód nielegalnej „Solidarności". Młodzież była w Szkole; dwóch chłopaków poleciało na dach robić zdjęcia, na dole stali ubecy i zauważyli błyski obiektywów. Po chwili do budynku wpadła milicja. Ktoś mnie uprzedził, zdołałem wbiec na dach przed

nimi.   Zobaczyłem chłopców, krzyknąłem: – Spierdalać pod prysznice! Prysznice były na drugim piętrze. Zdołałem jeszcze uspokoić oddech, zszedłem piętro niżej, a tam już byli zomowcy. Przedstawiam się, oni pytają: Co tam się na dachu dzieje?! – Nie mam pojęcia, możemy sprawdzić. – No, to idziemy! Wyjęli pały i pobiegli. Wchodzimy na dach, łażę tam po raz pierwszy w życiu. Widzę, że ci milicjanci jacyś niepewni... Rozejrzałem się dookoła i zrozumiałem. Na dachu szkoły są rzeźby,

50. urodziny, bankiet w PWST.

figury ludzi. A oni się przestraszyli, że to prawdziwi ludzie i że za chwilę ktoś ich zrzuci z góry na Miodową...

Wreszcie skończyli inspekcję pustego, na szczęście, dachu. Schodzimy. Młodzież stoi wzdłuż schodów, aż do drugiego piętra, idę między tymi milicjantami, cisza śmiertelna – wygląda to tak, jakby mnie brali. Ktoś w końcu się odważył i pyta: – Bierzecie pana rektora? Milicjanci się nie odzywają. Mówię, że nie, żeby byli spokojni. W końcu milicjanci wyszli ze Szkoły, a ja wpadłem do gabinetu Andrzeja Łapickiego, gdzie czekał też Zbyszek Zapasiewicz. Nalali mi koniaku, opowiadam w emocjach, opowiadam... Kiedy w opowieści doszedłem do ucieczki pod prysznic, to nagle mnie olśniło: – Chryste Panie! Przecież oni tam czekają na mnie, żebym im pozwolił wyjść! Poleciałem na górę, a oni, biedni, stoją w tych ubraniach, przemoczeni, mówić nie mogą, dygocą... Naprzepraszałem się okropnie, chyba dałem im koniaku, poszli się suszyć. Ale przynajmniej nie poszli siedzieć.

Co tu dużo mówić. Z punktu widzenia władzy ludowej Szkoła była kłębowiskiem żmij. Domyślałem się tylko – nie o wszystkich przecież wiedziałem – ilu studentów współpracowało w latach 70. z KOR-em, a potem, w następnej dekadzie, z podziemną „Solidarnością". O wykładowcach wiedziałem więcej, bo przy tym stopniu zażyłości to trudno było ukryć. Na przykład dla Piotrka Mitznera napisałem krótki tekst o pronowskiej generalicji, zatytułowałem to *Książęta krwi*.

Moja kadencja prorektora trwała do '84 roku. A jeszcze wcześniej pan minister Kazimierz Żygulski (szkoła podlegała Ministerstwu Kultury) nie zgodził się na to, żeby Gustaw Holoubek i Andrzej Szczepkowski zostali profesorami. Nastąpił kryzys w relacjach z MKiS. Nie tylko mnie zmuszono do przejścia na pół etatu, podobnie postąpiono z Martą Fik.

Któregoś dnia zgłosił się do mnie redaktor z pisma „itd.". Udzieliłem wywiadu na temat bojkotu, gorąco broniąc wydziału, pokazując jego rolę w środowisku inteligenckim Warszawy. Wyobraź sobie, cały tekst został wydrukowany bez ingerencji cenzury, choć publikacja bardzo się opóźniła. Dopiero po latach się dowiedziałem, że publikację przeforsował, po przepychankach, ówczesny naczelny pisma[84]. Kiedy redaktor naczelny był już prezydentem, to mnie kiedyś zapytał, czy pamiętam, jak udzieliłem wywiadu „itd. " i jakie były z tym tekstem kłopoty...

Chyba mniej więcej w tym czasie spędziłeś wakacje w Juracie?

To był rok '85. Stan wojenny formalnie już zniesiono, oczywiście faktycznie trwał jeszcze w najlepsze. Minęło raptem niewiele ponad pół roku od zamordowania księdza Jerzego Popiełuszki. Była jeszcze ciemna noc, w gruncie rzeczy nie bardzo wiedzieliśmy, jak dalej żyć, jak zachować równowagę i nie dać się codzienności.

Wakacje w Cieńszy, 1983 r.

Właściwie nie myślało się o wakacjach. Miałem małą, uwielbianą przeze mnie chałupę na wsi, zwykle lato spędzaliśmy właśnie tam. Wyjeżdżałem jeszcze przed Beatą, sam z dziećmi, bo kiedy kończyły się egzaminy wstępne, byłem już wolny.

Wiosną Andrzej Łapicki powiedział mi, że wynajmują z Zosią jakiś pokój w Juracie, obok będzie mieszkać Dudek, a w następnym pokoju w tym samym domu – Roma i Andrzej Szczepkowscy. Został jeszcze jeden wolny pokój. Zdecydowałem się szybko.

---

[84] Aleksander Kwaśniewski.

Wakacje w Cieńszy, 1983 r.

Wakacje były fantastyczne, spędziliśmy wspaniałe dwa tygodnie. Siedzieliśmy sobie każdy we własnym pokoju, ale było wewnętrzne podwórko z dużym stołem. Rano pichciliśmy wspólne śniadania. Woda w Bałtyku była zimna. Kąpali się wszyscy, chyba poza Łapickim i mną. Andrzej miał rozkoszny, wielki ręcznik z Marilyn Monroe i mówił, że jednak lepiej leżeć na tym ręczniku, niż dygotać w zimnej wodzie. Dzieci się kąpały, chodziliśmy na spacery.

Dudek przywiózł ze sobą pyszną nalewkę ze śliwek. Miał masę znajomych wśród kaszubskich rybaków, więc bez przerwy przynosił jakieś nadzwyczajne ryby – węgorze, flądry. A było to w czasach, kiedy w warszawskich sklepach można było z trudem dostać zamrożony na kość filet z dorsza.

Pewnego dnia Andrzej Szczepkowski wpadł na wspaniały pomysł: każdy z nas miał opowiedzieć o niespełnionym marzeniu zawodowym. Dzisiaj już nie mogę sobie uświadomić, o czym mówili pozostali uczestnicy spotkania: Andrzej Łapicki, Dudek i ja sam. Ale Andrzej Szczepkowski zaczął opowiadać, że całe życie marzył, żeby w operze w Tel Awiwie zaśpiewać w jidysz partię Jontka.

Z Beatą w Hadze, 1984 r.

Spojrzeliśmy wszyscy po sobie – to był porażający pomysł. Jeszcze nie było się z czego śmiać, ale czuliśmy, że Szczepkowski szykuje nam jakiś numer. Kiedy Andrzej Łapicki spytał: – No dobrze, a gdyby to się miało spełnić, to jak byś z tego wybrnął? Na to tylko czekał Szczepkowski. Zaczęło się! Zaczął śpiewać partię Jontka w jakimś żargonie. Ja już nic nie pamiętam – poza bólem brzucha, bo nie mogliśmy przestać się śmiać. Szczepkowski przeżył atak geniuszu. Oczywiście nie miał pojęcia o jidysz, ale jak on to imitował... Ten Jontek się nie kończył, myśmy wyli, ludzie wychodzili z pokojów, bo było głośno, przystawali na drodze przy wjeździe na naszą posesję. Jurata już na zawsze kojarzy mi się z Andrzejem Szczepkowskim w mistrzowskiej formie, wyciągającym *Szumią jodły na gór szczycie...*, rzekomo w jidysz.

W tym samym roku, 1985, byłeś już z powrotem pełnoprawnym pracownikiem filii UW w Białymstoku?

Tak, przywrócono mnie do pracy w 1984, a w 1985 koledzy wybrali mnie wicedyrektorem tamtejszego Instytutu Historii. Moim szefem był podówczas profesor Andrzej Wyczański. Akurat na tę kadencję przypadło aresztowanie mojego przyjaciela Janka Kofmana. Był czerwiec 1985 roku. Janek usiadł wraz z dużą częścią redakcji „Krytyki". Dowiedziałem się o tym od Masi,

Wakacje w Juracie, 1985 r. Andrzej Łapicki z żoną Zofią,
Roma Szczepkowska, Stefan Meller.

żony Janka, bo dziwnym trafem zadzwoniłem do nich do domu w trakcie rewizji. Masia oddzwoniła po kilku godzinach, powiedziała, że Janka wzięli. Pojechałem tam natychmiast, bo miałem nadzieję, że może nie wszystko zabrali. Rzeczywiście, Masia oddała mi na przechowanie dużą torbę papierów. Wróciłem z tym do domu i zacząłem się zastanawiać, gdzie to schować? Przecież nie u mnie...

Wakacje w Juracie, 1985 r.
Stefan Meller, Andrzej Szczepkowski.

Naprzeciw mnie mieszkali Kazio Dejmek i jego była żona, Danka. Ich segment był podzielony w poprzek: parter, podziemie i pierwsze piętro przerobiono na wielopoziomowe mieszkanie. Miałem dobre kontakty i z Kaziem, i z Danką, choć w tej sprawie bardziej ufałem Dance, ze względu na stosunek Kazia do generała Jaruzelskiego. W ich ogrodzie, przed wejściem do segmentu, stała, nie wiedzieć czemu, buda dla psa, w niej rozmaite narzędzia. Buda należała wedle przydziału do Dejmka, poszedłem jednak do Danki. Był późny wieczór, jedenasta, może wpół do dwunastej, paliło się światło. Powiedziałem jej, o co chodzi; Danka nie wahała się ani przez chwilę. Powiedziała tylko, że papiery włoży do budy sama, bo nie chciała, żeby mnie zobaczyli ubecy, którzy obstawiali mieszkającego kilka domów dalej premiera Zbigniewa Messnera. Depozyt wyjąłem z budy dopiero w 1989 roku.

A co się stało z Jankiem Kofmanem?

Wsadzili go z sankcją, szykowali proces „Krytyki". Po wielu miesiącach wyszedł na mocy amnestii. Ale zanim doszło do jakiejkolwiek sprawy sądowej, to mu ten pieprzony Białystok przestał płacić pensję, co nawet wtedy, w czasach PRL, było niezgodne z prawem. Większość kolegów Janka zachowała się świetnie; walczyli, i to z sukcesem, o przywrócenie Jankowi pensji.

Podziemie miałeś zresztą w domu. Przecież Marcin tkwił po uszy w NZS...

Tak, ale dzisiaj jakoś nie wspominam tego w kategoriach wielkiego zagrożenia. Raczej kojarzy mi się z tym zabawna anegdotka, dotycząca nie tyle podziemia, ile problemu... ciepłego ubierania się naszych dzieci. Kiedyś, bodajże w '86, bliźnięta zostały z moją mamą, która była estetką i bardzo dbała o to, żeby dzieciom wpoić dobre maniery i gust. Wieczorem wróciliśmy z Beatą do domu; bliźnięta były okropnie speszone, oczy im gdzieś uciekały. Pytamy, co się stało. Dopiero moja mama zaczyna opowiadać, że przyszli tutaj dwaj znajomi Marcina. Akurat nie było go w domu, więc powiedziała im, że Marcin gdzieś pojechał na rowerze i niedługo wróci. Odpowiedzieli, że poczekają na dole. Kiedy wrócił, wzięli go za kolportaż bibuły. Weszli z nim do mieszkania, z ich rozmowy można było wywnioskować, że go biorą albo do Pałacu Mostowskich, albo na dołek w jakimś komisariacie. Była już późna jesień, zimno jak cholera, więc Beata pyta moją mamę: – A jak Marcin był ubrany? Chodziło oczywiście o to, czy włożył ciepły sweter, a babcia odpowiada w zachwycie: – Beatko, nie martw się, wszystko było świetnie dobrane...

Myślałem wtedy, że się rzucę na moją mamę, aż Beata musiała mnie kopnąć. Potem jeździłem po tych komisariatach. Wziąłem ojca, przede wszystkim w celach sadystycznych, bo chciałem, żeby poszukał Marcina ze mną. Oczywiście, wszędzie mówili, że nie ma i że o niczym nie wiedzą. Okazało się potem, że był tam, gdzie oficer dyżurny robił za zdziwionego durnia. W kolejnym komisariacie ojciec eksplodował. Zaczął coś perorować podniesionym głosem, oczywiście kazali mu się zamknąć. Kiedy stamtąd wyszliśmy, byłem tak wściekły, że powiedziałem, chyba z odrobiną okrucieństwa: – Widzisz, jak fajnie wszystko wymyśliliście i zbudowaliście. Teraz szukaj wnuka po komisariatach, może władza ludowa coś ci powie, a ja wracam do domu, do bliźniaków.

Potem nie odzywał się przez tydzień – nie dlatego, że się na mnie obraził, tylko sam znalazł się w dołku, bo nagle zobaczył, jak wygląda rzeczywistość ludowej ojczyzny – nie tej z oficjalnych gazet, ale raczej z plotek i szeptanki.

Marcin wrócił zresztą, jak można się było spodziewać, po dwóch dobach.

Opowiedz o swojej współpracy z „Krytyką".

Nie pamiętam, kiedy dokładnie zaczęła się ta współpraca. Miałem tam wielu przyjaciół, a przede wszystkim Janka Kofmana, który objął „Krytykę" po Stefanie Starczewskim. To właśnie Janek zaproponował mi pierwszy tekst. Pisałem na rozmaite tematy: o rewolucji francuskiej, widzianej przez pryzmat współczesności; o próbach porównania mechanizmów dwu rewolucji

– francuskiej i bolszewickiej („Lenin, Trocki – dwie protezy rewolucji"); o odpowiedzialności Stanów w polityce jednobiegunowej po wejściu do Kuwejtu. Ten ostatni tekst napisałem w lecie roku '90. Ale pisałem też sporo rzeczy na granicy krytyki literackiej. Kiedyś zrecenzowałem kilka wybitnych książek pisarzy czeskich, między innymi Skvorecky'ego. Napisałem, może lekkomyślnie, że próba porównania opozycyjnej literatury czeskiej i polskiej nie ma sensu, bo nasza jest lokalną wydmuszką, nie najwyższego lotu artystycznego, a Czesi piszą rzeczy olśniewające. Strasznie dostałem za to po krzyżu. Te późne teksty podpisywałem już własnym nazwiskiem, ale przygodę z „Krytyką" zaczynałem jako Andrzej Ler.

Pisanie w „Krytyce" dawało mi olbrzymią radość i dumę. To był dla mnie rodzaj nobilitacji. Minęły lata, ale wciąż pamiętam ten pierwszy raz. To się wydawało bardzo proste, kiedy funkcjonowało się na statusie jawnego opozycjonisty. Ale dla kogoś ze środowiska akademickiego zawsze przychodził moment refleksji: tak czy nie? Ujawnić się, czy dalej pisać pod ksywką? Gdyby to było takie proste, czołowi polscy intelektualiści publikowaliby wyłącznie w czasopismach drugiego obiegu. Rzeczywistość była znacznie bardziej skomplikowana...

Chyba przyszedł czas, żeby, w związku z „Krytyką", przypomnieć nasze wspólne dokonania...

Pewnego razu, z moim przyjacielem Michałem Komarem, który siedzi teraz naprzeciw mnie i jest, co tu dużo mówić, starszym Komarem niż wtedy, napiliśmy się trochę. Była pierwsza połowa lat 80. Zaczęliśmy narzekać, że czasy są pasjonujące, dzieje się dużo, ale brakuje nam rozrywki intelektualnej, może niekoniecznie polegającej na opowiadaniu dowcipów o Jaruzelu i o wronie. Nie to, żeby od razu zupełnie uciec od polityki, ale dać sobie spokój z doraźnością. W końcu doszliśmy do wniosku, że dobrze byłoby napisać taką zgrywuśną książeczkę, odnoszącą się do dziejów ruchu komunistycznego, od Marksa do Stalina. Numer był ryzykowny ze względu na stylistykę tekstu – ot, taka zbękarcona dziewiętnastowieczna literatura. Oczywiście wszystkie teksty, rzekomo odnalezione przez nas w amsterdamskim archiwum i podane do druku, były przez nas zmyślone w stu procentach.

Spotykaliśmy się raz u Michała, raz u mnie, gospodarz kupował flaszkę czegoś dobrego, gość przynosił też dobrą butelkę. Dopiero kiedy czuliśmy, że mamy w czubie, zaczynaliśmy prawdziwą rozmowę o tym, co napiszemy. Tematy wymyślał raz Michał, raz ja. Po kolejnych seansach wracaliśmy do domu – i zaczynały się telefony. Byliśmy tak pobudzeni, napici i rozbawieni, że gadaliśmy do pierwszej – drugiej w nocy. Wyobrażam sobie miny funkcjonariuszy, którzy musieli, z racji obowiązków służbowych, słuchać naszej wymiany myśli. Sęk w tym, że oni nie wiedzieli, że robimy sobie jaja, bo dla osób postronnych rozmowa wyglądała poważnie – przerzucaliśmy się, z prawdziwym znawstwem, nieistniejącymi źródłami dotyczącymi dziejów ruchu komunistycznego. Książka miała mieć około trzystu stron, ale skończyło się na broszurze; na kategoryczne żądanie obu naszych żon musieliśmy przerwać pisanie, bo chyba za chwilę wpadlibyśmy w prawdziwy alkoholizm.

Chodziliśmy z Michałem po całej Warszawie i usiłowaliśmy to gdzieś opublikować. Było tak: w podziemnych wydawnictwach związanych z lewicą tekst był natychmiast odrzucany. Redaktorzy uważali, że jest chorobliwie niezdrowy i pogardliwy nie dla komunistów, tylko dla całej lewicy. Redaktorzy wydawnictw prawicowych byli przekonani, że nie będą tego ruszać, bo tematyka wredna. No i w końcu wydaliśmy to w wydawnictwie „Officina"[85], niestety o dwa-trzy lata za późno. Ale jeszcze przed wydaniem książeczki udało nam się namówić redakcję „Krytyki" na publikację jednego listu. Wzięliśmy fragment listu Róży Luksemburg do Jogichesa-Tyszki. Róża pisała wyśmienicie – ot, taka młodopolska literatura, bardzo erotyczna. Po czym, w tej samej stylistyce, skomponowaliśmy erotyczny list Róży Luksemburg do... Romana Dmowskiego.

---

[85] Xawery Pafnucy Ostoja-Kuceyko, *Prawda ukryta, czyli Tajemnice komuny*, do druku podali Michał Komar i Stefan Meller, Warszawa, Officina, 1990.

Ku naszej nieopisanej radości nabrali się na to redaktorzy podziemnego pisma „Wola". Przedrukowano pierwszą stronę tekstu, a potem poszedł komentarz utrzymany w takim duchu, że oni, czyli „Wola", nie zgadzają się zazwyczaj z „Krytyką", tutaj jednak muszą oddać sprawiedliwość: oto w lewicowym piśmie ukazał się dokument pokazujący, że komuniści byli na tyle cyniczni, że chcieli poświęcić swoją kobiecą ikonę ruchu – Różę Luksemburg, byle tylko uwiodła Romana Dmowskiego...

Przy okazji pozwoliliśmy sobie zresztą na głupi numer. Oto w jednym z przypisów do opublikowanego listu napisaliśmy, że pan profesor Feliks Tych, wybitny znawca biografii Róży Luksemburg i wydawca jej *Listów z więzienia*, nie mógł znać opublikowanego przez nas tekstu źródłowego, bo to my odkryliśmy list w archiwum.

Profesor nosił się podobno z myślą o wytoczeniu nam procesu o naruszenie dóbr osobistych, co miał mu podobno wyperswadować Adam Michnik. A myśmy naprawdę nie chcieli profesora obrazić...

Podobno kiedyś groził ci jeszcze jeden proces?

Ach tak, chodziło o profesora Henryka Kocója. Było to znacznie wcześniej, w drugiej połowie lat 70. Pan profesor wydał w Zakładzie Historii Akademii Wychowania Fizycznego książkę, a właściwie broszurę, z interesującymi tekstami źródłowymi z Warszawy doby powstania kościuszkowskiego, z relacjami rezydenta pruskiego. Sam to przetłumaczył z francuskiego; tłumaczył koszmarnie, widać było, że nie zna w ogóle gramatyki francuskiej i nie odróżnia czasów. Gramatyka francuska ma to do siebie, że jest wiele czasów. Oczywiście można po polsku oddać czas zaprzeszły, tylko trzeba umieć. To był pierwszy mój zarzut. Dostałem tę broszurę do recenzji albo od Stefana Kieniewicza, albo Andrzeja Zahorskiego. No, ale potem rzecz najważniejsza, indeks nazwisk. Jeżeli dobrze pamiętam to – żeby dać jakieś przykłady – cesarz Józef II przedstawiony był jako obywatel austriacki. To samo było z Katarzyną II, poddaną rosyjską. Nadziwić się nie mogłem, że profesor historii, jednak autor kilku interesujących rzeczy, popełnia coś takiego. Recenzja była miażdżąca. Profesor Stefan Kieniewicz rzecz całą przeczytał, zadzwonił do mnie, poprosił mnie do swojego gabinetu w instytucie, na trzecim piętrze. – Panie kolego – powiedział – rozumiem, że pan jest świadom tego, co pan tu daje do druku. Czy pan podtrzymuje swoją decyzję o tym, żeby tekst drukować? – Wie pan, panie profesorze – odpowiedziałem – nie chciałbym zaszkodzić „Przeglądowi Historycznemu", więc odwrócę pytanie. Czy pan profesor jest gotów drukować ten tekst, gdybym ja się upierał przy jego kształcie? Usłyszałem na to: – Tak, aczkolwiek sam pan rozumie, że będziemy mieli obaj kłopoty i to nie tylko dlatego, że mamy identyczne imiona.

Tekst się ukazał, a niedługo potem dowiedziałem się, że Kocój chce mnie podać do sądu. Właściwie bardzo się ucieszyłem: wyobraź sobie spór sądowy dwóch historyków, czy Katarzyna II była poddaną rosyjską, czy też nie. Niestety, wybitny i bardzo przeze mnie ceniony historyk krakowski, pan profesor Jerzy Zdrada, dowiedziawszy się o tym, że coś takiego mi grozi, wdał się w skuteczną mediację z Kocójem. Z jednej strony byłem mu bardzo wdzięczny, z drugiej – trochę jednak żałowałem tego niedoszłego procesu.

Z profesorem Stefanem Kieniewiczem miałeś jeszcze inne przygody...

O jednej, czyli o fascynującej rozmowie z Andrzejem Łapickim, opowiadałem już wcześniej. Ale nasze pierwsze spotkanie nie było wcale takie sympatyczne. Co tu dużo mówić: przez pana profesora repetowałem trzeci rok. Mogę powiedzieć tylko tyle, że ta dwója z egzaminu była więcej niż zasłużona. Byłem kompletnie nieprzygotowany. Pan profesor uznał, że go po prostu zlekceważyłem. Może ktoś słaby dostałby trójkę na szynach, ale mój gol – najpierw w pierwszym terminie, a potem na egzaminie poprawkowym – miał zdecydowanie charakter dydaktyczny. Inna sprawa, że profesor pytał okropnie: wysłuchiwał egzaminu z nieruchomą zupełnie twarzą, bez żadnej mimiki, po prostu spoglądał w przestrzeń na ścianę ponad głową petenta. To nie ułatwiało sytuacji, bo właściwie nie było żadnej komunikacji, żadnego kontaktu.

W konsekwencji powtarzałem rok, egzamin zdałem na czwórkę. Zrobiłem potem dwa lata w ciągu roku, taki byłem ambitny.

Minęło wiele lat. Byłem już po habilitacji. Lecieliśmy z panem profesorem w składzie delegacji do Belgii na panel historyków polskich i belgijskich w Wolnym Uniwersytecie Brukseli. Była zima, skład delegacji zróżnicowany – osoby ze środowiska solidarnościowo-opozycyjnego i takie jak profesor Kieniewicz, guru środowiska historycznego. Byli też ci inni. Wsiadamy do samolotu, siedzimy pół godziny, samolot nie startuje, potem nagle każą wszystkim wyjść na zewnątrz, odnaleźć swoją walizkę. W końcu znowu wsiadamy, trzęsiemy się z zimna, samolot startuje. Podchodzi stewardessa i pyta nas: Czy napijecie się panowie wódki? Pan profesor odpowiada: – Nie, dziękuję. Ja odpowiadam: – Tak, poproszę. Dostaję. W drodze powrotnej do Warszawy znowu to samo, zimno. – Może wódka? Pan profesor mówi: – Nie, dziękuję; ja mówię: – Tak, poproszę.

To było już po wielu dniach wspólnego przebywania towarzyskiego; profesor odsłaniał zupełnie inną twarz, uroczego, spokojnego, mądrego człowieka, życzliwego ludziom, pochylonego nad każdym, dopytującego się wszystkich młodszych, jak się czują. Nagle profesor powiada: – Boże drogi, a ja przez cały czas, jak lecieliśmy do Brukseli, i teraz, w drodze powrotnej, mówiłem „nie", a przecież mogłem powiedzieć „tak" i oddać panu.

Zrobiło mi się głupio, bo wyszło na to, że ja jestem ochlapus, ale to było przemiłe z jego strony, pełne czułości.

Z tą wizytą w Brukseli wiąże się zabawna historia. Delegacja była w składzie mieszanym, staro-nowym, podobnie zresztą jak w czasie obchodów rocznicy rewolucji w Paryżu, o czym będę jeszcze opowiadał. Drugiego dnia pojawił się u nas uroczy hrabia Grocholski, który mieszkał pod Brukselą w pięknym pałacu z cudownym parkiem. Przyszedł posłuchać polskich historyków. Potem podszedł do nas – staliśmy razem z panią profesor Barbarą Grochulską – i zaprosił nas, a także profesorów Kieniewicza i Skowronka, szeptem, na kolację do siebie. Reszty towarzystwa, powiedział, wolałby u siebie w domu nie widzieć. Nie będę z litości wymieniał tych nazwisk, Grocholski swoje wiedział. To był szalenie miły wieczór, gospodarz okazał się nie tylko gościnny, ale po prostu na głowie stawał, żeby nam było przyjemnie.

A jak to było z habilitacją Adama Manikowskiego?

Starałem się bronić przyjaciela. Byłem znany z tego, że robiłem przyjaciołom rozmaite psikusy. Kiedyś w „Życiu Warszawy" ukazało się ogłoszenie: „Sprzedam włoską maszynę do robienia lodów", a na końcu był telefon Adama Manikowskiego. Adaś przeżył piekło, bo dzwonili do niego z Katowic o piątej rano, każdy chciał mieć taką maszynę. Adam dostawał szału, wyłączał telefon. Nie mógł przyjąć do wiadomości, że to była pomyłka zecera. Był przekonany, że tylko taki palant jak ja mógł mu wyciąć tak straszny numer. Im bardziej tłumaczyłem, że to nie ja, tym bardziej Adaś mi nie wierzył.

Historia z profesorem Kieniewiczem zdarzyła się, kiedy Adam szykował się do kolokwium habilitacyjnego. Zadzwoniłem do niego na kilka godzin przed kolokwium i powiedziałem: – Dzień dobry, panie docencie. Na co mi Adam powiedział: – Uspokój się, nie mów do mnie „panie docencie", bo mi to przyniesie pecha.

W trakcie kolejnych telefonicznych figlów, 1987 r.

Po godzinie odbieram telefon. Dzwoni Adam i pyta: – Słuchaj, czy to ty dzwoniłeś do mnie? Ja mówię: – Nie, to nie ja. Po drugiej stronie słyszę przerażone: – O, cholera.

– Słuchaj – mówi Adam – przed chwilą był telefon i ktoś powiedział „Dzień dobry, panie docencie, mówi Stefan". Ja już nie słuchałem dalej, tylko wrzasnąłem: – Odpierdol się, przecież już ci mówiłem. I rzuciłem słuchawkę. Byłem przekonany, że to ty...

Widocznie musiałem był przekonujący w zaprzeczeniach, bo Adam spytał z przerażeniem: – A jak myślisz, kto to mógł być? Czy masz jakiś pomysł? Mówię: – A jak powiedział „Dzień dobry"? Czy wymawiał poprawnie „r"? Jaki miał głos?

Jednym słowem – wyszło na to, że dzwonił do niego profesor Kieniewicz, zresztą jeden z recenzentów rozprawy habilitacyjnej. Tyle tylko, że nie zdążył się do końca przedstawić, kiedy usłyszał, że ma się odpierdolić... Adam wpadł w histerię, w końcu było to tuż przed kolokwium.

Co było robić. Zadzwoniłem do Janka Kieniewicza, syna profesora. Janek mało nie umarł na zawał ze śmiechu. Chciałem natychmiast dostać się na Mokotów do pana profesora, najpierw opowiedzieć o maszynie do robienia lodów, a potem przejść do wątku głównego: że mianowicie Adam Manikowski marzy o wszystkim, tylko nie o tym, żeby się profesor odpierdolił, zwłaszcza na dwie godziny przed kolokwium.

Pojechałem z duszą na ramieniu, miałem w pamięci doświadczenie oblanego roku. Janek pojechał ze mną. Profesor wysłuchał wszystkiego. Ja właściwie już nie musiałem przytaczać kluczowego cytatu z rozmowy, ponieważ miałem wrażenie, że pan profesor dobrze to zapamiętał. Po twarzy błąkał mu się uśmiech; nie śmiał się w głos, ale był chyba rozbawiony, chociaż widać było, że coś podobnego przeżywa po raz pierwszy w życiu i właściwie nie wie, jak się ma zachować; ma tylko przekonanie, że nie powinien nikogo skrzywdzić.

Skończyło się tak, że pan profesor zachował się jak zwykle, czyli z wielką klasą. Adam brawurowo przeszedł przez kolokwium, a pan profesor się nawet nie zająknął na temat rozmowy telefonicznej.

W ten sposób wkroczyliśmy już w drugą połowę lat 80. Jak oceniasz te schyłkowe lata komuny?

Tętno „Solidarności" osłabło w '88. Pamiętasz, były strajki, które właściwie nie zostały wsparte. My, starsi, traciliśmy nadzieję. Jeśli ktoś teraz opowiada, że w '87 miał pewność, że za dwa lata będzie koniec komuny, to łże jak pies. To były bardzo smutne dwa lata.

W moim środowisku też wszystko wyglądało bardzo mizernie. Widać było, jak topnieje zapał ludzi i chęć do jakiejkolwiek działalności. Z jednej strony – pojawiło się trochę więcej swobody. Z drugiej – absolutny brak nadziei na to, że może nastąpić jakikolwiek przełom. Wszyscy mieliśmy świadomość tytłania się w błocie, choć błoto było już trochę rzadsze i jakby mniej cuchnęło.

Cieszyłem się wtedy interesującą perspektywą oglądania rzeczywistości oczami mojego Marcina, aktywnego działacza NZS. On i jego koledzy przechodzili powolną, ale wyraźną ewolucję: od fascynacji ojcami założycielami „Solidarności", opozycji – do fazy niechęci. Niechęć była też z drugiej strony, czyli w nas, starszych, którzy uważali, że radykalizm młodzieży przeszkadza w działaniach politycznych, w perspektywach podjęcia jakichś rozmów z władzą.

Ateny, 1987 r.

Kiedy zaczęły się strajki w '88 – nikłe, słabiutkie, to u Marcina i wśród jego znajomych obserwowałem chęć radykalnego przewalczenia tego nastroju – tak, aby ruszyło do przodu.

Wakacje w Grecji, 1986 r.

W Białymstoku widać było, jak wśród najgorszych wtyczek par-tyjno-rządowych zaczynały się objawy wahania, takiej śliskiej kokie-terii w stosunku do nas. Białystok był rozchwiany. Tam tradycyjnie co kilka lat wymieniano I sekretarzy KW: raz Polak, raz Białorusin. Wszystko po to, aby manipulować i albo podsycać, albo łagodzić konflikt polsko-białoruski. W czasie pierwszego karnawału wszyst-ko było tam inaczej niż w Warszawie. Część „Solidarności" biało-stockiej była nacjonalistycznie-katolicko-antybiałorusko-prawo-sławna. Mogę nawet zrozumieć niektóre postawy, ale to przybierało postać niedobrą, na granicy szowinizmu. Z oczywistych powodów my, dojeżdżający z Warszawy, byliśmy – może nie opiekunami, ale ostoją dla Białorusinów, ogarniętych stanem lękowym.

Ale u schyłku lat 80. również i tam nastąpiło ewidentne tąpnię-cie. Młodzież raczej koncentrowała się na nauce, na tym, żeby wy-walczyć dobre magisteria, a nie na polityce. Różnicę widać też by-ło w pociągu. Ludzie, znów bardzo niezadowoleni, nie bali się mówić – ale nie o polityce, nie o braku wolności, tylko o braku wszystkiego w sklepach. Widać też było gołym okiem, jak zmieni-ło się menu śniadaniowe w pociągach. To była już zupełna nędza.

Z końcówki lat 80. pamiętam jeszcze gorące dyskusje towa-rzyszące wyjściu na powierzchnię pisma „Res Publica". Marcin

Król, szef pisma, podjął decyzję o rozpoczęciu rozmów z władzą bodajże w 1987 roku. Wiadomość szybko rozeszła się po mieście; szczególnie silne wrażenie zrobiła na młodych. Nazwisko Marcina Króla i środowiska, które były wokół niego, dawały gwarancję, że to pismo będzie na bardzo wysokim poziomie. Ale Marcin musiał przejść przez moment skomplikowany – nawiązać rozmowy z Jerzym Urbanem. I tu się zaczęły dyskusje między pragmatykami a radykałami, którzy uważali, że takie rozmowy z Urbanem – to jest właściwie zdrada, że – jak by tu powiedzieć – nie dyskutuje się z właścicielem szamba na temat produkcji smacznych ciastek. Radykałowie wywierali więc rosnącą presję na środowisko „Res Publiki", żeby jednak nie rozmawiać. Kiedyś starłem się z nieodżałowanym Jurkiem Markuszewskim, którego skądinąd szalenie lubiłem. Jurek w sposób niezwykle gwałtowny i namiętny zaatakował Króla i całe środowisko. Nie pamiętam, jakiego słowa użył – ale mówił właściwie o zdradzie. Powiedziałem mu wtedy, że nie ma kontaktu z młodzieżą i tak naprawdę nie rozumie ich sposobu rozumowania. Zaproponowałem, że zaproszę kilku moich studentów do domu na szczerą rozmowę.

Przyszła Wanda Zwinogrodzka i chyba jeszcze dwie osoby. Starcie było gwałtowne, tym bardziej bolesne, że między ludźmi z tej samej strony barykady. Jurek, co dobrze o nim świadczy, wyszedł z tej batalii trochę spokorniały; może nie zmienił od razu poglądów, ale już nie był taki czarno-biały.

Zbliżał się rok '89. Byłem – i do dzisiaj jestem – gorącym zwolennikiem „Okrągłego Stołu"; nawet, jeśli dziś uważam, że niektóre rzeczy można było rozgrywać inaczej, to bez zastrzeżeń akceptuję zasadę dialogu. Ci, którzy dzisiaj wygłaszają płomienne krytyki, coś bredzą o Targowicy (nawet jeśli czynią to w dobrej wierze), zupełnie nie biorą pod uwagę ówczesnych realiów, Armii Czerwonej stacjonującej w Polsce, poczucia osamotnienia w ówczesnym obozie. Wszelkie działania, nawet pokojowe, były na granicy szaleńczego ryzyka.

Ale dla mnie ten okres końcówki systemu rozpoczął się inaczej. Jak pamiętasz, w pewnym momencie Miller, Siemiątkowski i Wiatr zrobili naradę w stołówce KC. Zaprosili tam nie tylko młodych aktywistów z ZMS i z partii, ale też działaczy NZS, wśród których byli Piotr Skwieciński (teraz w PAP), Filip Busz (chyba do niedawna w Ministerstwie Środowiska) i mój Marcin. Oglądałem transmisję telewizyjną z tego spotkania. Marcin był bardzo zdenerwowany, ale powiedział wprost, że dopóki władza będzie mówiła o Wałęsie „prywatny elektryk z Gdańska", to nie można się dziwić, że wierszyk „a na drzewach zamiast liści będą wisieć komuniści" będzie bardzo popularny. Potem przyszedł do domu, choć to były takie czasy, że nie byliśmy pewni, czy nie zostanie zapudłowany zaraz po wyjściu ze stołówki KC.

Ale przełom 1989 roku przeżywałeś poza krajem?

Tak się złożyło, że w lipcu Francuzi uroczyście obchodzili dwóchsetlecie swojej rewolucji. Na te obchody wybierała się oficjalna delegacja środowiska historyków polskich. Teoretycznie w jej skład powinni byli wejść specjaliści od rewolucji, w praktyce, jak zwykle, najwięcej było tam zawodowych członków zagranicznych delegacji. Nie znaleziono tam miejsca nie tylko dla mnie, ale i dla Tadeusza Łepkowskiego.

Pewnego dnia odebrałem telefon z ambasady francuskiej. Dzwonił bodajże attaché naukowy, wyraził zdziwienie, że nie zauważył mojego nazwiska w gronie członków delegacji i zapowiedział, że za chwilę kierowca z ambasady przywiezie mi osobiste zaproszenie od prezydenta Mitterranda. Zaproszenie nie było jedynie kurtuazyjne: oprócz wstępu na trybunę i na wszystkie uroczystości dostałem jeszcze propozycję uczestnictwa w konferencji naukowej, w charakterze gościa prezydenta Francji, z pokryciem kosztów hotelu i bardzo przyzwoitym honorarium za udział w imprezie. Oddzwoniłem do ambasady z podziękowaniem i przy okazji poprosiłem o włączenie do programu Tadeusza Łepkowskiego. Pojechaliśmy razem. Już z Paryża zadzwoniłem do Marcina – on też dostał paszport i jechał do Francji jako przedstawiciel NZS. Trochę mu pomogłem, on wtedy chyba całe lato spędził w Paryżu. Do Francji przyjechali

Z Marcinem na statku na Sekwanie, Paryż 1989 r.

też, jak dobrze pamiętam, państwo Komarowie z dwojgiem dzieci. Zadzwonili do mnie 12 lipca, a ja wiedziałem, że 13 lipca w nocy będzie próba generalna defilady. Polecieliśmy z Marcinem, żeby zająć miejsca w kawiarni, a jeszcze przed wyjściem zadzwoniłem do ciebie, żebyście przyszli. Zresztą ta próba generalna była nieporównywalnie lepsza niż sama defilada. Kto to wtedy śpiewał Marsyliankę? Chyba Whitney Houston?

Następnego dnia, trochę niewyspany, poszedłem na trybunę. Miałem się zgłosić do kogoś z francuskiego MSZ czy ministerstwa kultury. To był chyba Jean Louis Bianco, pełniący delikatną misję łącznika między prezydentem Mitterrandem a środowiskami polskiej opozycji. W efekcie nie tylko zostałem przedstawiony Mitterrandowi, ale miałem też okazję porozmawiać z nim trochę dłużej po południu; bardzo interesował go rozwój wypadków w Polsce po 4 czerwca 1989 roku.

Młodszym czytelnikom może wyjaśnijmy, że było już po wyborach przegranych przez komunistów, ale jeszcze przed utworzeniem rządu Tadeusza Mazowieckiego.

W lipcu naprawdę nie było jeszcze wiadomo, jak się to wszystko skończy. Polska była osamotniona w obozie, nikt nie wiedział, jak zareagują Rosjanie.

W trakcie uroczystości były też akcenty komiczne...

Młodzież, przede wszystkim studencka, postanowiła rozbić patos uroczystości; ci młodzi wdarli się z bocznych ulic, przerwali kordony policyjne, w ciągu dziesięciu minut opróżnili wszystkie stoły z jedzeniem w Tuileries. Dla notabli Republiki Francuskiej zostały nędzne resztki. To był fenomenalny widok. Część otoczenia Mitterranda była przerażona, ale sam prezydent zachował się świetnie – dostał histerycznego prawie ataku śmiechu. W końcu to była już mniej oficjalna część uroczystości, o charakterze festynu. Ale ten dwór Mitterranda – to było jednak prawdziwe Bizancjum. Kiedy prezydent zaczął się śmiać, na uśmiechy pozwolili sobie też pozostali notable...

Do Paryża przyjechała wtedy duża delegacja „Solidarności", która udała się na mszę do Wandei.

Ja się o tym dowiedziałem z gazet. Wedle mnie sprawa była bardzo skomplikowana. Ja sam zrozumiałem mechanizm powstania w Wandei – trochę ideologiczno-ludowo-religijny i trochę plemienny – dopiero po napisaniu habilitacji. Cała sprawa na pewno nie nadaje się do analizy w dychotomicznej wizji świata: czarne – białe.

Rzeczywiście w czasie rewolucji doszło do, nazwijmy rzecz po imieniu, republikańskiego ludobójstwa, połączonego z antyklerykalną krucjatą. W Wandei doszło do mordów prawie rytualnych. Rzeki spływały krwią, na ulicach leżały trupy.

Trzeba też jednak powiedzieć, że ta wyprawa części delegacji solidarnościowej, była, krótko mówiąc, ideowo bałamutna, bo miała charakter nie tylko antykomunistyczny, ale i antyoświeceniowy. Ci ludzie przyjęli po prostu milczące założenie, że komunizm jest w prostej linii spadkobiercą Oświecenia. To jest teza karkołomna; sądzę, że to wynikało z niewiedzy, ułomności w myśleniu. Ale także z przekonania, że trzeba znaleźć – w ramach obchodów rewolucji – miejsce kontrrewolucyjne. Przyjazd do Wandei – to był najprostszy sposób złożenia hołdu tym, którzy bronili wiary i Kościoła. Zresztą wiesz, z Wandeą można rozmaite rzeczy robić. Pamiętasz fenomenalne *Rozważania o wojnie domowej* Jasienicy[86]? Kiedyś, na jakimś seminarium, posprzeczałem się z kolegami – historykami, którzy do tego tekstu podeszli w taki sposób rygorystycznie naukowy, co jest w ogóle od rzeczy, bo tekst nie był o tym.

On był o wojnie domowej w Wandei.

Tekst był o wojnie domowej i o reformie rolnej w Polsce po wojnie i o nacjonalizacji. Można oczywiście z punktu widzenia rygorystycznego warsztatu historyka polemizować z Jasienicą, ale nie było w powojennej Polsce nikogo z tak niebywałą wyobraźnią historyczną i wrażliwością, umożliwiającą łączenie rzeczy teoretycznie nie do połączenia, bo wiedzy historycznej z, może nawet bardzo subiektywną, ale niebywale elegancką, interpretacją współczesności. Uważam Jasienicę przede wszystkim za człowieka mądrego. Takiego, który świadomie wydobywał dwa podstawowe elementy z polskiej historii: pokazywał, skąd się biorą potworne rysy duszy polskiej, a jednocześnie potrafił w sposób brawurowy pokazywać słabości.

W gruncie rzeczy antykomunistyczny ruch „Solidarności" nie zdawał sobie sprawy z lewicowej treści społecznej swoich nadziei...

Zgoda. W ogóle sposób myślenia o Wandei był u nas (nie mówię o środowiskach profesjonalistów, tylko dobrze wykształconych inteligentów, zainteresowanych historią) dosyć schizofreniczny. To była próba połączenia spraw kompletnie do siebie

---

[86] Pierwsze wydanie: Paweł Jasienica, *Rozważania o wojnie domowej*, Niezależna Oficyna Wydawnicza, Warszawa 1978.

nieprzystających: przecież, paradoksalnie, apologia Wandei jest też pochwałą niektórych elementów republikanizmu. Nie da się chwalić Wandei na zasadzie hołdu składanego francuskiej kontrrewolucji i francuskiemu, prześladowanemu podówczas, Kościołowi. Już lepiej traktować to jako symbol ujęcia się za bitymi i prześladowanymi – szczególnie wtedy, kiedy zwycięzcy obchodzą swoją rocznicę.

A jak doszło do wyjazdu do Stanów Zjednoczonych?

Ach, to zupełnie inna historia. Pod koniec 1989 roku zacząłem uczyć w nowo powstałej Akademii Nauk Społecznych w Pałacu Staszica, założonej między innymi przez Stefana Amsterdamskiego i Edmunda Wnuka-Lipińskiego. To była świetnie zorganizowana szkoła, przypominająca dobre zachodnie modele szkół podyplomowych. Nadal pracowałem w PWST i w Białymstoku, czułem się komfortowo. A tu nagle zaczynają mnie dochodzić słuchy, że MSZ zamierza złożyć mi jakąś propozycję. To nie byłaby łatwa decyzja, wymagałaby zmiany całego dotychczasowego, z trudem ułożonego, życia zawodowego.

25. rocznica ślubu, Atlanta, kwiecień 1991 r.

Dzwonili do mnie różni ludzie z otoczenia pana profesora Skubiszewskiego, ale te rozmowy były mało zachęcające. Zamiast spraw merytorycznych omawiano ze mną przede wszystkim problemy formalne – na przykład konieczność

Z piętnastoletnią Kasią, 1991 r.

zdania egzaminu językowego w MSZ (egzamin państwowy oczywiście miałem dawno za sobą).

W końcu doszło do spotkania z wysokim urzędnikiem z MSZ, zresztą w kuluarach sejmowych. Trwało to pięć minut: usłyszałem komunikat, że to jest bardzo ciężka praca i że z ulicy do MSZ nie przyjmują. Odpowiedziałem, że doskonale rozumiem ten punkt widzenia, ale przecież ja o nic nie prosiłem, tylko dostałem propozycję z OKP-u[87].

Prawdę mówiąc, z tej rozmowy wyszedłem wściekły i upokorzony. Jak mi się wydaje, dokładnie o to chodziło mojemu rozmówcy. Zadzwoniłem do OKP, powiedziałem, że proszę, aby więcej mnie nie stawiano w takiej sytuacji, bo nie jestem petentem.

Już wcześniej, w '89, pan profesor Jerzy Kłoczowski zaproponował mi, za pośrednictwem Barbary Grochulskiej, udział w delegacji polskich historyków na amerykańskie obchody dwóchset-

---

[87] Obywatelski Klub Parlamentarny zrzeszał parlamentarzystów wybranych 4 czerwca 1989 r. z listy solidarnościowej do tzw. sejmu kontraktowego. Pierwszym przewodniczącym OKP był Bronisław Geremek.

USA, 1990/91 r.

Savannah, USA, październik 1991.

USA, 1991 r.

lecia rewolucji francuskiej. Było to zresztą naukowo znacznie
ciekawsze niż obchody francuskie. Słuchaliśmy prawdziwych re-
feratów naukowych, a nie rewolucyjnego samochwalstwa.
W Waszyngtonie wygłosiłem dwa teksty: jeden po angielsku,
drugi po francusku. Kłoczowski mnie obserwował, był chyba zadowolony; nagle pojawiła się propozycja przyjazdu do Stanów.

Kiedy więc zdecydowałem, że MSZ mnie nie interesuje, pomyślałem sobie, że może ta amerykańska propozycja nie jest taka zła. Wprawdzie poziom naukowy był taki sobie, ale mogłem
zakosztować rozkosznego życia w kampusie uniwersyteckim,
a dzieci dostały niebywałą szansę poznania języka. Wreszcie
też, co było nie bez znaczenia, mogłem przez rok uczciwie zarobić przyzwoite pieniądze.

Pojechaliśmy całą rodziną na rok akademicki 1990/91. Bardzo to było ciekawe. Dzieci chodziły do public school i w ciągu
kilku miesięcy zaczęły mówić świetnie po angielsku, zresztą
Kaśka poszła potem na anglistykę. Marcin w nocy był cieciem
w bibliotece, pracował też w restauracji, zarabiał na siebie.
W dzień studiował, jako wolny strzelec, nauki polityczne.
Wkrótce zaczął działać w lokalnej gazecie studenckiej. Został
zauważony dość szybko, bo napisał bardzo przenikliwy tekst
o Rosji, gdzie, wbrew ogólnie panującej opinii, przewidział koniec Gorbaczowa i początek ery Jelcyna. Cytowano go w jakimś
poważnym amerykańskim dzienniku. Bliźnięta, które miały już
po czternaście lat, też zaczęły na siebie zarabiać, ponieważ wy-
najmowały się jako baby-sitterzy. Kaśka umiała już trochę go-
tować, co amerykańskie dzieci, karmione na co dzień junk food,
szybko nauczyły się doceniać. Andrzej zaczął wtedy grać na gi-
tarze, Marcin kupił sobie górski rower.

Kiedy nagle dostałem, zupełnie niespodziewanie, trzynastą
pensję, to zwołałem naradę rodzinną i powiedziałem: – Zróbmy
jawne głosowanie, czy dzielimy szmal na całą piątkę, czy wszyscy jedziemy na wyprawę życia, miesiąc przez całe Stany. Rodzina wybrała drugi wariant, to była naprawdę fantastyczna
wycieczka. Marcinowi proponowali nawet stypendium, żeby
tam został – ale on nie chciał, w kraju było zbyt ciekawie.

Wróciłeś do Polski i zostałeś redaktorem naczelnym „Mówią Wieki"?

To było trochę inaczej. W „Mówią Wieki" zacząłem pracować bodajże w 1988 roku. Dostałem taką propozycję z redakcji. To był ciekawy zespół; z jednej strony – zawodowi historycy, dalecy od bieżącej polityki, choć niewątpliwie bardzo przyzwoici, tacy jak wybitna specjalistka od historii starożytnej profesor Ewa Wipszycka. Z drugiej strony, był np. Eugeniusz Duraczyński, szef redakcji, jednocześnie funkcjonariusz Komitetu Centralnego PZPR, w latach 1981–1983 kierownik Wydziału Nauki i Oświaty KC. Do mnie z propozycją wejścia do redakcji zadzwonił chyba Wiesław Władyka. Poradziłem się kilku kolegów – na pewno Janka Kofmana, Bronisława Geremka, Andrzeja Paczkowskiego – którzy powiedzieli, że mogę wziąć w tym udział.

Po miłej rozmowie z Duraczyńskim przyjąłem więc propozycję. Redakcja chciała chyba dać na zewnątrz sygnał, że coś zaczyna się zmieniać, a poza tym liczyła na nowe pomysły. Na początek wymyśliłem cykl wywiadów na tematy historyczne, ale nie z profesjonalistami, tylko z ludźmi kultury: z Jankiem Pietrzakiem, Wojtkiem Młynarskim, Andrzejem Zaorskim. To były bardzo ciekawe teksty, bo w czasach kryzysu każdy w Polsce jest i historykiem, i politykiem. Prześmiewcy czy satyrycy komentują to w sposób nadzwyczaj przenikliwy i przewrotny. Do dziś nie mogę odżałować, że nie udało mi się wtedy namówić Michała Ogórka do napisania historii Polski. Było chyba jeszcze trochę za wcześnie – on nie miał takiej śmiałości, żeby się na to porwać. Pamiętam bardzo ciekawą rozmowę Jurka Jedlickiego i moją z Andrzejem Wajdą. On, który zawsze ciął na odlew, tym razem wystąpił w roli duchowego pocieszyciela i wielkiego optymisty. Byliśmy bardzo zdziwieni, a Wajda nas przekonywał, że w sytuacji kryzysowej trzeba pokazać ludziom jakąś nadzieję. Potem, już w trakcie przygotowań do wyborów, robiłem wywiady z historykami, którzy właśnie stali się politykami.

W pewnym momencie widać było, że nie da się już dalej ciągnąć z takim pęknięciem – naczelny z dawnych czasów, a tu moje parcie na nowe oblicze pisma. Już przed wyborami opublikowałem tekst...

Mówisz o wyborach 4 czerwca?

Tak. To był chyba pierwszy legalnie opublikowany tekst o „Nilu" Fieldorfie. Zaczęły się pojawiać artykuły, które przedtem byłyby niemożliwe. Najpierw łagodnie, a potem już na całego. No i w końcu zostałem naczelnym. Pismo wydawała „Nasza Księgarnia", ale szybko przeszła w prywatne ręce i zgłosiła swój, mówiąc delikatnie, brak zainteresowania w dalszym publikowaniu miesięcznika.

Zacząłem wtedy jedyną kapitalistyczną przygodę w moim życiu. Dogadałem się z moim młodszym przyjacielem z wydziału i z seminarium profesora Zahorskiego, Andrzejem Rosnerem, który właśnie wychodził z podziemia ze swoim wydawnictwem „Krąg", i z moim byłym studentem, bardzo zręcznym biznesowo, Bogdanem Boruckim, że zakładamy spółkę.

Najpierw trzeba było załatwić prawo do wydawania. Zacząłem chodzić po Ministerstwie Szkolnictwa Wyższego; żebrałem, żeby pozwolili mi kupić tytuł za symboliczną złotówkę. Rokowania trwały dosyć długo, w końcu zapadła decyzja, że mogę to odkupić.

Nie mieliśmy żadnych pieniędzy na start. Nie było problemu z uzyskaniem dobrych tekstów, a nawet ze składem i łamaniem, bo to można było zrobić na komputerze „Kręgu". Ale pozostawał problem druku i zbudowania modelu biznesowego pisma. Wykombinowaliśmy, że właściwie jedyny pieniądz, jaki nam umożliwi wydawanie, może pochodzić z prenumeraty – zwłaszcza że „Ruch" rozliczał sprzedaż w cyklu trzymiesięcznym. Ale jak tu zrobić prenumeratę – trzech facetów znikąd i brak gwarancji finansowych? Pomogło Ministerstwo Obrony Narodowej, gdzie w roli wiceministra do spraw wychowawczych debiutował właśnie mój były student, Bronisław Komorowski.

Poszedłem do Bronka i powiedziałem: – Słuchaj, „Mówią Wieki" to zupełnie nowe pismo, o innym obliczu. Gdyby to zaprenumerowały biblioteki wojskowe, to by było fantastycznie. Nie była to łatwa rozmowa, Bronek długo się wahał, co zresztą znakomicie rozumiem, nie mógł przecież decydować sam w takiej sprawie. Radził się chyba wszystkich w ministerstwie, zasięgał opinii na zewnątrz, ale w końcu decyzja komisji ministerialnej była pozytywna. Poza tym od razu zaczęliśmy, zresztą za twoją, Michale, poradą, zbierać reklamy. Tobie zawdzięczam też nasz lokal w budynku „Czytelnika" na Wiejskiej.

Ci, co dawali reklamy, wiedzieli, że z tego żadnego pożytku mieć nie będą, ale pomagali nam z pełnym przekonaniem. Szybko doszliśmy do pułapu bodajże trzynastu tysięcy. Potem pojawiły się bariery: po pierwsze, gwałtowna zwyżka cen druku, po drugie, konieczność wprowadzenia koloru; pismo nie mogło być już tak zgrzebne, jak w minionej dekadzie. Ściągnąłem Krzyśka Findzińskiego, grafika, który stworzył nową szatę graficzną. Pieniądze były z tego małe, ale od początku uważałem, że dla członków redakcji to nie może być podstawowe źródło utrzymania. Wszyscy funkcjonowali jak pasjonaci – po prostu mieliśmy wielką przygodę życia. Z rolą naczelnego redaktora rozstawałem się długo, próbowałem to łączyć z pracą w MSZ, co się w końcu okazało niemożliwe. Podobnie Andrzej Rosner, który wiosną 1992 roku trafił do Ministerstwa Kultury, musiał zrezygnować z udziałów w spółce, a z czasem i z pracy w redakcji. Pozostał tylko Bogdan Borucki, który w „Mówią Wieki" jest do dzisiaj. A w redakcji ster rządów przejęła na jakiś czas pani profesor Halina Manikowska (żona Adama).

Latem 1992 czekaliśmy na pierwszy numer „Mówią Wieki" w wielkim napięciu. Najpierw był bardzo trudny skład. Trudny również dla mnie osobiście, bo miałem kłopoty z dyskiem, nie bardzo mogłem kierować samochodem. Do wydawnictwa „Krąg" trzeba było jechać przez pół Warszawy, na Ochotę (wiózł mnie Andrzej Rosner swoim maluchem), później jeszcze wejść na bardzo wysokie trzecie piętro w starej kamienicy, a potem, co gorsza – zejść. Wreszcie numer poszedł do druku. Andrzej czatował przy maszynach w drukarni; zadzwonił do mnie późno w nocy, strasznie podniecony i mówi: – Przyjeżdżaj!

Jak zobaczyłem ten wypływający pierwszy numer, to myślałem, że z radości będę lewitował.

Nieźle cię opluskwiono w internecie z powodu „Mówią Wieki".

Tak, ktoś mi to pokazał. Podobno pod moim kierownictwem „Mówią Wieki" zamieniło się w ośrodek antypolskiej dywersji, drukowaliśmy teksty pisane na zlecenie Mossadu – i tak dalej w tym stylu. Muszę powiedzieć, że to było pierwsze pismo legalne, gdzie drukowali swoje rzeczy, już w nadziemiu, Andrzej Paczkowski, Krystyna Kerstenowa, cała plejada osób, które były historykami Polski Podziemnej. Szkoda strzępić język.

Wracam do początków „Mówią Wieki" w wersji prywatnej. Chcieliśmy z Beatą jechać na wakacje, ale postanowiłem poczekać na drugi numer pisma, żeby mieć pewność, że to nie jest jednorazowa impreza. Dopiero wtedy wybraliśmy się do Zakopanego. Przez cały dzień patrzyłem na góry; jeszcze nie bardzo mogłem chodzić, ale coś mnie nosiło. I wtedy zadzwonił Stefan Amsterdamski z Wiednia, zapraszał nas do siebie. Pojechaliśmy, zresztą Wiedeń nie bardzo mi się wówczas spodobał. Stamtąd – dalej, do Włoch. Zaczęliśmy się szwendać po Włoszech, było już po sezonie, tanio, rozkosznie, pustawo, jak to w końcu września.

Jesienią 1992 roku wróciliśmy do Polski, gdzie czekała na mnie następna propozycja od ministra Skubiszewskiego. W ten sposób zaczynał się nowy rozdział mojego życia.

SŁOWNICZEK BIOGRAFICZNY

INDEKS OSOBOWY

A

Abraszewski, Andrzej

W 1968 r. pracownik PISM. Doktorat w 1971 r. na Wydziale Prawa i Administracji UMK w Toruniu, obecnie w służbie dyplomatycznej, wiceprzewodniczący Komitetu Doradczego ds. Administracyjnych i Budżetowych ONZ.

Amsterdamski, Stefan

(1925–2005), filozof, działacz opozycji demokratycznej. W 1968 usunięty z pracy na Uniwersytecie Łódzkim. Od 1970 r. – w Instytucie Historii Nauki PAN, od 1991 – w Instytucie Filozofii i Socjologii PAN. W 1989 r. otrzymał tytuł profesora. Internowany w stanie wojennym, w latach 80. działał w podziemnym społecznym komitecie nauki NSZZ „Solidarność". Uczestnik obrad Okrągłego Stołu, podsekretarz stanu w rządzie Tadeusza Mazowieckiego.

Axer, Erwin

(ur. 1917), znany reżyser teatralny, eseista. W latach 1949–1971 dyrektor warszawskiego Teatru Współczesnego. Jednocześnie, w latach 1949–1979 – wykładowca na Wydziale Reżyserii warszawskiej PWST.

B

Bartoszewski, Władysław

(ur. 1922), historyk, pisarz, działacz polityczny, człowiek-instytucja. Działacz podziemia w latach okupacji, więzień Auschwitz-Birkenau; więzień w okresie stalinowskim, internowany w stanie wojennym. W III Rzeczypospolitej dwukrotnie minister spraw zagranicznych (marzec-grudzień 1995 i czerwiec 2000 – październik 2001); prezes polskiego PEN-Clubu, odznaczony m.in. orderem Orła Białego, Krzyżem Wielkim orderu Zasługi RFN, papieskim Orderem św. Grzegorza Wielkiego; jest honorowym obywatelem Państwa Izrael. Autor blisko 40 książek i blisko 1500 artykułów. Dla przyjaciół – dusza towarzystwa, sam wdzięk i urok; dla wrogów – broń masowego rażenia.

Baszkiewicz, Jan

(ur. 1930), historyk, prawnik, politolog. Profesor Instytutu Nauk Politycznych UW, członek rzeczywisty PAN. Autor kilkunastu ważnych książek, w tym również poświęconych dziejom Rewolucji Francuskiej, a także kilku biografii: Robespierre'a (1976); Dantona (1978); Ludwika XVI (1983); Richelieu (1984); Henryka IV (1995).

Batista, Fulgencio

(1901–1973), generał, kubański polityk, prezydent Kuby 1940–1944 i dyktator 1952–1959. Dwukrotnie przeprowadzał na Kubie wojskowy zamach stanu: w 1933 r., jako dowódca tzw. buntu sierżantów, i w 1952 r. Po zwycięstwie Fidela Castro przebywał na emigracji na Dominikanie, w Portugalii i w Hiszpanii.

Bazylow, Ludwik

(1915–1985), historyk, profesor UW, autor znakomitych książek o historii Rosji. W latach 60. prorektor Uniwersytetu Warszawskiego. Ofiara morderczych zapędów studenta Mellera.

Bratkowski, Stefan

(ur. 1934), dziennikarz, publicysta, pisarz. Członek redakcji legendarnego „Po prostu" w latach 1956–57. Twórca „Życia i Nowoczesności" (1971–1973 i 1980–1981). W latach 1980–1982 i 1989–1992 prezes Stowarzyszenia Dziennikarzy Polskich, obecnie prezes honorowy Stowarzyszenia. Autor kilkunastu książek i niezliczonych artykułów. Jeden z twórców Konwersatorium „Doświadczenie i Przyszłość" (1978–1983 i 2007).

Bugajski, Ryszard

(ur. 1943), reżyser filmowy, znany przede wszystkim z *Przesłuchania* (1982, oficjalna premiera 1989).

C
Castro, Fidel

(ur. 1926), kubański polityk, przywódca Kuby od zwycięstwa nad Batistą w 1959 r. Początkowo dość umiarkowany, bardzo szybko dostał się w orbitę wpływów ZSRR, uzależniając się od dostaw radzieckiej ropy i żywności. W 1960 r. Stany Zjednoczone zerwały stosunki dyplomatyczne i gospodarcze z Kubą, a w rok później próbowały zorganizować na wyspie zbrojną interwencję. W 1962 r. Castro wydał zgodę na rozmieszczenie na Kubie radzieckich rakiet balistycznych, co doprowadziło w październiku 1962 r. do tzw. kryzysu kubańskiego. Świat stanął wtedy w obliczu realnego zagrożenia konfliktem atomowym w globalnej skali. Sytuacja Kuby pod rządami Castro pogorszyła się gwałtownie w latach 90., po rozpadzie bloku radzieckiego, kiedy skończyła się pomoc gospodarcza ze wschodu. Castro – to jeden z nielicznych żyjących przywódców, utrzymujących swój kraj w stanie permanentnej nędzy. Rządzi przy pomocy terroru i represji wobec nielicznych opozycjonistów. Od wielu lat Kuba jest skansenem realnego socjalizmu.

Cyrankiewicz, Józef

(1911–1989), polityk, premier PRL, bliski współpracownik Władysława Gomułki. Zaczynał jako przedwojenny działacz PPS w Krakowie, potem uczestnik zbrojnego podziemia (m.in. organizował akcję odbicia Jana Karskiego z rąk Gestapo). Więzień Auschwitz; po wojnie rozpoczął współpracę z komunistami. Wszedł do historii jako autor groźby, skierowanej do poznańskich robotników – w czerwcu 1956 r., w trakcie krwawego tłumienia manifestacji – o odrąbywaniu rąk przez władzę ludową. W grudniu 1970 r. odsunięty od władzy wraz z ekipą Gomułki.

D
Dejmek, Kazimierz

(1924–2002), reżyser teatralny, twórca wielu legendarnych spektakli, przede wszystkim „Dziadów" w teatrze Narodowym (1967). W 1968 usunięty ze stanowiska dyrektora Teatru Narodowego, przez cztery lata reżyserował za granicą. Od 1975 – dyrektor w teatrze Nowym w Łodzi; w latach 1981–1995 – dyrektor Teatru Polskiego w Warszawie. W czasie stanu wojennego opowiedział się po stronie władz, chociaż jednocześnie bronił represjonowanych aktorów. W latach 1993–1996 był ministrem kultury i sztuki.

Dobrowolski, Paweł

(ur. 1954), historyk, dyplomata, pracownik MSZ; był m.in. konsulem w Edynburgu, ambasadorem w Ottawie, dwukrotnie rzecznikiem prasowym resortu spraw zagranicznych.

Dziewoński, Edward „Dudek"

(1916–2002), aktor, reżyser, satyryk. Twórca legendarnego kabaretu „Dudek" (1965–1975), miał na swoim koncie również wiele ról filmowych – od *Zakazanych piosenek* (1947) do *Strasznego snu Dzidziusia Górkiewicza* (1983) – oraz wiele ról teatralnych.

Dziewulska, Małgorzata

z wykształcenia filozof; eseistka, reżyserka, w latach 70. założycielka eksperymentalnego Puławskiego Studia Teatralnego. Była doradcą literackim w najlepszym okresie Starego Teatru w Krakowie i kierownikiem literackim Teatru Narodowego. Wykłada na Wydziale Wiedzy o Teatrze warszawskiej PWST.

E
Englert, Jan

(ur. 1943), aktor i reżyser. Aktor Teatru Współczesnego, Teatru Polskiego, Teatru Narodowego. Ma na swoim koncie również ponad 30 ról filmowych. Od 2003 dyrektor artystyczny Teatru Narodowego. Wieloletni wykładowca warszawskiej PWST, dziekan Wydziału Aktorskiego (1981–1987) i rektor uczelni (1987–1993; 1996–2002).

Englert, Maciej

(ur. 1946), reżyser teatralny, terminował u boku Erwina Axera, od 1981 r. jest dyrektorem warszawskiego Teatru Współczesnego. Zrealizował również kilkanaście przedstawień w Tatrze Telewizji.

F
Fieldorf, August Emil „Nil"

(1895–1953), żołnierz I brygady Legionów, uczestnik walk w wojnie polsko–bolszewickiej 1920 r., po wrześniu 1939 na emigracji, przerzucony do kraju we wrześniu 1940 r. Był dowódcą Kedywu AK, a od lipca 1944 r. zastępcą Komendanta Głównego AK. Uczestnik Powstania Warszawskiego, w 1945 r. mianowany generałem brygady. Aresztowany w 1945 r., spędził dwa lata w obozie pracy na Uralu. Wrócił do Polski w 1947 r., ponownie aresztowany w 1950 r. Po wyroku Sądu Wojewódzkiego w Warszawie powieszony w więzieniu na Rakowieckiej.

Fik, Ignacy

(1904–1942), poeta, krytyk literacki, publicysta, związany z KPP, w czasie okupacji w podziemiu. Aresztowany w 1942 r. i rozstrzelany przez Niemców. Najważniejsze publikacje: *Rodowód społeczny literatury polskiej* (1938 – wydanie skonfiskowane przez cenzurę, wznowione w 1946) i *Dwadzieścia lat literatury polskiej 1918–1938* (1939 – wydanie skonfiskowane, wznowione 1949), rozprawa *Uwagi nad językiem Cypriana Norwida* (1930), prace z dziedziny estetyki, tomy wierszy: *Kłamstwa lustra* (1932); *Przemiany* (1932); *Plakaty na murze* (1936); *Przymierze* (wydanie konspiracyjne 1940).

Fik, Marta

(1937–1995), córka Ignacego, krytyk teatralny, historyk kultury, działaczka opozycji demokratycznej. Była profesorem Instytutu Sztuki PAN, wykładała na Uniwersytecie Jagiellońskim, w krakowskiej i warszawskiej PWST. Najważniejsze publikacje: *Reżyser ma pomysły* (1974), *Trzydzieści pięć sezonów: teatry dramatyczne w Polsce w latach 1944–1979* (1981); *Sezony teatralne* (1997), *Przeciw czyli za* (1983); *Kultura polska po Jałcie 1944–1981* (1989, wyd. krajowe 1991), *Między Polską a światem: kultura emigracyjna po 1939 roku* (1992); *Marcowa kultura: wokół „Dziadów", literaci i władza, kampania marcowa* (1995), *Autorytecie wróć?* (1997).

Furet, François

(1927–1997), wybitny historyk francuski. Za młodu związany z ideami komunistycznymi, stał się potem jednym z najważniejszych krytyków marksistowskiej interpretacji dziejów. Zajmował się przede wszystkim dziejami rewolucji francuskiej. Najważniejsze publikacje: *La Révolution* (z Denisem Richet, 1965); *Penser la Révolution française* (1983, fragment wydany w Polsce pod tytułem *Prawdziwy koniec Rewolucji Francuskiej*, Kraków, Znak 1994); *L'Atelier de l'histoire* (1982); *Dictionnaire critique de la Révolution française* (1988, z Moną Ouzof); *Le passé d'une illusion: essai sur l'idée communiste au XX-e siècle*, (1995, wydanie polskie: *Przeszłość pewnego złudzenia; esej o idei komunistycznej w XX wieku*, 1996); *Fascisme et communisme* (1998, z Ernstem Nolte).

G
Geremek, Bronisław

(ur. 1932), historyk, polityk, poseł do Parlamentu Europejskiego. Specjalizował się w historii średniowiecza; pracował w Instytucie Historii PAN. W latach 70. zaangażował się w działalność opozycji demokratycznej. Był współtwórcą Towarzystwa Kursów Naukowych (1978), ekspertem NSZZ „Solidarność" od 1980 r. Internowany w stanie wojennym, ponownie aresztowany w 1983 r. Działacz podziemnej „Solidarności", członek Komitetu Obywatelskiego, uczestnik obrad Okrągłego Stołu. W III RP m.in. przewodniczący sejmowej komisji spraw zagranicznych (1989–1997), minister spraw zagranicznych (1997–2000). Od 2004 r. poseł do Parlamentu Europejskiego. Czołowy działacz ROAD, Unii Demokratycznej, Unii Wolności (przewodniczący UW 2000–2001). Najważniejsze publikacje: *Życie codzienne w Paryżu Franciszka Villona* (1972); *Ludzie marginesu w średniowiecznym Paryżu: XIV-XV wiek* (1971); *Litość i szubienica: dzieje nędzy i miłosierdzia* (1989); *Świat „opery żebraczej": obraz włóczęgów i nędzarzy w literaturach europejskich XV-XVII wieku* (1989).

Giedroyc, Jerzy

(1906–2000), publicysta, polityk, twórca Instytutu Literackiego w Paryżu, miesięcznika „Kultura" i „Zeszytów Historycznych". Studiował prawo i historię na UW, po studiach, w latach 30., pracował w Ministerstwie Rolnictwa, a następnie w Ministerstwie Przemysłu i Handlu. Jednocześnie rozpoczął działalność publicystyczną („Dzień Akademicki", „Bunt Młodych", „Polityka"). W czasie II wojny światowej poprzez Rumunię i Turcję dotarł do Palestyny; jako żołnierz Samodzielnej Brygady Strzelców Karpackich brał udział w kampanii libijskiej i w walkach o Tobruk. W ostatnim roku wojny został dyrektorem Departamentu Europy w Ministerstwie Informacji Rządu RP w Londynie.

Instytut Literacki został założony dzięki pomocy II Korpusu w Rzymie w 1946 r., a w 1947 r. Giedroyc przeniósł Instytut – wtedy już niezależny, po spłaceniu wszystkich zobowiązań – do Paryża. W tym samym roku ukazał się pierwszy numer „Kultury", jednego z najważniejszych polskich czasopism XX wieku. Od 1953 r. Giedroyc wydawał także kolejne tomy z Biblioteki „Kultury", czyli najważniejszego wydawnictwa publikującego po polsku poza granicami PRL. Ogółem do śmierci Giedroycia opublikowano 637 numerów „Kultury" i 511 tomów Biblioteki „Kultury". Jeszcze za życia Giedroycia ukazała się napisana we współpracy z Krzysztofem Pomianem *Autobiografia na cztery ręce* (1994), a po jego śmierci – kolejne tomy korespondencji (z Witoldem Gombrowiczem, Konstantym A. Jeleńskim, Andrzejem Bobkowskim, Jerzym Stempowskim, Juliuszem Mieroszewskim, Melchiorem Wańkowiczem, Janem Nowakiem-Jeziorańskim).

Gieysztor, Aleksander

(1919–1999), wybitny historyk polski. Studia historyczne na UW ukończył w 1937 r. W czasie II wojny światowej działał w Biurze Informacji i Propagandy Komendy Głównej AK. Jednocześnie był wykładowcą tajnego Uniwersytetu Warszawskiego; obronił doktorat w 1942 r. Uczestnik Powstania Warszawskiego. Od 1945 r. wykładał w Instytucie Historycznym UW, początkowo jako adiunkt, potem, od 1949 r. jako profesor. W latach 70. był dyrektorem Instytutu, od 1971 r. członkiem rzeczywistym PAN. Długoletni (1991–1999) dyrektor Zamku Królewskiego w Warszawie. Najważniejsze publikacje: *Historia Polski* (współautor; 1947); *Ze studiów nad genezą wypraw krzyżowych* (1948); *Zarys nauk pomocniczych historii* (1948); *Zarys dziejów pisma łacińskiego* (1972); *Zamek Królewski w Warszawie* (1973); *Mitologia Słowian* (1980).

Gomulicki, Juliusz Wiktor

(1909–2006), varsavianista, bibliofil, eseista, edytor. Syn pisarza Wiktora Gomulickiego („Wspomnienia niebieskiego mundurka"). Studiował prawo na UW, psychologię i socjologię na tajnym Uniwersytecie Warszawskim). W czasie wojny prowadził antykwariat. Brał udział w Powstaniu Warszawskim. Po wojnie, w latach 1945–1948 był urzędnikiem w Ministerstwie Kultury i w Centralnym Instytucie Kultury, zaś w latach 1949–1953 zastępcą redaktora naczelnego „Nowych Książek". Publikował w wielu czasopismach, m.in. w „Roczniku Literackim", „Nowych Książkach", „Życiu Warszawy". Był pracownikiem Instytutu Badań Literackich PAN, wykładał na Uniwersytecie Warszawskim. Jako edytor zajmował się przede wszystkim twórczością Norwida.

Gomułka, Władysław

(1905–1982), polityk, działacz KPP od 1927 r. Aresztowany w 1932 r. za działalność komunistyczną, wymieniony za jednego z agentów polskiego wywiadu. W latach 1934–1935 mieszkał w Moskwie, gdzie ukończył Międzynarodową Akademię Leninowską. Od 1935 r. ponownie w Polsce, działał na Górnym Śląsku, wielokrotnie aresztowany. Wybuch wojny zastał go w więzieniu w Sieradzu. Przedostał się do Lwowa. Pozostał na terenie ZSRR do 1941 r. Od 1941 r. działał w okolicach Krosna, w 1942 r., już jako jeden z przywódców PPR (od stycznia 1943 r. I sekretarz), pojawił się w Warszawie. Po 1945 r. był jednym z przywódców komunistycznej elity, która objęła władzę w Polsce. Brał aktywny udział w fałszowaniu wyników referendum „3 razy TAK" w 1946 r.

Popadł w niełaskę w 1948 r. Oskarżono go o „odchylenie prawicowo-nacjonalistyczne", uwięziono w 1951 r. Zwolniony w 1954 r., wrócił do władzy jako I sekretarz KC PZPR w październiku 1956 r. Za jego kadencji nastąpił odwrót od idei Października, doszło do otwartego konfliktu z Kościołem (1966 r.), do antysemickiej kampanii w środkach przekazu i na robotniczych masówkach (1967–1968), do udziału w inwazji wojsk Układu Warszawskiego na Czechosłowację (sierpień 1968 r.), wreszcie – do krwawej rozprawy z robotnikami Gdańska, Gdyni i Szczecina (grudzień 1970 r.).

Górnicki, Wiesław

(1931–1996), dziennikarz, reporter, eseista, działacz polityczny. Pracował w redakcji tygodnika „Świat", był korespondentem PAP w Nowym Jorku. Ceniony w środowisku dziennikarskim za świetny poziom tekstów. Został odwołany do kraju w 1967 r., po dokonanej przez niego bardzo krytycznej ocenie zerwania stosunków z Izraelem przez rząd PRL. Do 1968 r. pracował w „Życiu Warszawy", potem w „Przekroju". W latach 70. przeżył metamorfozę, która doprowadziła go do elity władzy. W 1981 r. został doradcą Wojciecha Jaruzelskiego. Podobno napisał mu kilkadziesiąt przemówień, w tym to najstraszniejsze, proklamujące stan wojenny, wygłoszone 13 grudnia 1981 r. o godzinie szóstej rano.

Grochulska, Barbara

(ur. 1924), magisterium na UW 1952, doktorat i habilitacja tamże 1963 i 1976, profesura nadzwyczajna 1990. Zatrudniona w Instytucie Historycznym UW aż do emerytury w 1992 r. Sekretarz naukowy Instytutu Historycznego UW 1966–1970, członek Rady Naukowej Archiwum UW. Zastępca redaktora „Wieku Oświecenia", członek redakcji „Rocznika Warszawskiego" 1960–1992 i „Cahiers de Varsovie", członek redakcji „Mówią Wieki" w latach 1960–1985, członek Rady Naukowej „Wieku Oświecenia", członek jury nagrody Klio, przewodnicząca jury nagrody im. Jerzego Skowronka. Najważniejsze publikacje: *Handel zagraniczny Księstwa Warszawskiego. Z badań nad strukturą gospodarczą* (1967); *Warszawa na mapie Polski stanisławowskiej. Podstawy gospodarcze w rozwoju miasta* (1980); *Księstwo Warszawskie* (1966, 2 wyd. 1990); *Epoka napoleońska w polskiej historiografii, literaturze, sztuce i tradycji* (2003).

H
Herbst, Stanisław

(1907–1973), historyk, doktorat pod kierunkiem prof. Oskara Haleckiego 1931. Przed wojną był nauczycielem w szkole w Pruszkowie, asystentem na Politechnice Warszawskiej, urzędnikiem Ministerstwa Wyznań Religijnych i Oświecenia Publicznego. Podczas okupacji, poza pracą zawodową, tkwił w konspiracji: był pracownikiem Referatu Żydowskiego w Wydziale Informacji Biura Informacji i Propagandy Komendy Głównej Armii Krajowej, uczestniczył w akcji pomocy Żydom – przygotowywał materiały ujawniające zbrodnie hitlerowskie, utrzymywał kontakty z ugrupowaniami w getcie warszawskim, pomagał w ukrywaniu osób narodowości żydowskiej w domach w Warszawie. Brał także udział w tajnym nauczaniu w konspiracyjnej Wolnej Wszechnicy Polskiej. Wspólnie z Piotrem Biegańskim, Stanisławem Lorentzem i Janem Zachwatowiczem ratował dzieła sztuki podczas Powstania Warszawskiego. Po wojnie od 1946 r. pracownik Instytutu Historycznego UW. Związany również m.in. z Instytutem Historii PAN, Wojskową Akademią Polityczną w Warszawie, Mazowieckim Ośrodkiem Badań Naukowych. W latach 1956–1973 był prezesem Polskiego Towarzystwa Historycznego. Najważniejsze publikacje: *Toruńskie cechy rzemieślnicze* (1933); *Kleck 1506* (1934); *Między Bugiem a Wisłą 1794* (1935); *Wojna moskiewska 1507-08* (1935); *Twierdza Zamość. Część historyczna* (1936, z Janem Zachwatowiczem); *Zarys nauk pomocniczych historii* (1948, z Aleksandrem Gieysztorem); *Miasta i mieszczaństwo Renesansu polskiego* (1954); *Zamość* (1955); *Odrodzenie w Polsce* (1956); *Polska kultura mieszczańska na przełomie XVI i XVII wieku* (1956); *Regionalne badania historyczne w przeszłości i w Polsce Ludowej* (1956); *Studia renesansowe* (1956); *Historia wojskowa: treść, dzieje, metoda i metodologia* (1961); *Kultura polska w źródłach i opracowaniach* (1961, z Juliuszem Bardachem); *Polskie Tysiąclecie* (1961, z Aleksandrem

Gieysztorem i Bogusławem Leśnodorskim); *L'historiographie militaire polonaise* (1969); *Umysłowość i ideologia polska w XVII wieku* (1969).

Holoubek, Gustaw

(ur. 1923 r.), jeden z najwybitniejszych polskich aktorów i reżyserów. Ukończył PWST w Krakowie. Od 1958 r. związany z Warszawą. Grał w Teatrach: Polskim, Dramatycznym, Narodowym. Wieloletni dyrektor naczelny Teatru Dramatycznego w Warszawie (1971–1983). W latach 1970–1981 był prezesem SPATIF-u. W latach 1981–1982 (aż do rozwiązania organizacji) – honorowy prezes ZASP. W latach 1982–1989 aktor Teatru Polskiego, potem Ateneum. Profesor PWST w Warszawie.

Z jego niezliczonych kreacji aktorskich na wyróżnienie szczególnie zasługują: rola sędziego Custa w *Trądzie w Pałacu Sprawiedliwości* (1958), Goetza w sztuce *Diabeł i Pan* Sartre'a (1960), Hamleta w znakomitym przedstawieniu we własnej reżyserii (1962), Ryszarda II w dramacie Szekspira (1964), Riccarda w *Namiestniku* Hochhutha (1966), a przede wszystkim – rola Gustawa/Konrada w legendarnych Dejmkowych *Dziadach* (1967). Grał w repertuarze klasycznym, szukając jak zawsze odniesień współczesnych – jako Segismundo w sztuce *Życie snem* Calderona w reż. Ludwika René (1969), jako Lear w *Królu Learze* Szekspira w reż. Jerzego Jarockiego (1977), Tomasz Beckett w *Mordzie w katedrze* Eliota w reż. Jerzego Jarockiego (1982). Stworzył także doskonałe kreacje aktorskie w dramacie współczesnym – zagrał Skrzypka w *Rzeźni* Mrożka w reż. Jerzego Jarockiego (1975), Teddora Hickmana w *Przyjdzie na pewno* O'Neilla w reż. Jerzego Antczaka, Fiora w *Operetce* Gombrowicza w reż. Macieja Prusa (1980) oraz Superiusza w *Pieszo* Mrożka w reż. Jerzego Jarockiego (1981); Stańczyka w *Weselu* Wyspiańskiego w reż. Kazimierza Dejmka (1984), rolę tytułową w *Romulusie Wielkim* Dürrenmatta także w reż. Dejmka (1985); Bohatera w *Małej apokalipsie* Tadeusza Konwickiego w reż. Krzysztofa Zaleskiego, Wilhelma Fürtwanglera w *Za i przeciw* Ronalda Harwooda w reż. Janusza Warmińskiego (1995). Ma na swoim koncie również role w prawie stu przedstawieniach Teatru Telewizji i wiele ról w polskich filmach.

Honecker, Erich

(1912–1994), niemiecki komunista, I sekretarz KC SED w latach 1971–1989. Zanim objął władzę, był jednym z najbliższych współpracowników swojego poprzednika Waltera Ulbrichta. To pod nadzorem Honeckera wzniesiono w 1961 r. Mur Berliński, który na trzy dziesięciolecia rozdzielił dwa państwa niemieckie. Był odpowiedzialny nie tylko za rozkaz strzelania do ludzi, którzy usiłowali przedostać się przez granicę z RFN, ale także za zbrodnicze działania niemieckiej tajnej policji Stasi. Po upadku NRD uciekł do ZSRR. Po rozpadzie Związku Radzieckiego został w 1992 r. wydany władzom niemieckim. Usiłowano wytoczyć mu proces karny. Był już jednak ciężko chory na raka i ze względów humanitarnych zezwolono mu na podróż do córki, do Chile, gdzie umarł w 1994 r.

Hübner, Zygmunt

(1930–1989), wybitny reżyser i animator kultury, pedagog, aktor. Ukończył warszawską PWST (wydziały: Aktorski i Reżyserii). W latach 1963–1969 był dyrektorem naczelnym i artystycznym jednej z najważniejszych scen w kraju – Starego Teatru w Krakowie. Odszedł po Marcu '68. Był to świetny okres w dziejach Teatru; udało się pozyskać do współpracy m.in. Andrzeja Wajdę czy Konrada Swinarskiego, a pracę w zespole aktorskim rozpoczęli: Mirosława Dubrawska, Anna Polony, Anna Seniuk, Jerzy Bińczycki, Tadeusz Malak, Jan Nowicki, Franciszek Pieczka, Wojciech Pszoniak, Wiktor Sadecki i Marek Walczewski.

Po odejściu z Krakowa reżyserował gościnnie m.in. w Teatrze Wybrzeże w Gdańsku (*Ulisses* Joyce'a). Pracował w warszawskiej PWST. W 1974 r. objął stanowisko dyrektora Teatru Powszechnego w Warszawie. Doprowadził tę scenę do stanu, w którym każda kolejna premiera stawała się wydarzeniem artystycznym. Z najświetniejszych dokonań warto wspomnieć: *Lot nad kukułczym gniazdem* Dale'a Wassermana wg powieści Kena Keseya (1977), *Zemstę* Aleksandra Fredry (1978), *Spiskowców* wg powieści *W oczach Zachodu* Josepha Conrada (1980), Jednoaktówki Vaclava Havla *Audiencja, Wernisaż, Protest* (1981), *Iwonę, księżniczkę Burgunda* Witolda Gombrowicza (1983), *Garderobianego* Ronalda Harwooda (1986) i *Medeę* Eurypidesa (1988). W kierowanym przez niego zespole aktorskim znaleźli się artyści współpracujący z nim wcześniej w Gdańsku i Krakowie: Mirosława Dubrawska, Anna Seniuk, Edmund Fetting, Kazimierz Kaczor, Władysław Kowalski, Franciszek Pieczka, Wojciech Pszoniak i Marek Walczewski, a także: Krystyna Janda, Elżbieta Kępińska, Mariusz Benoit, Janusz Gajos, Leszek Herdegen, Piotr Machalica, Stanisław Zaczyk czy Zbigniew Zapasiewicz. Z teatrem współpracowało wielu znakomitych reżyse-

rów, wśród nich Kazimierz Kutz, Aleksander Bardini czy Piotr Cie-
ślak, a także Andrzej Wajda, który w 1977 przygotował w Teatrze
Powszechnym głośny spektakl wg *Rozmów z katem* Kazimierza Moczarskiego; w tym przedstawieniu Hübner grał rolę Moczarskiego.

I
Iredyński, Ireneusz

(1939–1985), prozaik, dramaturg, poeta. Proza: *Dzień oszusta*
(1962); *Ukryty w słońcu* (1963); *Związki uczuciowe* (1970); *Człowiek
epoki* (1971); *Manipulacja* (1975); *Bajki nie tylko o smoku* (1977); *Okno*
(1978). Tomiki poetyckie: *Wszystko jest obok* (1959); *Moment bitwy*
(1961); *Muzyka konkretna* (1971). Sztuki teatralne: *Męczeństwo z przy-
miarką* (1960); *Ostatni odcinek drogi* (1962): *Zejście do piekła* (1964);
Jasełka-moderne (1965); *Trzecia pierś* (1975); *Żegnaj, Judaszu* (1971);
Dobroczyńca (1971); *Sama słodycz* (1973); *Czysta miłość* (1974).
W połowie lat 60. naraził się ówczesnemu I sekretarzowi KC
PZPR, Władysławowi Gomułce. Był bezustannie inwigilowany
przez SB, która w końcu zmontowała przeciw niemu sprawę karną
z oskarżenia o usiłowanie gwałtu. Odsiedział karę trzech lat w więzieniu w Sztumie.

Irzykowski, Karol

(1873–1944), krytyk literacki, poeta, prozaik, dramaturg, tłumacz.
Pracę dziennikarską rozpoczął na przełomie stuleci. W II Rzeczypospolitej współpracował ze „Skamandrem" i „Wiadomościami Li-
terackimi", z czasopismem „Europa", został członkiem Polskiej
Akademii Literatury. Był jednym z najwybitniejszych krytyków literackich XX w. Drogę twórczą rozpoczął jako prozaik. Jego eks-
perymentalna powieść psychologiczna *Pałuba* (1903, wydana wraz
z opowiadaniem *Sny Marii Dunin*) uchodzi do dziś za jedno z najbardziej interesujących osiągnięć prozy polskiej XX w.

J
Jabłoński, Henryk

(1909–2003), historyk, profesor UW, działacz polityczny. Wywodził
się z PPS, po zjednoczeniu z PPR zrobił karierę w PZPR. Był m.in.
członkiem KC, ministrem szkolnictwa wyższego (podpisywał dokumenty dotyczące usuwania studentów i pracowników wyższych
uczelni po Marcu '68), przewodniczącym Rady Państwa. Właśnie
w tym charakterze podpisał dekret o stanie wojennym (1981).

Jaruzelski, Wojciech

(ur. 1923), generał armii, polityk. Minister obrony narodowej 1968–1983 (podpisywał m.in. dokumenty dotyczące czystki w wojsku po Marcu '68, wydawał też rozkazy w grudniu 1970 r.), premier PRL (1981–1985) i I sekretarz KC PZPR (1981–1989); przewodniczący Wojskowej Rady Ocalenia Narodowego (1981, odpowiedzialny za podpisanie dokumentów dotyczących represji po wprowadzeniu stanu wojennego); pierwszy prezydent III Rzeczypospolitej (1989). Z drugiej strony – jeden z architektów Okrągłego Stołu, odpowiedzialny za pokojowe przekazanie władzy przez komunistów.

Jasienica, Paweł, właśc. Beynar Leon Lech

(1909–1970), pisarz, historyk, eseista, publicysta. Studiował historię na Uniwersytecie Stefana Batorego w Wilnie. W latach 1928–32 był nauczycielem historii w Grodnie, potem pracował w „Słowie" wileńskim (naczelnym redaktorem był Stanisław Cat--Mackiewicz). W czasie wojny oficer Armii Krajowej, po wojnie w 5. Wileńskiej Brygadzie AK. Uniknął aresztowania; zadebiutował w 1946 r. – już jako Paweł Jasienica – na łamach „Tygodnika Powszechnego". Aresztowany w 1948 r., zwolniony został po interwencji Bolesława Piaseckiego. Opuścił redakcję „Tygodnika Powszechnego" i wstąpił do Stowarzyszenia PAX, ale ta współpraca przetrwała do połowy 1951 r. Pisywał potem do „Życia Warszawy". Po Październiku 1956 r. aktywnie uczestniczył w życiu środowiska literackiego. Był jednym z głównych przedstawicieli nurtu opozycyjnego wobec władz komunistycznych, działaczem Klubu Krzywego Koła. W 1964 r. podpisał *List 34*, protestujący m.in. przeciw ingerencjom cenzury; w 1967 r. włączył się też aktywnie w protest przeciw zdjęciu z afisza Dejmkowskich *Dziadów* (1967), wygłaszając wyjątkowo odważne przemówienie. Naraził się w ten sposób na obrzydliwe ataki personalne ze strony Władysława Gomułki, który w trakcie znanego przemówienia 19 marca 1968 r. wygłosił następującą insynuację: „W toku śledztwa Jasienica przyznał się, że działał w bandzie Łupaszki i że dopuścił się zarzucanych mu zbrodni. W dniu 3 maja 1949 r. śledztwo przeciwko Jasienicy zostało umorzone z powodów, które są mu znane. Został on zwolniony z więzienia".

Jasienica, podówczas znany i bardzo popularny pisarz, został objęty inwigilacją i całkowitym zakazem druku. Jego dotychczas wydane książki wycofywano z księgarń. W dodatku SB zmontowała

przeciw niemu prowokację, aranżując drugie małżeństwo pisarza z Zofią O'Bretenny, agentką SB. Jasienica nie dożył upadku Gomułki. Umarł kilka miesięcy wcześniej, w sierpniu 1970 r. Spór o spuściznę po pisarzu został rozstrzygnięty sądownie dopiero w końcu 2006 r. Córka Pawła Jasienicy odzyskała prawa autorskie do książek ojca. Najważniejsze książki Jasienicy: *Dwie drogi* (1960); *Myśli o dawnej Polsce* (1960); *Słowiański rodowód* (1961); *Tylko o historii* (1962); *Trzej kronikarze* (1964); Os*tatnia z rodu* (1965); *Polska Piastów* (1960); *Polska Jagiellonów* (1963); cykl *Rzeczpospolita Obojga Narodów*:
– *Srebrny wiek* t. 1 (1967);
– *Calamitatis Regnum* t. 2 (1967);
– *Dzieje agonii* t. 3 (1972);
Rozważania o wojnie domowej (1980); *Pamiętnik* (1985); *Polska anarchia* (1988).

Jedlicki, Jerzy

(ur. 1930), profesor historii, pracuje w Instytucie Historii Polskiej Akademii Nauk, gdzie zajmuje się historią idei i historią społeczną. Najważniejsze z jego książek: *Klejnot i bariery społeczne* (1968); *Źle urodzeni, czyli o doświadczeniu historycznym* (1993); *Świat zwyrodniały* (2000); *Jakiej cywilizacji Polacy potrzebują* (2002).

K
Karpiński, Wojciech

(ur. 1943), historyk idei, krytyk literacki, historyk sztuki, tłumacz. Od 1982 r. mieszka w Paryżu. Najważniejsze publikacje: *Od Mochnackiego do Piłsudskiego. Sylwetki polityczne XIX wieku* (wraz z Marcinem Królem, 1974); *Szkice o wolności* (1980); *W Central Parku* (1980); *Słowiański spór* (1981); *Cień Metternicha* (1982); *Pamięć Włoch* (1982); *Amerykańskie cienie* (1983); *Chusteczka Imperatora* (1983); *Książki zbójeckie. Szkice o literaturze emigracyjnej* (1988); *Herb wygnania* (1989); *Polska a Rosja. Z dziejów słowiańskiego sporu* (1994); *Fajka Van Gogha* (1995); *Portret Czapskiego* (1996); *Prywatna historia wolności* (1997).

Kieniewicz, Jan

(ur. 1938), historyk, profesor UW, wicedyrektor Ośrodka Badań nad Tradycją Antyczną w Polsce i Europie Środkowowschodniej. Po 1989 r. był ambasadorem Polski w Hiszpanii (1990–1994). Autor ponad 300 prac naukowych, w tym 18 książek. Najważniejsze to: *Historia Indii* (1980); *Od ekspansji do dominacji. Próba teorii kolonia-*

lizmu (1986); *Spotkania Wschodu* (1999). Redaktor serii wydawniczej „Novus Orbis".

Kieniewicz, Stefan

(1907–1992), jeden z najwybitniejszych historyków swojego pokolenia. Studia ukończył na Uniwersytecie Poznańskim, w 1934 r. obronił pracę doktorską. Pracował w Archiwum Skarbowym w Warszawie aż do 1944 r. Jednocześnie w czasie okupacji służył w Biurze Informacji i Propagandy Komendy Głównej AK. Ranny w Powstaniu Warszawskim. Po wojnie związał się z Instytutem Historycznym UW, w 1958 r. otrzymał tytuł profesora zwyczajnego. Pracował również w Instytucie Historii PAN. Od 1970 r. był członkiem rzeczywistym PAN. Autor ponad 500 prac naukowych. Ważniejsze książki: *Społeczeństwo polskie w powstaniu poznańskim 1848* (1935); *Ruch chłopski w Galicji w 1846* (1951); *Sprawa włościańska w powstaniu styczniowym* (1953); *Historia Polski 1795–1918* (1968); *Powstanie Styczniowe* (1972); *Warszawa w latach 1795–1914* (1976); *Historyk a świadomość narodowa* (1982).

Kisielewski, Wacław (Wacek)

(1943–1986), syn Stefana Kisielewskiego, pianista, współtwórca (z Markiem Tomaszewskim) duetu fortepianowego Marek i Wacek. Współpracownik opozycji demokratycznej. Zginął w wypadku samochodowym.

Kliszko, Zenon

(1908–1989), polityk, zaufany człowiek Władysława Gomułki. Ukończył Wydział Dziennikarstwa na UW. Był członkiem KPP od 1931 r., członkiem PPR od 1942 r. Był organizatorem tajnej poligrafii PPR w czasie okupacji. Uczestnik Powstania Warszawskiego. W powojennym Sejmie Ustawodawczym szef klubu poselskiego PPR. Usunięty z partii za odchylenie prawicowo-nacjonalistyczne w 1948 r., uwięziony w 1950 r. Po uwolnieniu w 1954 r. redaktor w PWN. Po Październiku, aż do 1970 r. sekretarz KC PZPR. Powszechnie uważany za odpowiedzialnego za wydanie rozkazu strzelania do robotników Wybrzeża w 1970 r.

Kłoczowski, Jerzy

(ur. 1924), historyk, profesor Katolickiego Uniwersytetu Lubelskiego. Studiował po wojnie w Poznaniu, od 1974 r. jest profesorem zwyczajnym. W III Rzeczypospolitej był senatorem, sędzią trybunału Stanu. Od 2002 r. jest dyrektorem Instytutu Europy Środkowo--Wschodniej. Przewodniczy Polskiemu Komitetowi ds. UNESCO. Ważniejsze książki: *Wspólnoty chrześcijańskie* (1964); *Kościół w Polsce* (t. 1: 1968, t. 2: 1970); *Chrześcijaństwo w Polsce* (1981); *Europa Słowiańska w XIV-XV wieku* (1984); *Szkice historyczne* (1986); *Dzieje polskiego chrześcijaństwa* (t. 1: 1987, t. 2: 1991); *Od pustelni do wspólnoty* (1987); *Chrześcijaństwo i historia* (1990); *Europa Środkowowschodnia w historiografii krajów regionu* (1993); *Europa Środkowo-Wschodnia w kręgu cywilizacji chrześcijańskiej średniowiecza* (1998); *Dzieje chrześcijaństwa polskiego* (2000); *Historia Polski od czasów najdawniejszych do końca XV wieku* (2000).

Koenig, Jerzy

(ur. 1931), krytyk teatralny, publicysta, animator kultury, wykładowca na PWST. Był kierownikiem literackim teatrów: Narodowego i Dramatycznego w Warszawie oraz Starego Teatru w Krakowie. Długoletni (1982–1996) szef Teatru Telewizji. Twórca Wydziału Wiedzy o Teatrze w PWST.

Kofman, Jan

(ur. 1941), absolwent Wydziału Historycznego UW, pracuje na Uniwersytecie Białostockim i w Instytucie Studiów Politycznych PAN. W latach 1990–1999 redaktor naczelny Wydawnictwa Naukowego PWN. Działacz opozycji demokratycznej, współtwórca i redaktor naczelny podziemnego Kwartalnika Politycznego „Krytyka". Więziony w latach 80. Ważniejsze publikacje: *Lewiatan a podstawowe zagadnienia ekonomiczno-polityczne Drugiej Rzeczypospolitej* (1986); *Economic Nationalism and Developement: Central and Eastern Europe between the Two Wars* (1997); *Transformacja i postkomunizm* (1999, wraz z Wojciechem Roszkowskim).

Kołakowski, Leszek

(ur. 1927), filozof, eseista. W latach 1947–1966 członek PZPR, wyrzucony za wykład w 10. rocznicę Października '56, wygłoszony na Uniwersytecie Warszawskim. W 1968 r. usunięty z pracy na UW. Wyemigrował na Zachód, osiadł w Anglii. Jest emerytowanym profesorem uniwersytetu w Oksfordzie. Od 1991 członek rzeczywisty Polskiej Akademii Nauk. Odznaczony Orderem Orła Białego. Ważniejsze publikacje:

Notatki o współczesnej kontrreformacji (1962); *13 bajek z Królestwa Lailonii* (1963); *Klucz niebieski albo opowieści budujące z historii świętej zebrane* (1964); *Rozmowy z diabłem* (1965); *Świadomość religijna i więź kościelna*. *Studia nad chrześcijaństwem bezwyznaniowym siedemnastego wieku* (1965); *Filozofia pozytywistyczna (od Hume'a do Koła Wiedeńskiego)* (1966); *Kultura i fetysze* (1967); *Obecność mitu* (1972); *Główne nurty marksizmu*. *Powstanie – rozwój – rozkład* (1976–1978); *Czy diabeł może być zbawiony i 27 innych kazań* (1982); *Moje słuszne poglądy na wszystko* (2000); *Religion. If there is no God...* (1982, wydanie polskie: *Jeśli Boga nie ma... O Bogu, Diable, Grzechu i innych zmartwieniach tak zwanej filozofii religii*, 1987); *Metaphysical horror* (1988, wydanie polskie: *Horror metaphysicus*, 1990); *Mini wykłady o maxi sprawach* (2003); *O co nas pytają wielcy filozofowie. Seria I* (2004); *Wśród znajomych. O różnych ludziach mądrych, zacnych, interesujących i o tym, jak czasy swoje urabiali* (2004).

Komar, Michał

(ur. 1946), pisarz, scenarzysta filmowy, autor sztuk teatralnych i publicysta. Ważniejsze książki: *Piekło Conrada* (1978); *Czarownice i inni* (1980); *Zmęczenie* (1985); *Prośba o dobrą śmierć* (1993); *O obrotach losów i ciał* (1998); *Trzy* (2000); *Bestiariusz codzienny* (2003). Autor wywiadu-rzeki z Władysławem Bartoszewskim (t. I 2006, t. II w przygotowaniu).

Komorowski, Bronisław

(ur. 1952), historyk, polityk. W okresie PRL aktywny działacz opozycji demokratycznej, w III RP – m.in. wiceminister i minister obrony narodowej, wicemarszałek i marszałek sejmu (od listopada 2007 r.).

Konwicki, Tadeusz

(ur. 1926), wybitny pisarz, scenarzysta, reżyser. W latach 50. budował Nową Hutę, był pisarzem socrealistycznym, członkiem redakcji „Nowej Kultury". Od 1952 r. w PZPR, wyrzucony w 1966 za podpisanie listu w obronie Leszka Kołakowskiego. Od 1976 r. współpracował z opozycją demokratyczną, publikował w drugim obiegu. Ważniejsze książki: *Z oblężonego miasta* (1956); *Dziura w niebie* (1959); *Sennik współczesny* (1963); *Wniebowstąpienie* (1967); *Zwierzoczłekoupiór* (1969); *Nic albo nic* (1971); *Kronika wypadków miłosnych* (1974); *Kalendarz i klepsydra* (1976); *Kompleks polski* (1977); *Mała*

Apokalipsa (1979); *Wschody i zachody księżyca* (1982); *Rzeka podziemna, podziemne ptaki* (1984); *Nowy Świat i okolice* (1986); *Pół wieku czyśćca.* Rozmowy z Tadeuszem Konwickim (wespół ze Stanisławem Beresiem [ps. Stanisław Nowicki], 1986); *Bohiń* (1987); *Zorze wieczorne* (1991); *Czytadło* (1992); *Pamflet na siebie* (1995); *Pamiętam, że było gorąco. Z Tadeuszem Konwickim rozmawiają Katarzyna Bielas i Jacek Szczerba* (2001).

Krawczuk, Aleksander

(ur. 1922), historyk, polityk. Specjalizował się w dziejach starożytności, jest autorem kilkunastu książek z tej dziedziny. W latach 1986–1989 był ministrem kultury i sztuki. W III RP poseł na sejm z ramienia SLD.

Kroh, Antoni

(ur. 1942), etnograf (Uniwersytet Warszawski 1967), wieloletni pracownik muzeów w Zakopanem i Nowym Sączu, literat. Większe wystawy: *Współczesna Rzeźba Ludowa Karpat Polskich*; *Łemkowie*; *Tradycje Sokolstwa Polskiego*; *Spisz*. Ważniejsze książki: *Współczesna rzeźba ludowa Karpat Polskich* (1979); *O Szwejku i o nas* (1992); *Sklep potrzeb kulturalnych* (1999); *Tatry i Podhale* (2002); *Praga: przewodnik* (2007).

Król, Marcin

(ur. 1944), filozof, historyk idei, publicysta. Profesor Uniwersytetu Warszawskiego. Twórca podziemnego pisma „Res Publica" (1978), obecnie naczelny redaktor pisma „Res Publica Nowa". Najważniejsze publikacje: *Style politycznego myślenia: wokół „Buntu młodych" i „Polityki"* (1979); *Józef Piłsudski: ewolucja myśli politycznej* (1981); *Ład utajony. Zbiór publicystyki* (1983); *Słownik demokracji* (1983); *Konserwatyści a niepodległość. Studia nad polską myślą konserwatywną XIX wieku* (1985); *Romantyzm – piekło i niebo Polaków* (1998); *Historia myśli politycznej: od Machiavellego po czasy współczesne* (1998); *Patriotyzm przyszłości* (2004); *Bezradność liberałów: myśl liberalna wobec konfliktu i wojny* (2005).

Kruczkowski, Leon

(1900–1962), pisarz i publicysta, jeden z czołowych socrealistów w literaturze polskiej. Członek PPR i PZPR, 1945–1948 wiceminister kultury i sztuki, 1949–1956 prezes Związku Literatów Polskich, od 1957 r. członek Rady Państwa. Był wielokrotnie – począwszy od

1946 r. – posłem na sejm PRL. Autor m.in. powieści *Kordian i cham* (1932) oraz dramatów *Niemcy* (1946) i *Pierwszy dzień wolności* (1959).

Kula, Marcin

(ur. 1943), syn Witolda, historyk, w latach 1968–1990 pracownik IH PAN (profesor 1985 r.), od 1990 r. w IH UW. Ważniejsze publikacje: *Rewolucja 1933 r. na Kubie* (1978); *Polonia brazylijska* (1981); *Historia Brazylii* (1987); *Narodowe i rewolucyjne* (1991); *Ludzie wśród ludzi: studenci Instytutu Historycznego UW o sobie, kolegach i nauczycielach* (1994); *Pod górkę do Europy* (1994); *Zegarek historyka* (2001); *Nośniki pamięci historycznej* (2002); *Krótki raport o użytkowaniu historii* (2004); *Między przeszłością a przyszłością: o pamięci, zapominaniu i przewidywaniu* (2005); *Komunizm i po komunizmie* (2006).

Kula, Witold

(1916-1988), historyk, historyk gospodarczy. Studia historyczne na UW, ekonomiczne w Wolnej Wszechnicy Polskiej (od 1937 r. asystent tamże). W 1939 r. obronił doktorat z historii na UW. Podczas wojny był współpracownikiem Biura Informacji i Propagandy Komendy Głównej AK, współredagował „Biuletyn Informacyjny", uczestniczył w akcji pomocy Żydom. Żołnierz BCh, uczestnik powstania warszawskiego. Po wojnie na Uniwersytecie Łódzkim (habilitacja w 1947 r.). Od 1949 r. na UW (1950 r. tytuł profesora), wykładał również na SGPiS i w Instytucie Historycznym UW. Od 1955 r. do 1986 r. był pracownikiem naukowym Wydziału Ekonomii UW. Członek nadzwyczajny PAN od 1959 r., zwyczajny od 1986 r. Prezes Międzynarodowego Stowarzyszenia Historii Gospodarczej (1968–1970). Ważniejsze publikacje: *Historia gospodarcza Polski w dobie popowstaniowej 1864–1918* (1947); *Kształtowanie się kapitalizmu w Polsce* (1955); *Szkice o manufakturach w Polsce XVIII w. (1956)*; *Rozważania o historii* (1958); *Teoria ekonomiczna ustroju feudalnego. Próba modelu* (1962); *Problemy i metody historii gospodarczej* (1963); *Miary i ludzie* (1970); *Historia, zacofanie, rozwój* (1983); *Wokół historii* (1988); *Rozwój gospodarczy Polski XVI–XVIII wieku* (1993).

Kuroń, Jacek

(1934–2004), historyk, działacz społeczny, jeden z przywódców opozycji demokratycznej, polityk. W młodości działacz ZMP i harcerstwa, członek PZPR. W 1957 r. ukończył historię na UW. Wraz z Karolem Modzelewskim był autorem *Listu otwartego do partii*

(1964), skazany za to na trzy lata więzienia. Ponownie skazany w 1968 r. na trzy i pół roku. W 1975 r. podpisał list w obronie Konstytucji, a po protestach robotniczych w czerwcu 1976 r. został członkiem Komitetu Obrony Robotników. Był jednym z organizatorów Towarzystwa Kursów Naukowych (1978). W 1980 r. został doradcą „Solidarności"; w stanie wojennym internowany, a potem uwięziony. W 1989 r. był uczestnikiem Okrągłego Stołu, a w III RP został pierwszym ministrem pracy w rządzie Tadeusza Mazowieckiego. W latach 1989–2001 był również posłem na Sejm. W 2000 r. założył Uniwersytet Powszechny im. Jana Józefa Lipskiego w Teremiskach. Ważniejsze publikacje: *Polityka i odpowiedzialność* (1984); *Wiara i wina. Do i od komunizmu* (1989); *Gwiezdny czas* (1991); *Spoko! czyli kwadratura koła* (1992); *PRL dla początkujących* (1995, wraz z Jackiem Żakowskim); *Siedmiolatka, czyli kto ukradł Polskę?* (1997, wraz z Jackiem Żakowskim); *Działanie. Jeśli nie panujemy nad swoim życiem, ono panuje nad nami* (2002); *Rzeczpospolita dla moich wnuków* (2004).

L

Lange, Oskar

(1904–1965), ekonomista, polityk. Studiował na Uniwersytecie Poznańskim, na Uniwersytecie Jagiellońskim i w London University. Od 1926 r. wykładał na UJ. Podczas wojny w USA. Tytuł profesorski otrzymał w 1949 r.; od 1952 r. członek rzeczywisty PAN. Należał do PPS, a od 1949 r. do PZPR. Wchodził w skład Komitetu Centralnego PZPR. W latach 1945–1947 był ambasadorem Polski w USA, przedstawicielem w ONZ. W latach 50. był profesorem i rektorem SGPiS, jednocześnie członkiem rady Państwa. W latach 1957–1963 pełnił funkcję głównego eksperta ekonomicznego ekipy Gomułki, formalnie na stanowisku przewodniczącego Rady Ekonomicznej przy Radzie Ministrów PRL. Ważniejsze publikacje: *Wstęp do ekonometrii* (1958); *Ekonomia polityczna* (tom I 1959, tom II 1965); *Całość i rozwój w świetle cybernetyki* (1962); *Optymalne decyzje* (1964); *Wstęp do cybernetyki ekonomicznej* (1964).

Le Goff, Jacques

(ur. 1924), wybitny francuski uczony, mediewista, jeden z czołowych historyków szkoły *Annales*. W latach 1972–1977 był rektorem prestiżowej École des hautes études en sciences sociales (EHESS); szkołę przejął z rąk Fernanda Braudela, a jego następcą w 1977 r. został François Furet. Ważniejsze publikacje: *Inteligencja w wiekach średnich* (1957, wyd. pol. 1966); *Kultura średniowiecznej Europy* (1964, wyd. pol. 1970); *Histoire et mémoire* (1988); *Ludwik Święty* (1996, wyd. pol. 2000).

Leśnodorski, Bogusław

(1914–1985), historyk ustroju i myśli politycznej, profesor UW, członek rzeczywisty PAN, redaktor „Kwartalnika Historycznego". Ważniejsze publikacje: *Dzieło Sejmu Czteroletniego* (1951); *Polscy jakobini* (1960); *Historia i współczesność* (1967); *Rozmowy z przeszłością* (1970).

Lévi-Strauss, Claude

(ur. 1908), światowej sławy francuski antropolog i socjolog. Najważniejsze prace: *Tristes tropiques* (1955, wyd. pol. *Smutek tropików* 1960); *Anthropologie structurale* (1958, wyd. pol. *Antropologia strukturalna* 1970); *Le totémisme aujourd'hui* (1962, wyd. pol. *Totemizm* 1968); *La pensée sauvage* (1962, wyd. pol. *Myśl nieoswojona* 1969); *Les mythologiques: Le cru et le cuit* (1964); *Les mythologiques: Du miel aux centres* (1967); *Les mythologiques: L'origine des manières de table* (1968); *Les mythologiques: L'Homme nu* (1971); *La voie des masques* (1975, wyd. pol. *Drogi masek* 1985); *Le regard éloigné* (1983, wyd. pol. *Spojrzenie z oddali* 1993).

Libiszowska, Zofia

(1918–2000), profesor Uniwersytetu Łódzkiego, specjalizująca się w historii powszechnej XVIII w. W latach 1974–1987 była prezesem Zarządu Głównego Polskiego Towarzystwa Historycznego. Najważniejsze publikacje: *Życie polskie w Londynie w XVIII wieku* (1972); *Tomasz Payne, obrońca praw człowieka* (1976); *Tomasz Jefferson* (1984).

Lukacs, Györgi

(1885–1971), węgierski filozof, historyk literatury i estetyki, działacz ruchu robotniczego. Najważniejsze publikacje: *Balzac, Stendhal i Zola* (1951); *Od Goethego do Balzaka* (1958); *Teoria powieści* (1968); *Młody Hegel: o powiązaniach dialektyki z ekonomią* (1980); *Wprowadzenie do ontologii bytu społecznego* (tom 1, 1982, tom 2, 1984, tom 3, 1985); *Historia i świadomość klasowa: studia o marksistowskiej dialektyce* (1988); *Pisma krytyczno-teoretyczne Georga Lukácsa [1908–1932]* (1994).

Ł

Łapicki, Andrzej

(ur. 1924), wybitny polski aktor teatralny i filmowy, reżyser, pedagog. Studiował podczas wojny w tajnym Instytucie Sztuki Teatralnej, dyplom otrzymał po wojnie w Łodzi. Pracę zawodową zaczynał od Teatru Wojska Polskiego w Łodzi (do 1948), potem był członkiem zespołu Teatru Współczesnego (1949–1964), Teatru Dramatycznego (1964–1966), ponownie Teatru Współczesnego (1966–1972), Teatru Narodowego (1972–1980), Teatru Dramatycznego (1982), Teatru Polskiego (1983–1989). W latach 1995–1999 był dyrektorem artystycznym Teatru Polskiego. Ma na swoim koncie ponad dwieście ról aktorskich teatralnych, filmowych i telewizyjnych.

W 1953 rozpoczął pracę w Państwowej Wyższej Szkole Teatralnej w Warszawie początkowo jako wykładowca, później docent, w końcu profesor nadzwyczajny; w latach 1971–1981 był dziekanem Wydziału Aktorskiego, dwukrotnie wybierano go na rektora tej uczelni (1981–1987 i 1993–1996). W 1986 roku był członkiem Narodowej Rady Kultury. W latach 1989–1996 pełnił funkcję prezesa Związku Artystów Scen Polskich.

W młodości, w latach 1947–1956 był lektorem Polskiej Kroniki Filmowej. W latach 80. zaangażował się w działalność polityczną, był związany z podziemną „Solidarnością". W okresie 1989–1991 był posłem na Sejm z ramienia „Solidarności".

Łepkowski, Tadeusz

(1927–1989), historyk, profesor UW i PAN, specjalizujący się w dziejach nowożytnych Ameryki Łacińskiej, Polski i Europy. Najważniejsze publikacje: *Haiti. Początki państwa i narodu* (1964); *Polska – narodziny nowoczesnego narodu 1764–1870* (1967); *Polska-Meksyk 1918–1939* (1990); *Historia Meksyku* (1986).

Łomnicki, Tadeusz

(1927–1992), wybitny polski aktor teatralny i filmowy, pedagog, działacz polityczny. Karierę sceniczną rozpoczął po wojnie w Teatrze Miejskim w Katowicach (1946–1947) i w teatrach: Słowackiego i Starym w Krakowie (1947–1949). Grał w zespołach aktorskich warszawskiego Teatru Współczesnego (1949–1952), Narodowego (1952–1957), ponownie Współczesnego (1957–1972). Był założycielem i dyrektorem Teatru na Woli (1976–1981). Miał na swoim koncie kilkadzie-

siąt wybitnych ról teatralnych, filmowych, telewizyjnych.
W 1969 został prorektorem, a w następnym roku rektorem warszawskiej PWST i był nim w latach 1970–1981.
W latach 40. wstąpił do PZPR; w latach 70. był najpierw zastępcą członka KC, a od 1975 r. członkiem KC PZPR. Legitymację partyjną oddał po wprowadzeniu stanu wojennego.

Łoziński, Marcel

(ur. 1940), czołowy polski reżyser dokumentalny. Ukończył Wydział Łączności Politechniki Warszawskiej (1965) i przez kilka lat pracował jako inżynier dźwięku. Dopiero w 1971 r. ukończył studia reżyserskie. W latach 70. i 80. związany z Telewizją Polską, potem z Zespołem X Andrzeja Wajdy i warszawską Wytwórnią Filmów Dokumentalnych, z której został usunięty w styczniu 1980 przez ministra kultury, po zatrzymaniu przez cenzurę dwu jego kolejnych filmów. Wrócił do WFD po Sierpniu 1980 r. W stanie wojennym wraz z kolegami z WFD rejestrował ważne wydarzenia z życia podziemnej „Solidarności". Do realizowania własnych dokumentów wrócił w połowie lat 80. W latach 90. większość filmów zrealizował w Studiu Filmowym Kalejdoskop. Jest wykładowcą w Szkole Mistrzostwa Filmowego Andrzeja Wajdy. Członek przyznającej Oscary amerykańskiej Akademii Filmowej.
Najważniejsze filmy: *Koło Fortuny* (1973); *Happy end* (z Pawłem Kędzierskim, 1972); *Wizyta* (1974); *Król* (1975); *Zderzenie czołowe* (1975); *Jak żyć* (1977); *Egzamin dojrzałości* (1978); *Próba mikrofonu* (1980); *Ćwiczenia warsztatowe* (1984); *Świadkowie* (1988); *Las Katyński* (1990); *Siedmiu Żydów z mojej klasy* (1992); *89 mm od Europy* (1993); *Wszystko może się przytrafić* (1995); *Żeby nie bolało* (1998); *Jak to się robi* (2006), *A gdyby tak się stało* (2008).

Łuczak, Aleksander

(ur. 1943), profesor historii, specjalizujący się w dziejach ruchu ludowego. Uczestnik obrad Okrągłego Stołu po stronie rządowej.
W III RP działacz Polskiego Stronnictwa Ludowego, wicepremier (1993–1996), minister edukacji narodowej (1993–1995), minister nauki (1995–1997). W latach 2001–2006 członek Krajowej Rady Radiofonii i Telewizji, 2003–2005 jej wiceprzewodniczący.

268   ŚWIAT WEDŁUG MELLERA. ŻYCIE I HISTORIA: KU WOLNOŚCI

M

Maciszewski, Jarema

(1930–2006), historyk, profesor UW, specjalizujący się w dziejach Polski nowożytnej. W latach 70. działacz partyjny, 1975–1981 kierownik wydziału nauki i oświaty KC PZPR.

Makarczyński, Tadeusz

(1918–1987), polski reżyser dokumentalny, scenarzysta. Najważniejsze filmy: *Czarodziej* (1962); *Noc* (1961); *Maraton* (1972); *Gdy wszystko było pierwsze* (1974); *Godzina „0"* (1974); *Exodus* (1984).

Małowist, Marian

(1909–1988), jeden z najwybitniejszych polskich historyków, profesor UW od 1952 r. Specjalizował się w dziejach gospodarczych okresu późnego średniowiecza i początku ery nowożytnej. Wykształcił wielu wybitnych badaczy, m.in. Antoniego Mączaka, Henryka Samsonowicza, Benedykta Zientarę, Jana Kieniewicza, Marcina Kulę. Najważniejsze publikacje: *Studia z dziejów rzemiosła w okresie kryzysu feudalizmu w Zachodniej Europie w XIV i XV wieku* (1954); *Wielkie państwa Sudanu Zachodniego w późnym średniowieczu* (1964); *Z problematyki wzrostu gospodarczego Europy Środkowo-Wschodniej w późnym średniowieczu i na początku XVI wieku* (1973); *Europa a Afryka Zachodnia w dobie wczesnej ekspansji kolonialnej* (1969); *Konkwistadorzy portugalscy* (1976); *Tamerlan i jego czasy* (1985).

Manikowska, Halina

(ur. 1950), historyk średniowiecza, prof. w Katedrze Italianistyki Uniwersytetu Warszawskiego i docent w Instytucie Historii PAN. W latach 1990–1995 redaktor „Mówią Wieki". Autorka podręczników szkolnych. Ważniejsze publikacje: *Nadzór i represja. Władza i społeczeństwo w późnośredniowiecznej Florencji* (1993); *Średniowieczne miasta-państwa na Półwyspie Apenińskim* (2001).

Manikowski, Adam

(ur. 1946), historyk wczesnonowożytnej Europy, od 1972 r. przez 30 lat związany z Instytutem Historycznym najpierw Filii Uniwersytetu Warszawskiego w Białymstoku, a następnie Uniwersytetu w Białymstoku, od wielu lat wykładający historię także w Akademii Teatralnej (Państwowej Wyższej Szkole Teatralnej) w Warszawie.

W latach 1993–1997 dyrektor Biblioteki Narodowej, od niedawna dyrektor Instytutu Historii PAN. Ważniejsze publikacje: *Il commercio italiano di tessuti di seta in Polonia nella seconda metà del XVII secolo* (1983); *Toskańskie przedsiębiorstwo arystokratyczne w XVII wieku* (1991).

Manteuffel, Tadeusz

(1902–1970), wybitny historyk i organizator nauki. Uczestnik obrony Warszawy (1920), docent Uniwersytetu Warszawskiego (1930–1939), żołnierz AK, twórca i kierownik sekcji historii podziemnego uniwersytetu, współredaktor tajnych „Wiadomości Polskich" (1940–1944), odnowiciel Instytutu Historycznego UW, profesor UW (1945–1968), prezes Polskiego Towarzystwa Historycznego (1950–1953), organizator i dyrektor Instytutu Historii PAN (1953–1970), wybitny badacz dziejów Europy średniowiecznej, łączył badania nad historią polityczną, ruchów społecznych i ideowych ze studiami struktur kulturowych. Najważniejsze publikacje: *Polityka unifikacyjna Chlotara II* (1925); *Teoria ustroju feudalnego według Consuetudines Feudorum XII-XIII w.* (1930); *Dzieje wczesnego średniowiecza* (1938); *Papiestwo i cystersi* (1958); *Narodziny herezji. Wyznawcy dobrowolnego ubóstwa w średniowieczu* (1959); *Kultura Europy średniowiecznej* (1974); *Historyk wobec historii* (1976).

Markuszewski, Jerzy

(1930–2007), reżyser teatralny, telewizyjny i radiowy, jeden z twórców Studenckiego Teatru Satyryków, działacz opozycji demokratycznej.

Mathiez, Albert

(1874–1932), historyk francuski, badacz dziejów rewolucji francuskiej, zafascynowany postacią Robespierre'a. Jego najbardziej znane dzieło to *La Révolution française* (1922–1924, wyd. polskie 1956).

Mauersberger, Adam

(1910–1988), historyk literatury, eseista, krytyk. Człowiek-instytucja, bohater niezliczonych anegdot. Dyrektor Muzeum Literatury w latach 1957–1969.

Mazowiecki, Tadeusz

(ur. 1927), publicysta, działacz społeczny, polityk, pierwszy premier III Rzeczypospolitej (1989–1991). Do 1955 r. związany ze

Stowarzyszeniem PAX, w 1957 r. współzałożyciel warszawskiego Klubu Inteligencji Katolickiej. W latach 1957–1972 poseł na sejm PRL, składał interpelację w sprawie wydarzeń Marca 1968 r. Od 1976 r. współpracownik opozycji demokratycznej. W sierpniu 1980 r. przewodniczył komisji ekspertów Międzyzakładowego Komitetu Strajkowego. Po Sierpniu został naczelnym redaktorem „Tygodnika Solidarność". Internowany w stanie wojennym. Uczestnik obrad Okrągłego Stołu. Działacz ROAD, Unii Demokratycznej, Unii Wolności, poseł na sejm I, II i III kadencji. W latach 1992–1995 był specjalnym wysłannikiem ONZ w Bośni i Hercegowinie.

Mączak, Antoni

(1928–2003), jeden z najwybitniejszych historyków okresu powojennego, profesor UW, członek PAN, uczeń Mariana Małowista. Specjalizował się w dziejach gospodarczych i społecznych doby nowożytnej. W młodości członek PZPR, w latach 80. współpracownik podziemnej „Solidarności". Najważniejsze publikacje: *U źródeł nowoczesnej gospodarki europejskiej* (1967); *Między Gdańskiem a Sundem: studia nad handlem bałtyckim od połowy XVI do połowy XVII wieku* (1972); *Życie codzienne w podróżach po Europie w XVI i w XVII wieku* (1978); *Rządzący i rządzeni: władza i społeczeństwo w Europie wczesnonowożytnej* (1986); *Klientela: nieformalne systemy władzy w Polsce i Europie XVI–XVIII w.* (1994); *W czasach „potopu"* (1999); *Nierówna przyjaźń: układy klientalne w perspektywie historycznej* (2003); *Historia jest we mnie* (2004).

Michnik, Adam

(ur. 1946), historyk, eseista, publicysta, dziennikarz, redaktor naczelny „Gazety Wyborczej". Studia na UW rozpoczął w 1964 r. Dwukrotnie zawieszano go w prawach studenta: za rozpowszechnianie *Listu otwartego do partii* Kuronia i Modzelewskiego i za udział w organizacji spotkania z Leszkiem Kołakowskim w dziesiątą rocznicę Października '56. Ostatecznie relegowano go z uczelni po Marcu '68, a wkrótce potem aresztowano i skazano na trzy lata więzienia. Dopiero w 1975 r. otrzymał zezwolenie na ukończenie studiów na UAM w Poznaniu. W pierwszej połowie lat 70. był osobistym sekretarzem Antoniego Słonimskiego. W 1976 r. został współzałożycielem Komitetu Obrony Robotników. Był współredaktorem podziemnych czasopism: „Biuletynu Informacyjnego", „Zapisu", „Krytyki", czynnie działał w kierownictwie podziemnej Niezależnej Oficyny Wydawniczej. W 1978 r. był wykładowcą

Towarzystwa Kursów Naukowych. Internowany, a następnie aresztowany w stanie wojennym. Aresztowany ponownie w 1985 r. Uczestniczył w obradach „Okrągłego Stołu".

Najważniejsze publikacje książkowe: *Kościół, lewica, dialog* (1977); *Szanse polskiej demokracji* (1984); *Z dziejów honoru w Polsce* (1985); *Takie czasy... Rzecz o kompromisie* (1985); *Polskie pytania* (1987); *Między Panem a Plebanem* (1995); *Diabeł naszego czasu* (1995); *Wyznania nawróconego dysydenta* (2003); *Wściekłość i wstyd* (2005); *W poszukiwaniu utraconego sensu* (2007).

Michta, Norbert

(ur. 1923), historyk wojskowości, generał brygady, pracownik naukowy Wojskowego Instytutu Historycznego, rektor Wyższej Szkoły Nauk Społecznych przy KC PZPR w latach 1981–1984.

Miller, Leszek

(ur. 1946), działacz polityczny, w PRL działacz PZPR, I sekretarz komitetu wojewódzkiego partii w Skierniewicach (od 1986)..Od grudnia 1988 sekretarz KC PZPR, od 1989 członek Biura Politycznego KC PZPR. Uczestnik obrad Okrągłego Stołu po stronie rządowej. W III RP był liderem SLD, ministrem pracy i polityki socjalnej (1993–1996), ministrem spraw wewnętrznych i administracji (1997), premierem rządu RP (2001–2004). W 2007 r. odszedł z SLD i próbował, bez powodzenia, startować w wyborach do Sejmu z list Samoobrony.

Mitterrand, François

(1916–1996), polityk francuski, działacz partii socjalistycznej. W powojennej Francji był wielokrotnie ministrem: ds. weteranów i ofiar wojny (1946–1948), ds. Francji zamorskiej (1950), spraw wewnętrznych (1954–1955), sprawiedliwości (1955–1956). Ukoronowaniem jego kariery był wybór na prezydenta Francji. Funkcję tę sprawował w latach 1981–1995. Zmarł w kilka miesięcy po zakończeniu kadencji.

Mitzner, Piotr

(ur. 1955), z wykształcenia teatrolog; poeta, eseista, tłumacz, działacz niezależnego ruchu wydawniczego. Obecnie pracownik naukowy Wydziału Nauk Humanistycznych Uniwersytetu Kardynała Stefana Wyszyńskiego, członek redakcji „Nowoj Polszy".

Moczar, Mieczysław, właśc. Mikołaj Demko

(1913–1986), działacz partyjny okresu PRL, uważany powszechnie za przywódcę frakcji „partyzantów" w PZPR, jedna z najbardziej złowrogich postaci politycznych okresu PRL. Szef Urzędu Bezpieczeństwa w Łodzi (1945–1948), wojewoda olsztyński (1948–1950), a następnie przewodniczący Wojewódzkiej Rady Narodowej w Olsztynie (1950–1952); wiceminister spraw wewnętrznych (1956–1964), minister spraw wewnętrznych (1964–1968). Osobiście odpowiedzialny za wydarzenia Marca '68 i antysemicką kampanię w końcu lat 60. W latach 70. prezes Naczelnej Izby Kontroli. Prezes Związku Bojowników o Wolność i Demokrację – otoczonej fatalną opinią organizacji kombatanckiej – w latach 1964–1972.

Modzelewski, Karol

(ur. 1937), wybitny polski historyk, działacz społeczny polityczny. Był uczniem Aleksandra Gieysztora, specjalizował się w historii średniowiecza. W 1964 r. usunięty ze studiów doktoranckich w Instytucie Historycznym UW za napisanie – wraz z Jackiem Kuroniem – *Listu otwartego do partii*. Skazano go na trzy i pół roku więzienia. Wypuszczony na mocy amnestii, został ponownie aresztowany po Marcu '68. dopiero w 1971 r. mógł wrócić do pracy naukowej, ale we Wrocławiu, w filii Instytutu Historii Kultury Materialnej PAN. Internowany, a potem aresztowany w stanie wojennym. Tytuł profesorski uzyskał w 1990 r. Od 1994 r. jest pracownikiem naukowym Instytutu Historycznego UW. Od 2006 r. pełni funkcję wiceprezesa PAN. Najważniejsze publikacje: *Organizacja gospodarcza państwa piastowskiego* X-XIII w. (1975); *Chłopi w monarchii wczesnopiastowskiej* (1987); *Barbarzyńska Europa* (2004).

Mrozowska, Zofia

(1922–1983), wybitna polska aktorka, pedagog. Aktorstwo studiowała konspiracyjnie w czasie wojny, egzamin końcowy zdała już w 1945 r. Od 1949 r. była aż do śmierci związana z warszawskim Teatrem Współczesnym. Od 1965 r. wykładała na warszawskiej PWST, gdzie była m.in. dziekanem Wydziału Aktorskiego. Miała na swoim koncie wybitne role teatralne i filmowe, grała też w Teatrze Telewizji.

N
Nowak, Jerzy Robert

(ur. 1940), polski historyk, publicysta. W czasie studiów, wiosną 1964 r., zatrzymany na krótko w związku z oskarżeniami o pomoc w kolportowaniu „Listu 34" (w maju 1964 r. prokuratura umorzyła śledztwo w tej sprawie). Pracował w Polskim Instytucie Spraw Międzynarodowych w latach 1964–1992. W latach 1972–1974 był drugim sekretarzem Ambasady PRL na Węgrzech. W latach 1981–1991 był działaczem Stronnictwa Demokratycznego, ugrupowania koncesjonowanego przez władze komunistyczne. W latach 70. i 80. współpracował m.in. z redakcjami „Polityki" i lewicowego krakowskiego „Zdania", pisywał też w „Tygodniku Demokratycznym", oficjalnym organie Stronnictwa Demokratycznego. W swoich ówczesnych publikacjach książkowych, np. *Powstanie Ludowej Republiki Albanii* (1983); *Węgry – wychodzenie z kryzysu 1956* (1984); *Geneza i pierwsze lata demokracji ludowej na Węgrzech: 1944–1948* (1987) – nie wychodził poza obowiązujące w PRL oceny ideologiczne. W 1989 r. starał się, bezskutecznie, o stanowisko ambasadora RP na Węgrzech.

W III RP współpracuje ze środowiskami „Radia Maryja" i Telewizji „Trwam", „Naszej Polski", częstochowskiej „Niedzieli", miesięcznika „Głos". Jest autorem wielu publikacji książkowych i artykułów; wielokrotnie zarzucano mu skrajny nacjonalizm i antysemityzm.

We wrześniu 2007 r. tygodnik „Wprost" oskarżył go o współpracę z SB i wywiadem PRL w latach 1970–1976. Nowak stanowczo zaprzeczył.

O
Ochab, Edward

(1906–1989), działacz polityczny związany z KPP, PPR i PZPR. Po wojnie był ministrem Administracji Publicznej (1945), I sekretarzem KW PPR w Katowicach (1946–1948), prezesem Centralnego Związku Spółdzielczego (1948–1949), wiceministrem obrony narodowej (1949–1950), sekretarzem KC PZPR (1950–1956). Od marca do Października '56 był I sekretarzem KC PZPR. W latach 1964–1968 był Przewodniczącym Rady Państwa. Ustąpił ze stanowiska w lipcu '68, na znak protestu przeciw kampanii antysemickiej.

Onyszkiewicz, Janusz

(ur. 1937), matematyk, pracownik naukowy UW, alpinista i speleolog, działacz opozycji demokratycznej, jeden z przywódców podziemnej „Solidarności", uwięziony w stanie wojennym; uczestnik obrad Okrągłego Stołu. W Polsce odrodzonej był m.in. dwukrotnie ministrem obrony narodowej, posłem na sejm w latach 1989–2001, posłem do Parlamentu Europejskiego, którego (w latach 2004–2007) był wiceprzewodniczącym. Jego żona, Joanna z Jaraczewskich, jest wnuczką Józefa Piłsudskiego.

Osiecka, Agnieszka

(1936–1997), poetka, autorka tekstów piosenek, pisarka. Studiowała na UW oraz w Wyższej Szkole Teatralnej i Filmowej w Łodzi (dyplom 1961). Od połowy lat 50. ściśle związana z legendarnym Studenckim Teatrem Satyryków. Stworzyła blisko dwa tysiące tekstów piosenek, śpiewanych m.in. przez Jonasza Koftę, Marylę Rodowicz, Seweryna Krajewskiego, „Skaldów", Magdę Umer.

Osińska, Ewa

pianistka polska, absolwentka Akademii Muzycznej w Warszawie oraz Konserwatorium Paryskiego. Laureatka międzynarodowych konkursów pianistycznych. Występuje w Europie, Azji, Ameryce. Nagrywa dla radia, telewizji i wytwórni płytowych, takich jak Sony Classical, Columbia Records, Cassiopee, Polskie Nagrania. Jej dorobek artystyczny obejmuje siedemnaście płyt, w tym czternaście to dzieła Chopina, pozostałe to koncerty Mozarta oraz nagrania solistyczne. Artystka i jej dokonania figurują w europejskich słownikach muzycznych. Odznaczona orderem Polonia Restituta za całokształt pracy artystycznej.

P
Paczkowski, Andrzej

(ur. 1938), historyk, profesor Collegium Civitas i Instytutu Nauk Politycznych PAN. W czasach PRL współpracownik wydawnictw niezależnych. Zajmował się historią prasy, historią ruchu ludowego w Polsce oraz historią polityczną Polski po II wojnie światowej. Ważniejsze publikacje: *Prasa polityczna ruchu ludowego 1918–1939* (1970); *Prasa i społeczność polska we Francji 1920–1940* (1978); *Prasa polska 1918–1939* (1980); *Stanisław Mikołajczyk czyli klęska realisty* (1991); *Siedem wielkich gór* (1981); *Pół wieku dziejów Polski 1939–1989* (1996);

Polska 1986–1989. Od kooptacji do negocjacji. Kilka uwag o wchodzeniu *w proces zmiany systemowej* (1997); *Od sfałszowanego zwycięstwa do prawdziwej klęski: szkice do portretu PRL* (1999); *Droga do „mniejszego zła".* *Strategia i taktyka władzy lipiec 1980–styczeń 1982* (2002); *Wojna polsko--jaruzelska. Stan wojenny w Polsce 13 XII 1981–22 VII 1983* (2006). Przez dwadzieścia lat (1974–1995) był prezesem Polskiego Związku Alpinizmu. Jest członkiem Kolegium Instytutu Pamięci Narodowej.

Pastusiak, Longin

(ur. 1935), historyk i politolog, działacz polityczny. Studiował w Stanach Zjednoczonych i na UW (dyplom w 1960 r.). Był pracownikiem Polskiego Instytutu Spraw Międzynarodowych w latach 1963–1994. Członek PZPR 1961–1990.

W III RP działacz SLD, poseł na sejm 1991–2001, senator 2001–2005. Marszałek Senatu 2001–2005. Mąż Anny Ochab, córki Edwarda.

Pétain, Philippe

(1856–1951), francuski marszałek, polityk, bohater I wojny światowej. W przedwojennej Francji m.in. minister obrony od 1934 r. Podczas II wojny światowej najpierw wicepremier w rządzie Paula Reynaud (od 17 maja 1940), następnie premier Francji (od 16 czerwca 1940). 22 czerwca 1940 roku podpisał kapitulację wobec Niemiec, a w lipcu stanął na czele marionetkowego rządu okrojonej Francji ze stolicą w Vichy. Był szefem tego rządu do 1944 roku, całkowicie uległym wobec Niemców. Prowadził politykę kolaboracji z okupantem, nie wciągając jednak kraju bezpośrednio do działań wojennych. Po inwazji aliantów w Normandii został przez Niemców internowany i wywieziony do Niemiec.

W kwietniu 1945 powrócił dobrowolnie ze Szwajcarii do wolnej już Francji, gdzie został zdegradowany, a następnie skazany na śmierć przez rozstrzelanie. Z powodu podeszłego wieku Pétaina (89 lat) generał Charles de Gaulle ostatecznie zamienił mu karę na dożywotnie więzienie na wyspie Île d'Yeu, u zachodniego wybrzeża Francji.

Polański, Roman

(ur. 1933), światowej sławy reżyser, aktor, scenarzysta, producent. Urodzony w polsko-żydowskiej rodzinie w Paryżu, która w 1937 przeniosła się do Krakowa. Okres wojny spędził w getcie w Krakowie, a potem, po ucieczce z getta – we wsi Wysoka koło Wadowic, gdzie ukrywał się pod nazwiskiem Roman Wilk. Od 1948 występował w teatrze, a na ekranie zadebiutował w 1953. Od 1954 studiował reżyserię w Wyższej Szkole Filmowej w Łodzi, którą skończył, jednak nie zdobył dyplomu. W 1959 ożenił się z aktorką Barbarą Kwiatkowską, znaną z debiutu w filmie *Ewa chce spać* (rozwiódł się w 1962). Potem wyjechał do Paryża i wrócił w 1961, aby nakręcić *Nóż w wodzie*. Za film ten uzyskał nominację do Oskara, co otworzyło mu drzwi do międzynarodowej kariery reżyserskiej. Następnie wrócił do Europy Zachodniej i pracował głównie we Francji i w Wielkiej Brytanii. W 1968 r. ożenił się z Sharon Tate i w tym samym roku wyjechał do Hollywood. W 1969 r. jego ciężarna żona została zamordowana przez sektę Charlesa Mansona. W 1978 r. w związku z oskarżeniami o uwiedzenie nieletniej opuścił USA i przeniósł się do Paryża, gdzie do dzisiaj mieszka. Od 1989 r. żonaty z francuską aktorką i modelką Emmanuelle Seigner. Laureat Złotej Palmy na festiwalu w Cannes za najlepszy film i Oscara w 2003 r. za reżyserię *Pianisty*. Najważniejsze filmy: *Nóż w wodzie* (1962); *Najpiękniejsze oszustwa świata* (1964); *Wstręt* (1965); *Matnia* (1966); *Nieustraszeni pogromcy wampirów* (1967); *Dziecko Rosemary* (1968); *Tragedia Makbeta* (1971); *Co?* (1972); *Chinatown* (1974); *Lokator* (1976); *Tess* (1979); *Piraci* (1986); *Frantic* (1988); *Gorzkie gody* (1992); *Śmierć i dziewczyna* (1994); *Dziewiąte Wrota* (1999); *Pianista* (2002); *Oliver Twist* (2005), *Każdy ma swoje kino* (2007).

Przewłocki, Janusz

(1927–2007), inżynier, nauczyciel, wydawca, kolekcjoner i bibliofil, działacz opozycji demokratycznej w PRL. W czasie II wojny światowej żołnierz AK. Po wojnie pracował w Instytucie Wydawniczym PAX, był twórcą wspaniałej serii pamiętników polskich z XVIII–XX wieku. Współpracował z „Kulturą" paryską. Związany z opozycją demokratyczną, redaktor „Biuletynu Informacyjnego" (redaktor rubryki pt.: „Kościół i wierni"). Internowany 13 grudnia 1981 r. W latach 80. był członkiem Zarządu Głównego Polskiego Towarzystwa Wydawców Książek.

Pod koniec 1987 r. był współtwórcą Archiwum Wschodniego. Następnie działacz Związku Sybiraków, po reaktywacji związku pierwszy zastępca prezesa Zarządu Głównego, twórca Komisji Historycznej Związku. Utworzył i redagował serię książkową „Wspomnienia Sybiraków". W 2006 r. został odznaczony Krzyżem Oficerskim Orderu Odrodzenia Polski (w 30. rocznicę powstania KOR).

Pszoniak, Wojciech

(ur. 1942), wybitny polski aktor i reżyser. Ukończył PWST w Krakowie w 1968 r. W latach 1968–1974 był członkiem zespołu Starego Teatru, a w latach 1974–1979 pracował w warszawskim teatrze Powszechnym. Od 1982 r. na stałe we Francji. Ma na swoim koncie kilkadziesiąt wybitnych ról teatralnych, ale sławę przyniosły mu role filmowe, szczególnie w filmach Andrzeja Wajdy (*Wesele*, *Ziemia obiecana*, *Danton*, *Korczak*).

R
Rapacki, Adam

(1909–1970), polski polityk, minister spraw zagranicznych PRL. Wywodzący się z PPS działacz partyjny i państwowy, m.in. w czasach stalinowskich minister żeglugi i minister szkolnictwa wyższego (1950–1956). W latach 1956–1968 minister spraw zagranicznych. Był twórcą tzw. planu Rapackiego, czyli projektu utworzenia strefy bezatomowej w Europie środkowej. Członek Biura Politycznego KC PZPR w latach 1948–1954 i 1956–1969. Ze stanowiska ministra spraw zagranicznych ustąpił w 1968 r. na znak protestu przeciw antysemickiej kampanii.

Raszewski, Zbigniew

(1925–1992), wybitny historyk teatru, pisarz, pracownik Instytutu Sztuki PAN, profesor w PWST. Najważniejsze publikacje: *Z tradycji teatralnych Pomorza, Wielkopolski i Śląska* (1955); *Teatr ogromny* (1961); *Staroświecczyzna i postęp czasu* (1963); *Raptularz 1965–1967* (1996); *Raptularz 1967–1968* (1993); *Raptularz 1968–1969* (1997); *Krótka historia teatru polskiego* (1977); *Teatr w świecie widowisk: dziewięćdziesiąt jeden listów o naturze teatru* (1991); *Listy do Małgorzaty Musierowicz* (1994); *Pamiętnik gapia. Bydgoszcz, jaką pamiętam z lat 1930–1945* (1994); *Mój świat* (1997); *Bilet do teatru: szkice* (1998).

Rogoziński, Julian

(1912–1980), wybitny tłumacz, eseista, krytyk literacki. Polski czytelnik zawdzięcza mu prozę m.in. Prousta, Sartre'a, Voltaire'a, Aleksandra Dumas, Cendrarsa, Flauberta, Ionesco, Gide'a.

Rybicki, Zygmunt

(1925–1989), prawnik, profesor UW, prorektor UW 1965–1969, rektor 1969–1980. Podsekretarz, a potem sekretarz stanu w Urzę-

dzie Rady Ministrów (1980–1989). Uważany był powszechnie za
potulnego wykonawcę wszystkich poleceń władz; szczególnie wsławił się czynnym udziałem w akcji represyjnej wobec studentów
i pracowników UW po Marcu '68. Jeden z najgorszych rektorów
w dziejach warszawskiej uczelni.

S

Samsonowicz, Henryk

(ur. 1930), uczeń Mariana Małowista, wybitny polski historyk, organizator życia akademickiego, popularyzator nauki, znakomity
pedagog. W latach 70. był dyrektorem Instytutu Historycznego
UW, po Sierpniu '80 został rektorem UW. Z funkcji tej usunięto go
po wprowadzeniu stanu wojennego. W latach 80. współpracował
z podziemną „Solidarnością". Uczestnik obrad Okrągłego Stołu.
Pierwszy minister edukacji narodowej w odrodzonej Polsce
(1980–1990). Najważniejsze publikacje: *Późne średniowiecze państw
bałtyckich: studia nad dziejami Hanzy nad Bałtykiem w XIV-XV w.*
(1968); *Życie miasta średniowiecznego* (1970); *Złota jesień polskiego średniowiecza* (1971); *Dziedzictwo średniowiecza: mity i rzeczywistość*
(1991); *Miejsce Polski w Europie* (1995); *Tysiącletnie dzieje* (z Januszem Tazbirem, 2000).

Smolar, Aleksander

(ur. 1940), publicysta i politolog. Studiował ekonomię i socjologię
na UW; represjonowany po Marcu '68 emigrował do Francji. Był
pracownikiem naukowym francuskiego Krajowego Centrum
Badań Naukowych (CNRS). Wraz z bratem Eugeniuszem założył
wydawany w Londynie kwartalnik „Aneks". Po 1989 r. wrócił do
Polski; od 1990 r. jest prezesem Fundacji im. Stefana Batorego.

Soboul, Albert

(1914–1982), francuski historyk, specjalizujący się w dziejach rewolucji francuskiej. Po ukończeniu studiów na Sorbonie związał się
z Francuską Partią Komunistyczną (formalnie został członkiem
partii w 1939 r.). W czasie okupacji uczył w liceum w Montpellier,
a także prowadził badania dla *Musée national des Arts et Traditions Po-
pulaires*. Po wojnie wrócił do zawodu nauczyciela. Jednocześnie pisał doktorat o paryskich sankiulotach (*Les Sans-culottes parisiens en
l'an II, mouvement populaire et gouvernement révolutionnaire, 2 juin 1793
– 9 thermidor an II*, Clavreuil, Paris 1958) pod kierunkiem George-

sa Lefebvre'a. W 1967 r. został profesorem Sorbony. Do końca życia był członkiem FPK.

Sprusiński, Michał

(1940–1981), polski poeta, krytyk literacki, tłumacz. Ukończył filologię polską na Uniwersytecie Jagiellońskim w 1963. Od 1970 mieszkał w Warszawie, gdzie był redaktorem naczelnym „Czytelnika", stałym współpracownikiem tygodnika „Literatura" i miesięcznika „Literatura na Świecie". Zmarł tragicznie podczas podróży po Grecji. Debiutował w 1959 r. jako krytyk na łamach „Tygodnika Powszechnego". Autor zbiorów wierszy: *Popołudnie* (1963); *Horoskop* (1967); *Sen słoneczny* (1972); pośmiertny wybór *Miejsce na słońcu* (1982). Eseje: *Imiona naszego czasu. Szkice o poetach współczesnych i dawnych* (1974); *Między prawdą a zmyśleniem. Szkice o nowszej prozie polskiej* (1978); pośmiertnie *Zwycięzcy i pokonani* (1984).

Staniszkis, Jadwiga

(ur. 1942), socjolog, politolog, publicystka, profesor UW. Studia ukończyła w 1965 r., po dyplomie pracowała w Instytucie Socjologii UW. Aresztowana po Marcu '68, spędziła w więzieniu siedem miesięcy. Wyrzucono ją z pracy na UW. Pracowała jako nauczycielka w liceum pielęgniarskim i pisała pracę doktorską. Do pracy na UW wróciła dopiero w 1981 r. W sierpniu 1981 r. była w grupie ekspertów Międzyzakładowego Komitetu Strajkowego. W stanie wojennym zaangażowana w działalność podziemnych struktur „Solidarności". Najważniejsze publikacje: *Samoograniczająca się rewolucja* (1985); *Ontologia socjalizmu* (1989); *Postkomunizm: próba opisu* (2001); *Władza globalizacji* (2003); *O władzy i bezsilności* (2006); *Ja. Próba rekonstrukcji* (2007).

Stelmachowski, Andrzej

(ur. 1925), prawnik, profesor Uniwersytetu Warszawskiego. W sierpniu 1980 r. był doradcą Międzyzakładowego Komitetu Strajkowego w Gdańsku. Współpracownik podziemnej „Solidarności" w okresie stanu wojennego. Uczestnik obrad Okrągłego Stołu. W latach 1987–1990 prezes warszawskiego Klubu Inteligencji Katolickiej. W odrodzonej Polsce był marszałkiem Senatu (1989–1991) i ministrem edukacji narodowej (1991–1992). Jest prezesem stowarzyszenia „Wspólnota Polska".

Szczepkowski, Andrzej

(1923–1997), wybitny aktor, pedagog. Dyplom aktorski zdobył
w 1945 r. Grał w czołowych polskich teatrach. Od 1949 związany ze
scenami warszawskimi: Narodowym (1949–1957), Teatrem Kome-
dia (1957–1961), Polskim (1961–1962), ponownie Narodowym
(1962–1966). W latach 1966–1968 kierował Teatrem Dramatycznym, potem wrócił do Narodowego (1968–1971). Pracował potem
ponownie w Dramatycznym (1971–1981) i w Polskim (1981–1988).
Jednocześnie, od 1971 r., wykładał w warszawskiej PWST (był prodziekanem Wydziału Aktorskiego 1978–1981). W stanie wojennym
był jednym z inicjatorów bojkotu telewizji, aktywnie współpracował z podziemną „Solidarnością", wchodził w skład Komitetu Kultury Niezależnej. W Polsce odrodzonej został senatorem
(1989–1991). Miał na koncie kilkaset ról teatralnych, kilkadziesiąt
filmowych.
Ojciec aktorki Joanny Szczepkowskiej.

Ś
Świderski, Jan

(1916–1988), wybitny aktor teatralny, telewizyjny i radiowy, pedagog. Przed wojną studiował prawo na UW i aktorstwo w Państwowym Instytucie Sztuki Teatralnej (dyplom 1938). Debiutował
w Teatrze Polskim w Poznaniu (1938). Po wojnie, w 1948 r.,
uzyskał dyplom reżysera na warszawskiej PWST. występował na
scenach Białegostoku, Lublina, Łodzi, Warszawy. Od 1966 r. był
aktorem warszawskiego teatru Ateneum. Od 1949 r. pracował
w warszawskiej PWST, był tu prorektorem w latach 1952–1954
i 1957–1963.

T
Tabachnik, Michel

(ur. 1942), wybitny dyrygent i kompozytor szwajcarski. Po studiach
w Genewie pracował m.in. z Herbertem von Karajanem i Pierre
Boulezem (jako asystent Bouleza przez cztery lata z orkiestrą BBC
w Londynie). Jest głównym dyrygentem Fundacji Gulbenkiana
w Lizbonie, Filharmonii w Lorraine, Ensemble InterContemporain
w Paryżu. Dyrygował w Paryżu, Zurichu, Kopenhadze, Rzymie,
Lizbonie, Montrealu, Tokio i wielu innych salach koncertowych.
Od sezonu 2008/2009 będzie naczelnym dyrygentem orkiestry ra-

dia flamandzkiego w Brukseli (BRT).
Wiosną 1996 r. Tabachnika aresztowano w związku z działalnością sekty „Świątynia słońca"; prokurator uznał go za aktywnego działacza sekty. Został oczyszczony z zarzutów przez szwajcarski sąd. Podobnie, czyli uniewinnieniem przed sądem z braku dowodów winy (2001), zakończyło się dochodzenie prowadzone przez prokuratorów francuskich w związku ze zbiorowym samobójstwem w okolicach Grenoble.

Tazbir, Janusz

(ur. 1927), historyk, profesor w Instytucie Historii PAN (był dyrektorem IH PAN w latach 1983–1990). Studiował na UW, doktorat obronił w 1954 r., habilitację w 1960, a w 1973 r. otrzymał tytuł profesorski. Od 1989 r. członek rzeczywisty PAN. Specjalizuje się w nowożytnej historii Polski, a szczególnie w dziejach kultury, obyczaju, ruchów religijnych. Ważniejsze publikacje: *Dzieje polskiej tolerancji* (1973); *Rzeczpospolita szlachecka wobec wielkich odkryć* (1973); *Kultura szlachecka w Polsce: rozkwit, upadek, relikty* (1978); *Spotkania z historią* (1979); *Piotr Skarga, szermierz kontrreformacji* (1983); *Kultura polskiego baroku* (1986); *Okrucieństwo w nowożytnej Europie* (1993); *Reformacja w Polsce: szkice o ludziach i doktrynie* (1993); *Silva rerum historicarum* (2002); *Polska przedmurzem Europy* (2004).

Tomaszewski, Marek

(ur. 1943), współtwórca (z Wacławem Kisielewskim) duetu fortepianowego Marek i Wacek. Po tragicznej śmierci Kisielewskiego (1986) nagrał dwie płyty w duecie z francuskim pianistą Michelem Prezmanem. Od 1993 r. poświęcił się pracy pedagogicznej. Mieszka we Francji.

Treugutt, Stefan

(1925–1991), krytyk teatralny, historyk literatury. Ukończył polonistykę na UW, pracował potem w Instytucie Badań Literackich. Doktorat obronił w 1964 r. Od 1968 r. prowadził wykłady na Wydziale Polonistyki UW. Był znakomitym popularyzatorem wiedzy o teatrze i historii literatury. Najważniejsze publikacje: *Pisarska młodość Słowackiego* (1958); *„Beniowski". Kryzys indywidualizmu romantycznego* (1964); *Geniusz wydziedziczony. Studia romantyczne i napoleońskie* (1993); *Pożegnanie teatru* (2001 pośmiertnie, pod red. Marii Prussak).

U
Urban, Jerzy

(ur. 1933), dziennikarz, publicysta, polityk. W młodości pracował m.in. w „Nowej Wsi", „Po prostu", potem w „Polityce", „Życiu Gospodarczym" i znów w „Polityce". W czasach PRL miał kilkakrotnie zakaz pisania, publikował wtedy pod pseudonimami. W 1980 r. został rzecznikiem rządu PRL; funkcję tę sprawował do 1988 r., potem przez kilka miesięcy był szefem Komitetu ds. radia i Telewizji. Jako rzecznik rządu PRL w latach 80. wsławił się cotygodniowymi konferencjami prasowymi, na których bronił polityki gen. Jaruzelskiego. W III RP twórca i redaktor naczelny Tygodnika „NIE", milioner.

W
Wajda, Andrzej

(ur. 1926), wybitny polski reżyser filmowy i teatralny, zdobywca Oskara za całokształt twórczości (2000) i Złotej Palmy w Cannes (1981). Studiował malarstwo na ASP w Krakowie i reżyserię w Łodzi. W latach 1972–1983 był szefem Zespołu Filmowego X; od 1978 do 1983 prezesem Stowarzyszenia Filmowców Polskich. Od początku istnienia „Solidarności" był zaangażowany w jej działalność – i oficjalną, i, w stanie wojennym, podziemną. Najważniejsze filmy: *Pokolenie* (1954); *Kanał* (1957); *Popiół i diament* (1958); *Lotna* (1959); *Niewinni czarodzieje* (1960); *Samson* (1961); *Popioły* (1965); *Wszystko na sprzedaż* (1968); *Brzezina* (1970); *Krajobraz po bitwie* (1970); *Piłat i inni* (*Pilatus und andere – ein Film fur Karfreitag*, 1972); *Wesele* (1973); *Ziemia obiecana* (1974); *Człowiek z marmuru* (1976); *Bez znieczulenia* (1978); *Panny z Wilka* (1979); *Dyrygent* (1979); *Człowiek z żelaza* (1981); *Danton* (1983); *Kronika wypadków miłosnych* (1986); *Korczak* (1990); *Pan Tadeusz* (1999); *Zemsta* (2002); *Katyń* (2007). Najważniejsze spektakle teatralne zrealizowane w Polsce: *Hamlet*, William Shakespeare, Gdańsk, Teatr Wybrzeże, prem. 19.08.1960; *Dwoje na huśtawce*, William Gibson, Warszawa, Teatr Ateneum, prem. 23.12.1960; *Wesele*, Stanisław Wyspiański, Kraków, Stary Teatr, prem. 26.10.1963; *Play Strindberg*, Friedrich Dürrenmatt, Warszawa, Teatr Współczesny, prem. 10.03.1970; *Biesy*, Fiodor Dostojewski, Kraków, Stary Teatr, 29.04.1971; *Noc listopadowa*, Stanisław Wyspiański, Kraków, Stary Teatr, prem. 13.01.1974; *Sprawa Dantona*, Stanisława Przybyszewska, Warszawa, Teatr Powszechny, prem. 25.01.1975; *Gdy rozum śpi...*, Antonio Buero Vallejo, Warszawa, Teatr na Woli, prem. 20.03.1976; *Emigranci*, Sławomir Mrożek, Teatr Kameralny (scena Starego Teatru), prem. 24.04.1976; *Nastasja Filipowna*, na motywach powieści Fiodora Dostojewskiego *Idiota*, Kraków, Stary Teatr, prem. 15.04.1977; *Rozmowy z katem*, Kazimierz Moczarski, Warszawa, Teatr Powszechny, prem. 22.12.1977; *Z biegiem lat, z biegiem dni... Opowieść teatralna na jedną noc albo cztery wieczory*. Scenariusz na motywach utworów: Michała Bałuckiego, Juliusza Kadena-Bandrowskiego, Marii Dąbrowskiej, Zygmunta Kaweckiego, Jana Augusta Kisielewskiego, Stanisława Przybyszewskiego, Andrzeja Struga, Gabrieli Zapolskiej i Tadeusza Boya-Żeleńskiego – Joanna Olczak-Ronikier. Kraków, Stary Teatr, prem. 29, 30, 31.03 i 1.04. 1978; *Tragiczna historia Hamleta, księcia Danii*, William Shakespeare, Kraków, Stary Teatr, prem. 28.11.1981; *Antygona*, Sofokles, Kraków, Stary Teatr, prem. 20.01.1984; *Zbrodnia i kara*, Fiodor Dostojewski, Kraków, Stary Teatr, prem. 7.10.1984; *Panna Julia*, August Strindberg, Warszawa, Teatr Powszechny, prem. 8.01.1988; *Lekcja polskiego*, Anna Bojarska, Warszawa, Teatr Powszechny, prem. 28.09.1988; *Romeo i Julia*, William Shakespeare, Warszawa, Teatr Powszechny, prem. 7.04.1990. Andrzej Wajda ma również na swoim koncie kilkanaście przedstawień Teatru Telewizji, zrealizowanych w latach 1969–2000.

Wende, Edward

(1936–2002), prawnik, wybitny adwokat, obrońca w procesach politycznych. Studiował prawo na Uniwersytecie Wrocławskim (dyplom 1962). W środowisku adwokackim był jednym z nielicznych, którzy podejmowali się obrony więźniów politycznych. Jego pierwsza sprawa tego rodzaju – to była obrona Leszka Moczulskiego z KPN w 1980 r. Występował też m.in. jako oskarżyciel posiłkowy w tzw. procesie toruńskim zabójców księdza Jerzego Popiełuszki (1984/1985).

W Polsce odrodzonej był senatorem (1989–1993) i posłem na sejm (1997–2001), a także sędzią Trybunału Stanu (1993–1997 i 2001).

Wipszycka, Ewa

(ur. 1933), historyk, specjalistka od dziejów antyku. Doktorat w 1962, habilitacja 1972, profesor zwyczajny 1995. Do 1972 w Instytucie Historycznym UW, potem w filii UW w Białymstoku. Współzałożycielka i od 1958 r. członek redakcji „Mówią Wieki".

Najważniejsze publikacje: *Kościół w świecie późnego antyku* (1994); *O starożytności polemicznie* (1994); *Etudes sur le christianisme dans l'Egypte de l'Antiquités Tardive* (1996).

Władyka, Wiesław

(ur. 1947), historyk, publicysta. Ukończył studia historyczne na UW (1971), doktorat o konserwatystach w II RP (1975), habilitacja o tabloidach II RP (1980), profesor od 1990. Pracuje na UW i w PAN; od 1985 r. w „Polityce". ważniejsze publikacje: *Działalność polityczna polskich konserwatystów w latach 1926–1935* (1977); *Krew na pierwszej stronie* (1982); *Polska próba. Październik '56* (1989, razem ze Zbysławem Rykowskim), *„Polityka" i jej ludzie* (2007); *Cień Wielkiego Brata. Ideologia i praktyka IV RP* (2007, razem z Mariuszem Janickim).

Wnuk-Lipiński, Edmund

(ur. 1944), socjolog, prof. dr hab., założyciel Instytutu Studiów Politycznych PAN i jego pierwszy dyrektor. Obecnie – rektor Collegium Civitas, członek rady Programowej konwersatorium „Doświadczenie i Przyszłość". Najważniejsze publikacje: *Demokratyczna rekonstrukcja. Z socjologii radykalnej zmiany społecznej* (1996); *Granice wolności. Pamiętnik polskiej transformacji* (2003); *Świat międzyepoki* (2004); *Socjologia życia publicznego* (2005).

Wójcik, Zbigniew

(ur. 1922), studia historyczne na tajnym Uniwersytecie Warszawskim, żołnierz AK, student Katolickiego Uniwersytetu Lubelskiego, doktorat w 1950 r. Pracował m.in. w państwowej służbie archiwalnej (1948–1961), od 1959 r. w Instytucie Historii PAN. Habilitował się w 1960 r., tytuł profesora nadzwyczajnego otrzymał w 1971 r., zwyczajnego w 1983 r. *Visiting professor* na Uniwersytecie Harvarda (1972), w 1983 r. laureat Fundacji Jurzykowskiego w Nowym Jorku w dziedzinie historii. Najważniejsze publikacje: *Traktat andruszowski 1667 roku i jego geneza* (1959); *Dzikie pola w ogniu. O kozaczyźnie w dawnej Rzeczypospolitej* (1960); *Między traktatem andruszowskim i wojną turecką. Stosunki polsko-rosyjskie 1667–1672* (1968); *Dzieje Rosji. 1533–1801* (1971); *Rzeczpospolita wobec Turcji i Rosji. Studium z dziejów polskiej polityki zagranicznej 1674–1679* (1976); *Jan Sobieski 1629–1696* (1983); *Jan Kazimierz Waza* (1997).

Wyczański, Andrzej

(ur. 1924), historyk, studiował na tajnym Uniwersytecie Warszawskim, dyplom na UJ 1946; doktorat 1949, habilitacja 1958, profesura 1971. Był wieloletnim pracownikiem Instytutu Historii PAN, a od 1974 r. – również filii UW w Białymstoku. Od 1983 r. jest członkiem PAN. Najważniejsze publikacje: *Studia nad folwarkiem szlacheckim w Polsce w latach 1500–1580* (1950); *Francja wobec państw jagiellońskich w latach 1515–1529* (1954); *Polska Rzeczą Pospolitą szlachecką* (1965); *Studia nad gospodarką starostwa korczyńskiego 1500–1660* (1964); *Studia nad konsumpcją żywności w Polsce* (1969); *Polska w Europie XVI stulecia* (1973); *Uwarstwienie społeczne w Polsce XVI wieku* (1977); *Między kulturą a polityką. Sekretarze Zygmunta Starego 1506–1548* (1992); *Szlachta polska XVI wieku*, (2001); *Wschód i zachód Europy w początkach doby nowożytnej* (2003).

Wyka, Kazimierz

(1910–1975), historyk literatury, wybitny krytyk literacki, profesor UJ. Dyplom UJ w 1932, habilitacja w 1946 r., nominacja profesorska w 1948 r. Był współtwórcą Instytutu Badań Literackich, gdzie piastował funkcję dyrektora w latach 1953–1970. Redaktor naczelny „Twórczości” (1945–1950). Poseł na sejm PRL 1952–1956. Najważniejsze publikacje: *Pokolenia literackie* (1939); *Pogranicze powieści* (1948); *Legenda i prawda „Wesela"* (1950); *Łowy na kryteria* (1956); *Modernizm polski* (1957); *Życie na niby* (1957); *Rzecz wyobraźni* (1959); *Stara szuflada* (1967); *O potrzebie historii literatury* (1969); *Wędrując po tematach* (1971).

Z

Zagórski-Ostoja, Włodzimierz

Wybitny polski biochemik, dyrektor Instytutu Biochemii i Biofizyki PAN. Od 1992 r. jest także przewodniczącym Komisji Nauki Polskiego Komitetu UNESCO. Ekspert Komitetu Programowego „Genomics for Health and Environment" VI Programu Ramowego Komisji Europejskiej oraz członek Rady Polsko-Francuskiego Centrum Biotechnologii Roślin. Przewodniczy Radzie Dyrektorów Placówek PAN, wchodząc jednocześnie w skład Rady Stacji Naukowej PAN w Paryżu. Współpracował z podziemną „Solidarnością" w stanie wojennym.

Zahorska-Bugaj, Marta

(ur. 1947), socjolog, dr hab., pracownik Instytutu Socjologii UW. Specjalizuje się w problemach edukacji i nierówności edukacyjnych. Córka profesora Andrzeja Zahorskiego.

Zahorski, Andrzej

(1923–1992), historyk, od 1966 profesor UW. Od 1975 redaktor naczelny „Kroniki Warszawy". 1982–1988 prezes Polskiego Towarzystwa Historycznego. Znakomity wykładowca. Autor licznych opracowań, w których zajmował się problematyką epoki stanisławowskiej, głównie powstaniem kościuszkowskim. Znawca historii Warszawy oraz zagadnień związanych z okresem napoleońskim. Najważniejsze publikacje: *Centralne instytucje policyjne w dobie rozbiorów* (1959); *Warszawa w powstaniu kościuszkowskim* (1967); *Spór o Napoleona we Francji i Polsce* (1974); *Ignacy Wyssogota Zakrzewski – prezydent Warszawy* (1979); *Napoleon* (1982); *Spór o Stanisława Augusta* (1988); *Historia Warszawy* (1972, z M. M. Drozdowskim).

Zaorski, Andrzej

(ur. 1942), aktor telewizyjny, filmowy i teatralny, znany też z występów w kabaretach.

Zapasiewicz, Zbigniew

(ur. 1934), wybitny polski aktor teatralny, filmowy, reżyser, pedagog. Studiował chemię na Politechnice Warszawskiej. Studia aktorskie w warszawskiej PWST ukończył w 1956 r. Grał w warszawskich teatrach: Klasycznym (1956–1959), Współczesnym (1959–1966), Dramatycznym (1966–1983), Powszechnym (1983–1987). W latach 1987–1990 był dyrektorem Teatru Dramatycznego, potem, do 1993 r., grał w Teatrze Polskim. Obecnie, od roku 2000, gra w Teatrze Powszechnym. Ma na swoim koncie wielkie kreacje teatralne (łącznie z Teatrem Telewizji) i filmowe, w sumie kilkaset ról. Od 1959 r. pracował w warszawskiej PWST, gdzie był prodziekanem Wydziału Aktorskiego (1969–1971), dziekanem Wydziału Reżyserii (1981–1984), prodziekanem tegoż wydziału (1984–1987).

Zawadzki, Wacław Józef, „Puchatek"

(1899–1988), bibliofil, wydawca, działacz opozycji demokratycznej. Redaktor pomnikowej Biblioteki Pamiętników Polskich i Obcych w Państwowym Instytucie Wydawniczym, członek KOR.

Zdrada, Jerzy

(ur. 1936), historyk, profesor Uniwersytetu Jagiellońskiego; specjalista w zakresie historii Polski XIX wieku, a szczególnie okresu wielkiej emigracji i powstania styczniowego. W latach 80. działacz opozycji demokratycznej i tajnych struktur „Solidarności", w latach 1989–1997 poseł na Sejm RP, w latach 1997–2001 wiceminister edukacji narodowej. Najważniejsze publikacje: *Zmierzch Czartoryskich* (1969); *Jarosław Dąbrowski* (1973); *Wielka Emigracja po Powstaniu Listopadowym* (1987).

Zembaty, Maciej

(ur. 1944), aktor i piosenkarz kabaretowy, autor tekstów piosenek, scenarzysta i literat, tłumacz i reżyser radiowy. Absolwent Wydziału Filologii Polskiej UW. W latach 70. współpracował z Programem III PR, gdzie redagował własną audycję *Polszczyzna dla wszystkich*, a w latach 1976–1981 i 1984–1999 prowadził autorski program satyryczny *Zgryz*. W stanie wojennym przygotował dla Radia Wolna Europa cykl programów *Na tyłach wrony*. Jest autorem tekstów piosenek własnego repertuaru oraz m.in. Elżbiety Jodłowskiej, Barbary Krafftówny, zespołu Polanie; autorem adaptacji radiowej i reżyserem powieści J. Jonesa *Stąd do wieczności*; słuchowisk radiowych *Pamelo żegnaj, Smakosz*; monodramu *Janis* (o J. Joplin); scenariuszy filmowych, m.in. *Sam na sam* (współaut. i reż. A. Kostenko), *Około północy* (reż. H. Włodarczyk); serialu TV *Siedem życzeń* (współaut. A. Kotkowski, reż. J. Dymek). W latach 1971–1996 z Jackiem Janczarskim tworzył wieloodcinkową powieść radiową *Rodzina Poszepszyńskich*. Był pomysłodawcą i dyrektorem artystycznym Przeglądu Piosenki Prawdziwej *Zakazane piosenki*, zorganizowanego w 1981 r. w Sopocie. Internowany w stanie wojennym.

Zientara, Benedykt

(1928–1983), historyk, specjalizujący się w historii średniowiecza, profesor UW. Najważniejsze publikacje: *Henryk Brodaty i jego czasy* (1975); *Świt narodów europejskich: powstawanie świadomości narodowej na obszarze Europy pokarolińskiej* (1985); *Despotyzm i tradycje demokratyczne w dawnej historii Rosji* (1985).

Rosner i Wspólnicy sp. z o.o.
ul. S. Okrzei 1a
03–715 Warszawa

Zapraszamy do naszej księgarni internetowej
www.riw.pl

Opłata za książkę i koszty przesyłki
następuje przy odbiorze

Nasze książki można też kupić w siedzibie wydawnictwa
Warszawa, ul. S. Okrzei 1a
pn.–pt. 10^{00}–17^{00}, sob. 10^{00}–14^{00}

Dział Dystrybucji
ul. Kolejowa 19/21
01–217 Warszawa
tel. 22 631 74 23
e-mail: dystrybucja@riw.pl